# 'ouwen voor Dummies

## Checklist bruidskit

Pak een tas in met de volgende artikelen om je door de dag te helpen:

- ❒ Achterkantjes voor oorbellen
- ❒ Afplaktape (voor gescheurde zomen)
- ❒ Aspirine, maagtabletten en kalmeringsmiddelen
- ❒ Balletschoenen om op te dansen
- ❒ Borstel, kam en haarlak
- ❒ Contactlenzen en vloeistof
- ❒ Extra kopieën van schema huwelijksdag en vervoersplan
- ❒ Haardroger
- ❒ Kleurloze nagellak, nagellijm en vijl
- ❒ Make-up
- ❒ Manchetknopen en vlinderstrikken
- ❒ Naaisetje met draad in wit, zwart en kleur van trouwjurk
- ❒ Oogdruppels
- ❒ Panty's (twee)
- ❒ Pincet, haaknaald (voor kleine knoophaakjes en dergelijke)
- ❒ Reukzout
- ❒ Rietjes (om snel iets te kunnen drinken zonder lipstick te vervagen)
- ❒ Spelden (haarspelden, rechte spelden, veiligheidsspelden)
- ❒ Tampons en maandverband
- ❒ Tandenborstel, tandpasta, floss, mondwater en pepermuntjes
- ❒ Vochtige doekjes
- ❒ Wit krijt (een redder voor lippenstift op trouwjurk of kraag)

## Checklist voor de bar

De volgende hoeveelheden zijn berekend op 100 gasten, voor een open bar van vier uur inclusief borreluurtje.

| ***Sterke drank*** | ***Hoeveelheid*** |
|---|---|
| Campari | 1 liter |
| Gin | 5 liter |
| Rum | 2 liter |
| Whisky | 4 liter |
| Tequila | 1 liter |
| Vermouth | 4 flessen |
| Wodka | 6 liter |
| Malt whisky | 1-2 liter |
| ***Bier en wijn*** | ***Hoeveelheid*** |
| Bier | 2 of 3 kratten |
| Champagne tijdens borrel | 1,5 krat |
| Wijn (wit) tijdens borrel | 1,5 krat |
| Wijn (rood) tijdens borrel | 6 flessen |
| ***Mixdranken*** | ***Hoeveelheid*** |
| Club soda | 9 liter |
| Cola | 14 liter |
| Cola light | 12 liter |
| Ginger ale | 7 liter |
| Vruchtensappen (appel, sinaasappel, grapefruit) | 8 pakken van elk |
| Tonic | 1,5 krat |

## Hoeveel personeel?

| ***Type bediening*** | ***Aanbevolen aantal obers*** |
|---|---|
| Formeel diner met meerdere gangen | Eén tot twee obers per 10 tot 12 gasten |
| Eenvoudig menu of buffet | Eén ober per 25 gasten |
| Cocktails | Eén barkeeper per 50 tot 75 gasten, plus wijn uitgedeeld door obers |

**NB:** *Het aantal obers ten opzichte van gasten varieert per regio en graad van formaliteit.*

# Trouwen voor Dummies

## Doe een goede daad op je huwelijksdag

Hier zijn enkele manieren om een goede daad te doen op of rond je huwelijksdag:

- **Doneer voedsel.** Als je een grote receptie houdt, zal er veel eten overblijven. Regel van tevoren met de cateraar dat de resten naar een gaarkeuken gaan. Bel bijvoorbeeld met het Leger des Heils. Er moet wel snel worden gehandeld, zodat het eten voldoet aan de eisen.
- **Laat je gasten geven aan een goed doel.** Als jullie alles toch al hebben, zet dan op de uitnodiging het gironummer van jullie favoriete goede doel en laat je gasten daarnaar overmaken wat ze anders aan een cadeau voor jullie hadden uitgegeven.
- **Ga op groen.** Houtvrije uitnodigingen, organisch eten, bedankjes van de Wereldwinkel, een huwelijksreis naar een groene camping. Er zijn heel veel manieren waarop je ook tijdens jullie huwelijksdag kunt uitstralen dat jullie je sociaal verantwoordelijk voelen.

## Hoeveel ruimte?

| *Ruimte* | *Vierkante meter per persoon* |
|---|---|
| Ceremonie | 2 |
| Drankjes (staand) | 1,5-2 |
| Drankjes met dansvloer en deels zitplaatsen | 2 |
| Drankjes met buffettafels en deels zitplaatsen | 3-4 |
| Diner aan tafel met dansvloer | 4-4,5 |
| Dansvloer | 1 |

## Welk formaat tafelkleed?

| *Diameter tafel* | *Kleed tot op vloer* |
|---|---|
| 150 cm | 300 cm |
| 135 cm | 285 cm |
| 120 cm | 270 cm |
| 90 cm | 240 cm |

# Trouwen voor Dummies

# *Trouwen voor Dummies*

Marcy Blum
Laura Fisher Kaiser

ADDISON
WESLEY

Een imprint van Pearson Education

Vertaling van: *Wedding Planning For Dummies*
Indianapolis, Indiana: Wiley Publishing, Inc., 2005
ISBN 90-430-1089-8
NUR 450
Trefw.: trouwen, bruiloft

Vertaling: Lia Belt voor Fontline
Redactie, zetwerk & omslag: Fontline, Nijmegen
Inhoudelijke adviezen: Simone Wilson, The Ultimate Wedding, Almere

*Dit boek is gedrukt op een papiersoort die niet met chloorhoudende chemicaliën is gebleekt. Hierdoor is de productie van dit boek minder belastend voor het milieu.*

# Opdracht

Van Marcy voor Tony, Anna en Dani, die me hebben laten zien waarom mensen kinderen willen. En voor Destin natuurlijk.

Van Laura voor mijn ouders – hartelijk gefeliciteerd met jullie gouden huwelijksjubileum.

# De inhoud in vogelvlucht

# Inhoudsopgave

# Over de auteurs

**Marcy Blum** ontwerpt en produceert al meer dan 17 jaar feestelijke evenementen. Ze is een expert op het gebied van trends, stijl en moderne etiquette. Ze staat erom bekend dat zij als een van de eersten in haar vakgebied de traditionele trouwdag overboord heeft gegooid, en laat stellen zien dat trouwen tegelijkertijd leuk en elegant kan zijn. Ze is een veelgevraagd spreker en adviseur voor zowel consumenten als bedrijven en is redacteur bij het tijdschrift *Modern Bride*. Ze is te gast geweest bij Oprah Winfrey en bij diverse andere televisieprogramma's zoals *Live with Regis and Kelly*, *The Today Show* en *Good Morning America*. Haar bedrijf, Marcy Blum Associates Events in New York, coördineert evenementen in de Verenigde Staten, het Caribisch gebied, Europa en Japan.

**Laura Fisher Kaiser** levert regelmatig bijdragen aan *The Washington Post* en aan de tijdschriften *This Old House* en *Interior Design*. Ze is als redacteur werkzaam geweest bij de bladen *Yahoo! Internet Life*, *This Old House* en *Avenue*, en schrijft vaak over antiek en verzamelobjecten, architectuur, milieuontwerp en consumententrends. Naast *Weddings For Dummies* en *Wedding Kit For Dummies* (Wiley) met Marcy Blum, was Laura co-auteur van *The Official eBay Guide to Buying, Selling, and Collecting Just About Anything* (Fireside) samen met haar echtgenoot, Michael Kaiser.

# Dankwoord

Ontzettend bedankt aan onze agent, Sophia Seidner bij IMG Literary voor het opvangen van de bal en het met zo veel gratie en vasthoudendheid in het spel houden daarvan.

We zijn enorm dankbaar voor de talenten van onze illustrator Liz Kurtzman en onze striptekenaar Rich Tennant. We willen het team bij Wiley bedanken, waaronder Courtney Allen, Melissa Bennet, Tracy Boggier, Kristin DeMint, Jennifer Ehrlich, Holly Gastineau-Grimes, Mary Goodwin, Michelle Hacker en Joyce Pepple. Een warm dankjewel ook aan onze projectredacteur Alissa Schwipps dat ze ons steeds enkele stappen voorbleef en zo'n schat is geweest.

Dit boek heeft veel baat gehad bij de inbreng en het inzicht van verschillende experts, waaronder vooral: advocaat Scott N. Weston van Nachsin & Weston in West Los Angeles, Gary Heck van Korbel, kalligraaf Glorie Austern, Elizabeth Petty van The Catering Company of Washington en Terry DeRoy Gruber van Gruber Photographers. We zijn ook dankbaar voor de inzichten van onze technisch redacteur Lois Pearce.

We hadden dit proces niet kunnen overleven zonder de liefde en steun van onze respectievelijke thuisfronten: Sandea Green-Stark en iedereen bij Marcy Associates Events en Howard Blum en Destin; niet te vergeten Michael, Adelaide en de rest van de club van Grant Road.

Natuurlijk graat onze grootste dank uit naar de bruiden en bruidegoms die van ons eerste boek, *Weddings For Dummies*, een doorslaand succes hebben gemaakt. We zijn vereerd dat we hebben mogen bijdragen aan hun huwelijken.

# Inleiding

Voor een huwelijk, of het nu een rustige ceremonie is op het stadhuis of een gekker-dan-gek spektakel, zijn gelijke delen creativiteit, planning, diplomatie en stalen zenuwen nodig. We geven toe dat het een opgave is die soms te veel kan lijken. Trouwen is tenslotte een belangrijk overgangsritueel. Maar wij zijn hier om je te vertellen: rustig blijven. Je bent in goede handen (zolang je dit boek in je handen hebt)!

De missie van *Trouwen voor Dummies* is om het mysterie weg te nemen van de vele details die bij de Grote Dag komen kijken, ze te vereenvoudigen, je te inspireren met innovatieve ideeën voor een persoonlijke huwelijksdag, je het vertrouwen te geven dat je ceremonie en receptie memorabel zullen zijn (wat je budget of trouwstijl ook is) en hopelijk ook dat je bij dat alles nog wat plezier zult hebben.

## Over dit boek

*Trouwen voor Dummies* is niet alleen voor bruiden. Omdat een trouwdag (en een huwelijk) iets is van twee mensen, raden wij bruiden en bruidegoms aan hierbij samen te werken. Als je nog nooit iets hebt gepland, helpen wij je op weg. En in welk stadium je momenteel ook bent aanbeland, we zeggen je niet dat je alles moet vergeten en opnieuw moet beginnen omdat je ergens iets fout hebt gedaan. Er bestaat niet zoiets als één juiste manier. Datgene waar jij en je aanstaande je gelukkig bij voelen, is juist voor jullie.

We hebben dit boek zo opgezet, dat het plannen van een bruiloft zo stressvrij en logisch mogelijk wordt. Als een van de belangrijkste weddingplanners in de Verenigde Staten weet Marcy wat er nodig is voor een blije, stressvrije dag. Ze helpt al meer dan twintig jaar jonge stellen te begeleiden bij hun stapsgewijze proces naar een vreugdevol huwelijk waarin hun persoonlijke stijl tot uiting komt.

*Trouwen voor Dummies* zit vol humor en huwelijksweetjes, helpt je te ontdekken welke trouwstijl je voorkeur heeft en helpt je door elke stap van het planningsproces. Hoe groot moet je bruiloft worden en wat past binnen je budget? Waar kun je het beste de ceremonie en de receptie houden? Hoe zorg je dat iedereen op tijd bij de kerk is? Hoe kun je geld besparen zonder gierig te lijken? Wat je ook weten wilt over bruiloften, in dit boek vind je het eenvoudigweg terug.

Elk hoofdstuk is onderverdeeld in paragrafen, en elke paragraaf bevat handige informatie zoals:

- Hoe je een budget bepaalt en je eraan houdt.
- Tips voor het beoordelen van mogelijke locaties voor de ceremonie en de receptie.
- Manieren om te zorgen dat gasten zich welkom voelen.
- Ideeën voor het maken van mooie menu's, afspeellijsten en cadeautjes.
- Hoe je trouwdag soepel verloopt aan de hand van een schema zonder verrassingen.

Sommige huwelijksgidsen geven tijdschema's aan voor wanneer je wat moet doen, maar wij vinden dat een opgelegd tijdschema meer spanning dan gemak biedt. Het plannen van een trouwdag kan twee jaar of twee maanden duren. In plaats van een strikt protocol voor te schrijven, hebben wij dit boek ingedeeld zodat het zinvol is voor een aanstaand bruidspaar. Het leven van alledag, werk, school en gezinsleven, laat tenslotte weinig tijd over voor het plannen van een bruiloft. Wij zeggen: laat jouw prioriteiten bepalen wat het juiste tijdstip voor alles is, van het prikken van een datum tot het pakken van de koffers voor je huwelijksreis.

Het mooie van dit boek is dat je zelf bepaalt waar je begint en wat je leest. Het is een naslagwerk; in de inhoudsopgave of de index vind je snel de informatie die je zoekt.

# Conventies in dit boek

Om je te helpen door dit boek te navigeren, gebruiken we een aantal conventies:

- *Cursief* gedrukte tekst wijst op nadruk en op nieuwe woorden of termen die worden uitgelegd.
- Tekst `in een afwijkende letter` geeft een actie aan, of specifieke stappen en woorden die je bijvoorbeeld kunt invoeren in een zoekmachine op internet.

# Aannamen

Elk boek wordt geschreven voor een bepaald soort lezer, en dit boek is daarin niet anders. Wij hebben daarom bepaalde aannamen over jullie gedaan:

- Jullie zijn verloofd en zijn pas begonnen met het nadenken over welk soort ceremonie en receptie jullie willen.
- Jullie hebben niet veel ervaring in het plannen van bruiloften of zelfs grote feesten, maar jullie weten dat jullie geen standaardbruiloft willen.
- Jullie willen basisinformatie – tips van professionals – maar jullie willen niet worden overrompeld met details.
- Hoe groot je budget ook is, je begint in paniek te raken en vraagt je af hoeveel die trouwdag van je dromen je eigenlijk gaat kosten – en hoe je dat moet gaan betalen.

We kunnen je niet vertellen wat voor soort bruiloft je moet geven – dat is helemaal aan jullie. Maar we kunnen je wel vertellen hoe je ten volle gebruik maakt van je middelen en je budget. We beseffen dat je niet alleen wilt lezen over traditionele manieren om je grote dag te vieren, maar ook je eigen persoonlijke noot eraan wilt geven. We helpen je daarbij. En, dat durven we wel te beweren, we maken het leuk.

# Indeling van dit boek

Bij een huwelijk komt er zoveel tegelijkertijd om de hoek, dat het moeilijk is een startpunt te bepalen; en dat is ook een van de redenen waarom wij geen fan zijn van strikte tijdschema's. We hebben dit boek opgezet op een manier die ons logisch leek: eerst de beeldvorming over het grote geheel en het budget – en de belangrijke vraag over waar het huwelijk gehouden moet worden – gevolgd door strategieën voor het plannen van het feest (uitnodigingen, planning, evenementen rondom het huwelijk, bloemen), details over ceremonies en recepties en dingetjes zoals huwelijkslijsten, kleding, ringen, foto's en de huwelijksreis.

## Deel 1 Het glazen muiltje past – en nu?

Antwoord: ga aan de slag voor je tijd hebt om in paniek te raken, aan de kalmeringsmiddelen te gaan of te hyperventileren. Deze eerste hoofdstukken behandelen meteen de grootste zorgen.

In hoofdstuk 1 wordt uitgelegd wat er gebeurt vanaf het moment dat iemand een aanzoek doet en staat een stapsgewijs overzicht van hoe je droomhuwelijk aansluit op de realiteit. In hoofdstuk 2 richten we ons op het financiële plaatje. We helpen je de kosten in een spreadsheet bij te houden en bieden waardevolle tips over contractonderhandeling en het gebruik van internet. In hoofdstuk 3 behandelen we de juridische en financiële details zoals huwelijkse voorwaarden.

## Deel 2: Gast aan tafel

In dit deel komen het plannen van de dag en het omgaan met gasten aan bod, te beginnen met waar – in hoofdstuk 4 helpen we je de perfecte plek te vinden voor je feest. In hoofdstuk 5 helpen we je met de uitnodigingen, en in hoofdstuk 6 vind je een uitgebreid schema voor het plannen van een probleemloze huwelijksdag.

## Deel 3: Overlevingsgids voor de ceremonie

Het belangrijkste moment van alle trouwerijen is de ceremonie zelf, en in dit deel helpen we die van jullie zo bijzonder mogelijk te maken.

In hoofdstuk 7 behandelen we verschillende soorten ceremonies van diverse grotere geloofsstromingen. We geven ook voorbeelden van een huwelijksprogramma – een mooie gids voor de dag en tegelijkertijd een aandenken. In hoofdstuk 8 gaat het over rozen en muziek. We leggen uit hoe je samen met een bloemist het mooiste effect tijdens de ceremonie en de receptie bewerkstelligt en hoe je de juiste muzieknummers en muzikanten kiest.

## Deel 4: Een ravissante receptie

In dit deel richten we ons op de receptie. We helpen je bepalen wat je serveert, waarmee je het wegspoelt, hoe je de ruimte aankleedt, wie je inhuurt en waar je naar luistert.

Hoofdstuk 9 gaat over de muziek, die misschien wel meer dan al het andere de sfeer kan bepalen. Je vindt er zelfs een kant-en-klare afspeellijst met favoriete feestnummers. Dan gaan we door naar ons favoriete onderwerp: eten! In hoofdstuk 10 helpen we je onder andere de stijl en grootte van je feestmaal te bepalen. In hoofdstuk 11 geven we je advies over dranken. Voor de bruidstaart is een apart hoofdstuk opgenomen, namelijk hoofdstuk 12. In hoofdstuk 13 laten we je zien hoe je alles er prachtig uit laat zien – de ruimte, de verlichting en de tafels.

## Deel 5: Cadeaus, kloffie, plaatjes en op reis

In dit deel bekijken we verschillende aspecten van het trouwen – voor, tijdens en na.

Hoofdstuk 14 gaat over cadeaus en huwelijkslijsten, want cadeautjes krijgen is leuk. Dan gaan we door naar hoofdstuk 15, waarin je de juiste bruidskleding kiest. In hoofdstuk 16 helpen we je bij het inhuren van de geschikte fotograaf of videofilmer. En als laatste is er ook voor een huwelijksreis planning nodig, dus vind je in hoofdstuk 17 informatie over een huwelijksreis die je nooit zult vergeten.

## Deel 6: Het deel van de tientallen

Dit deel is favoriet bij veel lezers van de *Dummies*-boeken en geeft een snel overzicht van belangrijke informatie, waaronder valkuilen en vernuftige oplossingen voor gastenlijsten en andere huwelijkszaken.

In hoofdstuk 18 proberen we te voorkomen dat je in genante valkuilen trapt, en in hoofdstuk 19 vind je manieren om geld te besparen zonder op stijl te beknibbelen.

# Pictogrammen in dit boek

Pictogrammen zijn de grappige platjes in de marge van dit boek. Elk pictogram vraagt om een andere reden de aandacht:

In tegenstelling tot wat sommige seksisten denken, is een bruiloft iets wat de bruid en de bruidegom samen organiseren. Natuurlijk kan er een natuurlijke verdeling van de werkzaamheden ontstaan, maar sommige beslissingen moet je nu eenmaal samen nemen. Wanneer je deze trouwringen ziet, duidt dit op een onderdeel dat je in overleg moet doen.

Ja, we weten dat je tante Marietje alles weet van etiquette, maar de tijden zijn veranderd en dat geldt ook voor bepaalde vaste regels. Wanneer je dit pictogram ziet, kun je een alternatieve manier verwachten voor het oplossen van een lastige situatie, of eenvoudigweg een tip waarbij iedereen zich op zijn gemak voelt.

Hoewel we er geen voorstander van zijn jezelf slaaf te maken van je kalender of eindeloze actielijstjes, is af en toe een herinnering toch wel op zijn plaats. Wanneer je dit symbool ziet, betekent dit dat het verstandig is je persoonlijke tijdschema aan te passen.

Wat je budget ook is, bij een trouwerij wil je ook zo veel mogelijk waar voor je geld. Dit symbool betekent dat er belangrijke informatie volgt over een praktische geldzaak. Hoewel we je op veel punten vertellen hoe je geld kunt besparen, leggen we je ook uit dat het soms niet verstandig is om te bezuinigen. We gebruiken dit pictogram ook om informatie over te brengen die je tijd kan besparen.

Bruiloften zijn net als het leven zelf en kunnen dus onvoorspelbaar zijn. Sommige fouten en valkuilen zijn echter eenvoudig te voorkomen. Maak deze bommetjes dus onklaar voor ze ontploffen.

# En dan?

Je zult misschien merken dat je snel door moet bladeren naar de pagina's over recepties, omdat de locatie die jij wilt al een jaar van tevoren is volgeboekt. Geen punt. Dit is geen avonturenroman, dus je kunt beginnen met lezen waar je wilt zonder dat je iets mist. In de inhoudsopgave vind je alle onderwerpen die je zoekt.

Als je nog maar net begint, kun je net zo goed bij hoofdstuk 1 beginnen. Dat begint rustig. Voor je het weet, plan je als een professional.

## Deel I

# Het glazen muiltje past – en nu?

*'Dit is een elektronische huwelijksplanner. Hij maakt al je checklisten en tijdschema's, en na de ceremonie verandert hij alle documenten in confetti en strooit die in je gezicht.'*

## In dit deel...

Gefeliciteerd met jullie verloving! Nu wordt het tijd om de handen uit de mouwen te steken. Deze eerste drie hoofdstukken helpen jullie bij het opstellen van een plan dat je tijdens de rest van het proces zal helpen. Je moet eerst bepalen wat voor soort bruiloft je wilt, wie je wilt uitnodigen en hoe je dat alles gaat betalen. We helpen je bij het maken van een realistisch budget en je daaraan te houden. Je krijgt handige tips voor het onderhandelen over contracten, fooien en het zoeken op internet. Dit is ook een goed moment om na te gaan denken over juridische aspecten zoals ondertrouw, naamswijzigingen en huwelijkse voorwaarden.

# Hoofdstuk 1

# Begin bij het begin

***In dit hoofdstuk:***

- Ontdekken wat belangrijk voor jou is
- Je eigen tijdschema bepalen
- Een datum prikken
- Een weddingplanner inhuren
- Vrijgezellenfeestjes

Toen je thuiskwam, had zijn kat je prachtige witte woonkamer veranderd in een slagveld. Maar in plaats van dat je volledig door het lint ging, vond je het reuze grappig. En toen je op dat kerstfeestje aangeschoten en een beetje misselijk werd van de margarita's, schaamde hij zich niet voor je. Sterker nog, hij vond je wel aandoenlijk. Toen beseften jullie allebei: dit moet het zijn. Echte liefde. Tijd voor de grote stap ...

## Stressarme huwelijksplanning

In tegenstelling tot wat je misschien hebt gehoord, hoeft de tijd tussen jullie verloving en het huwelijk niet bekend komen te staan als een ellendige periode. Hier volgt een reeks tips om je huwelijksplanning op poten te zetten voor de bruiloft van je dromen. Het is een kwestie van wennen, fantaseren en prioriteiten stellen. Het doel daarvan is dat je je visie verwezenlijkt met zo min mogelijk stress.

### Wennen: het nieuws bekendmaken

Sommige etiquetteboeken adviseren mannen nog steeds om de ouders van een vrouw om haar hand te vragen. Sommige bruiden kunnen zich echter beledigd voelen door die ondertoon van 'eigendom'. Zodra een van jullie echter een aanzoek heeft gedaan, is het natuurlijk wel zo aardig om het als eerste aan jullie ouders te vertellen. Dit is echter niet het moment om ze te vragen de rekening te betalen. Geef ze wat lucht. Laat ze ervan genieten. (Als er niets te genieten valt, ga dan direct door naar hoofdstuk 17 en plan je huwelijksreis – misschien is het tijd om ergens ver weg te trouwen.)

Mochten de respectievelijke ouders elkaar nog niet kennen, dan is dit een goed moment voor een kennismaking. Laat de ouders zelf bepalen wie met wie contact opneemt. Wanneer ze twijfelen, biedt de traditie uitkomst: de ouders van de bruidegom bellen de ouders van de bruid.

Als een van jullie kinderen heeft, vertel het hun dan eerst, zodat ze het niet per ongeluk van een ander horen. Bij een samengaan van twee gezinnen kan heel wat stress komen kijken, ook al lijkt het alsof iedereen het prima met elkaar kan vinden.

We beseffen dat je dolgelukkig bent met je beslissing om te gaan trouwen, maar hou je enthousiasme in bedwang. Vraag geen tachtig mensen om je te helpen. Als je al weet wie je als getuigen wilt, vertel diegenen dan zo snel mogelijk het goede nieuws. Wacht nog even met het verder bekend te maken, bijvoorbeeld omdat je nog niet weet wie van je tweeduizend allerbeste vrienden je straks werkelijk kunt uitnodigen.

## Verlovingsfeestjes

Een verlovingsfeestje kan bestaan uit een eenvoudig etentje met de familie, of een uitgebreid feest met entertainment en een buffet.

Traditioneel waren het de ouders van de bruid die het eerste verlovingsfeestje organiseerden. Als dat niet lukte, viel de eer te beurt aan de ouders van de bruidegom. Tegenwoordig kan iedereen een verlovingsfeestje voor je geven, vooral als ouders ver weg wonen of de relatie met de ouders niet zo goed is.

Een verloving of verlovingsfeestje is géén aanleiding om cadeautjes te geven of te ontvangen. Iedereen die op het verlovingsfeestje is uitgenodigd, moet in principe ook voor het huwelijk worden uitgenodigd. Anders denken ze misschien dat ze zich tijdens het verlovingsfeestje misdragen hebben.

## Laten we het nog maar eens proberen

Bij een tweede huwelijk zijn de regels tegenwoordig niet meer anders dan bij het eerste. Als je eerste huwelijk helemaal volgens het scenario van anderen is verlopen, kun je bij de tweede keer natuurlijk wel lering trekken uit de lessen van het verleden.

Een van de gevoeligste zaken bij een tweede huwelijk, is het hebben van eventuele kinderen uit een vorige relatie. Praat er met de kinderen over en neem niet voetstoots dingen aan. Als je een kind vraagt getuige te zijn in de veronderstelling dat je hem of haar een speciale eer bewijst, kan het zijn dat het kind zich schuldig voelt tegenover zijn eigen vader of moeder. Je moet de kinderen echter ook niet buiten de ceremonie houden, omdat ze zich dan wellicht niet verbonden voelen met je nieuwe partner. Houd in hun rol rekening met hun leeftijd, houding en relatie tot jullie. Als de kinderen tieners zijn, laat ze dan ook wat vrienden uitnodigen.

## Fantaseren: je droombruiloft voor ogen zien

Maar al te vaak bepalen mensen eerst een strak budget, en gaan dan proberen daar alles in te passen wat ze dénken dat bij hun bruiloft hoort. Dat werkt niet. Bovendien krijg je zo het gevoel dat je droombruiloft totaal niet haalbaar is. Wij adviseren je om andersom te redeneren. Stel je voor dat er geen beperkingen gelden voor je budget. Denk na over alle elementen die je in je fantasiehuwelijk wilt hebben. Wees zo specifiek mogelijk. Zijn er dingen waar je al van droomde toen je klein was? Hoe groot moet het feest zijn? Waar hou je het? Hoe laat? Wat voor kleding dragen jullie? Komt er livemuziek? Wie zijn er allemaal? Wat is er te eten en te drinken?

Schrijf je gedachten op en wissel ze uit met je aanstaande. Jullie kunnen ook samen brainstormen. Het gaat erom dat jullie allebei eerlijk en open zijn. Neem de ideeën van de ander serieus en lach hem of haar niet uit. Dit soort uitwisselingen is geen spelletje of grapje, maar een zeer nuttige stap om te ontdekken wat jullie écht willen.

### Kosten ramen

Je kunt nooit vroeg genoeg beginnen met het opstellen van een voorlopige gastenlijst (op papier). Bedenk wie je wilt uitnodigen en wie er echt zal komen. Dit heeft enorm veel invloed op de rest van de planning. Het aantal gasten dat jij in je hoofd hebt, komt misschien niet overeen met de werkelijkheid, en een lijst op schrift biedt je overzicht. Bovendien helpt het zien van een namenlijst je om niet klakkeloos iedereen uit te nodigen die je kent. Hoewel bepaalde kosten zoals zaalhuur, muziek en de trouwjurk meestal vast zijn, zijn de kosten voor voedsel en drankjes afhankelijk van het aantal gasten. Het verschil tussen 100 en 125 gasten betekent algauw drie extra tafels, met alles wat erbij komt kijken. Alleen jij kunt bepalen of die mensen iets toevoegen aan je dag of alleen maar je budget belasten.

Bepalen wie je wel en niet uitnodigt is een soort jongleren. Als je je ouders vraagt wie zij eventueel graag op de bruiloft zouden willen zien, geef hen dan wel een idee van het aantal en soort mensen dat je bereid bent voor hen uit te nodigen. Wanneer jullie een conceptgastenlijst hebben, kunnen jullie gaan zoeken naar locaties met een wat realistischer beeld van de grootte en kosten van zo'n locatie.

De mysterieuze lieden die zich bezighouden met statistiek zeggen altijd dat je er rekening mee moet houden dat tien tot twintig procent van de mensen die je uitnodigt, niet komt. Dat is een gemiddelde, dus ga er niet van uit dat dit bij jullie ook gebeurt. Misschien komen ze wel allemaal.

## Prioriteiten bepalen: wat is écht belangrijk

Pak je lijstje van fantasie-elementen erbij en bepaal een volgorde van belangrijkheid. Wil je overal torenhoge boeketten of vind je het belangrijker om een goede champagne te schenken? Is de trouwdatum of -tijd belangrijk? Wil je met alle geweld een designjurk, of vind je een minder spectaculaire jurk ook goed en geef je je geld liever uit aan een zevenkoppige band? Moet het feest gehouden worden in een duur hotel of kan het ook bij tante Marietje thuis?

Vergelijk jullie afzonderlijke prioriteitenlijstjes. Misschien vinden jullie het allebei niet zo belangrijk om een uitgebreid diner te geven. Misschien heb jij altijd al op blote voeten op het strand willen trouwen, maar vindt je aanstaande alleen een chique bruiloft in een hotel indrukwekkend genoeg. Welke concessies willen jullie doen? (Dit is trouwens een goede oefening voor de rest van jullie leven.)

## Visualiseren: maak een checklist

Nu komen de geldzaken aan bod. Begin met een schatting van de kosten van de belangrijkste onderdelen. Hierdoor krijg je een ruw budget en een manier om wat grenzen te stellen. De details komen later. (Zie hoofdstuk 2 voor het bepalen van een budget.)

Denk eraan dat het budget nu nog niet vaststaat en dat je nog flexibel bent. Je zult je misschien niet de duurste bloemen of zeldzaamste champagne ter wereld kunnen veroorloven, maar bekijk welke onderdelen van je fantasiebruiloft misschien wél mogelijk zijn. Misschien kiezen jullie aanvankelijk voor kaviaar, maar zien jullie dan ineens de ideale band ergens optreden. Aangezien ze niet allebei in je budget passen, zul je een keuze moeten maken. Denk aan de dingen die je mooi vond aan andermans bruiloften. Was het het eten? De locatie? De muziek?

Een bruiloft plan je niet alleen. En hij is ook niet afgelopen zodra de bruidstaart is aangesneden. De gevolgen binnen een familie en tussen personen kunnen veel langer aanhouden. Het is daarom een goed idee om in een vroeg stadium op zoek te gaan naar eventuele wrijvingen en daar een compromis voor te bedenken. Dat kan je op de dag zelf en daarna een hoop ergernis besparen.

## Organiseren: laat je niet nekken door de details

Als je zenuwachtig wordt van het woord 'organiseren', moet je dit echt lezen. En zelfs al ben je een meester-regelaar, dan nog kun je je voordeel doen met de volgende tips over organisatie en budget.

## Complicaties met kindertjes

Een van de mooie dingen van bruiloften is dat ze vele generaties onder één dak samenbrengen. Aan de andere kant vind je het misschien niet zo'n fijne gedachte dat jullie huwelijksceremonie constant wordt onderbroken door huilende baby's.

Een van de meer emotionele beslissingen die je moet nemen, is of je kinderen bij je bruiloft wilt hebben. Je hebt misschien gemerkt dat mensen soms behoorlijk stijfkoppig kunnen zijn als het op hun kleine schatjes aankomt. Dus wat zijn je keuzes, hoe maak je de beslissing, hoe breng je die tactisch over?

Ga er niet van uit dat je gasten op de hoogte zijn van de adresseringsetiquette (dat wil zeggen: dat ze weten dat hun kinderen niet zijn uitgenodigd wanneer die niet op de envelop worden genoemd). Als je je beslissing eenmaal gemaakt hebt, wees dan vriendelijk maar ferm wanneer mensen je bellen om te vragen of je hun kinderen vergeten was. Je ontketent maar al te gemakkelijk een oorlog wanneer je door de knieën gaat en een uitzondering maakt voor sommige kinderen.

Het is lastig om een minimumleeftijd op te geven. Als je bruidsmeisjes hebt, zullen die waarschijnlijk diep teleurgesteld zijn als ze niet worden uitgenodigd voor de overige feestelijkheden. Denk er ook aan dat het bijna onmogelijk is om kinderen op een bepaald tijdstip naar huis te laten brengen en hun ouders dan zover te krijgen dat ze weer terugkomen. Een ruimte naast de receptiezaal waar de kinderen worden opgevangen is misschien een idee.

En ten slotte: als je kinderen weert, moet je er rekening mee houden dat de ouders ook niet komen.

Zie je huwelijk als elk ander groot project in je leven: hak het in kleine stukjes. Groepeer stappen die bij elkaar passen en zet ze in een kalender die je afstemt op de rest van je dagelijkse leven:

- **Zet taken en deadlines op je kalender.** Gebruik een potlood of een elektronische agenda voor het geval er dingen veranderen. En er gaan dingen veranderen. Reken daar maar op.
- **Geef jezelf voldoende tijd.** Als je net aan een nieuwe opleiding begint, een andere baan hebt of van plan bent te verhuizen, is dit waarschijnlijk niet het juiste moment om een enorme bruiloft te plannen. Een huwelijk is een feestelijke gebeurtenis, maar levert toch stress op. Vraag je af hoeveel je bereid bent op te geven.
- **Draag overal een notitieblokje bij je.** Die lichtjes gaan je altijd op de meest onwaarschijnlijke momenten op. En zelfs al denk je dat dit idee zo goed is dat je het echt niet zult vergeten, het kan toch verloren gaan tussen al die andere belangrijke dingen waar je aan moet denken. Met een notitieblokje (en een pen) binnen handbereik kun je al die ingevingen snel opschrijven – 'geborduurde zijde, geen taf!' of 'bakker bellen over abrikozenvulling'.

- **Maak een monsterboek.** Een accordeonmap of plastic hoesjes in een ordner zijn handig voor het bewaren van allerlei contracten, menu's, brochures, gastenlijsten, stofmonsters, foto's, reçu's en dergelijke. Bovendien is dit soort dingen naderhand vaak leuk materiaal voor het plakboek.

- **Begin zo vroeg mogelijk met het bijhouden van je gastenlijst.** Gebruik een spreadsheetprogramma of een kaartenbak. Noteer namen, adressen en wie er eventueel al heeft toegezegd te komen. Deze lijst kun je later weer gebruiken bij het bepalen van een tafelschikking.

Schrijf niet alleen op wat je wél wilt, maar ook wat je zeker niét wilt. Zo vergeet je bijvoorbeeld niet zo gauw om de cateraar te vertellen dat tante Marietje ontzettend allergisch is voor schaaldieren of de band te zeggen dat ze onder geen enkele voorwaarde een nummer van De Deurzakkers mogen spelen.

## Synchroniseren: weg met de mythe van het tijdschema

Met uitzondering van de uitnodigingen, waarbij je voor het drukken en verzenden soms wel rekening moet houden met een termijn van twee maanden, kan bijna elk ander onderdeel van een bruiloft in minder dan twee maanden worden geregeld. Niet dat we je aanraden alles tot het laatste moment uit te stellen, maar je hoeft geen slaaf te zijn van andermans planning. Maak je klaar voor een grote schok: *Trouwen voor Dummies* biedt je geen standaard tijdsplanning voor je huwelijk met: 'Twee dagen van tevoren: teennagels lakken'. Wij zijn namelijk van mening dat dit soort strakke schema's zelfs de dappersten onder ons angst aanjaagt. Stel je eigen, aangepaste tijdschema op en geef ruimte aan je eigen prioriteiten, budget, persoonlijke activiteiten en de werkelijkheid van alledag.

Ondanks wat we net hebben gezegd, adviseren we je wel om bepaalde details zo snel mogelijk af te ronden. Zelfs voordat je een uiteindelijke trouwdatum bepaalt, moet je afwegen welke dingen moeilijk te regelen zijn, waar zeer veel vraag naar is of die gewoon tijd kosten. Doorgaans zijn dat de volgende dingen:

- **Locatie.** Jullie zijn niet de enigen die binnen afzienbare tijd gaan trouwen. Dus als je in een populair seizoen of op een populaire locatie wilt trouwen, moet je misschien al een jaar van tevoren boeken. (Zie hoofdstuk 4 voor het kiezen van een locatie en hoofdstuk 10 over werken met een cateraar.)

- **Band.** Een goede band (of dj) moet je misschien ook al maanden van tevoren boeken. (Zie de hoofdstukken 8 en 9 voor informatie over het zoeken naar de geschikte muzikanten.)

## Iedereen op een rijtje

Tijdens het plannen van een bruiloft zul je veel bellen en e-mailen. Het is handig om één overzicht te hebben van alle contactgegevens.

Houd een lijst bij van alle mensen die belangrijk zijn voor de bruiloft, met hun contactgegevens (telefoon, mobiele telefoon, adres, e-mail, website). Zet ook je leveranciers op deze lijst. Je namenlijst zal waarschijnlijk lijken op het volgende, alfabetische overzicht.

- ambtenaar van de burgerlijke stand
- band
- bloemist
- bruid
- bruidegom
- bruidsboetiek
- cateraar
- decorateur
- fotograaf
- huwelijksplanner
- juwelier
- kalligraaf
- kapper
- kleermaker
- leverancier bruidstaart
- leverancier trouwkaarten
- ouders van de bruid
- ouders van de bruidegom
- pastor, priester, predikant
- reisagent
- schoonheidsspecialiste
- slijterij
- videofilmer
- verhuurbedrijf
- vervoersonderneming

- **Trouwjurk.** De zoektocht naar de perfecte trouwjurk is een bron van veel spanning en bovendien een onvoorspelbaar proces. Zelfs al slaag je meteen bij de eerste bruidsboetiek, dan nog kan het diverse keren passen en vermaken van de jurk ervoor zorgen dat het een eindeloos proces wordt. En dan moet je nog iets in je haar, bijpassende schoenen, ondergoed ... zie hoofdstuk 15 voor de onsmakelijke details.

- **Uitnodigingen.** Traditioneel verstuur je de uitnodigingen zes weken voor de trouwdatum, maar wij adviseren je om acht weken aan te houden. Er zijn uitzonderingen, bijvoorbeeld voor gasten uit het buitenland, die hun uitnodiging tien weken van tevoren moeten krijgen. Veel mensen zullen vrij moeten nemen van hun werk of speciale regelingen moeten treffen: stuur hun de uitnodiging wat eerder of stuur ze een kaartje, zodat ze de datum alvast kunnen reserveren. Dat kan als het nodig is al zes maanden tot een jaar van tevoren. (Zie hoofdstuk 5 over uitnodigingen en ander drukwerk.)

### Data om rekening mee te houden

Sommige feestdagen of lange weekends lijken de perfecte tijd om een huwelijk te plannen. Andere tijden zijn misschien taboe op basis van je religie of nationaliteit. Een bepaalde datum kan ongelukkig zijn omdat het de sterfdag van een familielid is. De volgende dagen zijn wellicht minder geschikt.

- nieuwjaarsdag
- Goede Vrijdag
- Pasen
- Pinksteren
- moederdag
- vaderdag
- Jom Kippoer
- kerstavond en Kerstmis
- koninginnedag

## *Een datum prikken*

Misschien gaat je moeder elk jaar op dezelfde datum naar een beautyfarm, of hebben je schoonouders al kaarten voor een cruise van drie maanden. Je kunt rekening houden met je gasten, maar je kunt het niet iedereen naar de zin maken. Er kunnen andere factoren meespelen bij het prikken van een trouwdatum. Misschien wil je artistieke zwartwitfoto's die in de wijde omtrek maar door één persoon kunnen worden gemaakt, en is die persoon volgeboekt. Dan zul je een wat traditionelere fotograaf moeten inhuren óf een andere datum kiezen.

Vergeet niet rekening te houden met de zomervakantie.

Uiteindelijk moet je zelf beslissen wat het beste is voor jullie en de meerderheid van jullie gasten. Zodra je eenmaal een datum hebt geprikt, hou je daar dan aan. Je gasten leren er wel mee leven, en de meeste kunnen er ook heel goed mee leven.

## *Gebruikmaken van een feestdag*

Het is soms verleidelijk om je bruiloft op een feestdag te houden. (Zie de kadertekst 'Data om rekening mee te houden'.) Dat kan best werken als je familie op die datum toch altijd al gezamenlijk iets gaat doen of omdat iedereen dan toch al vrij is van zijn werk.

Soms stellen mensen het echter niet op prijs als je ze tijdens hun kostbare feestdagen een sociale verplichting oplegt. Als ze dat offer dan toch brengen, verwachten ze wel van hun gastheer en -dame dat die hen vermaken. In dit soort gevallen kan het gebeuren dat je enkele dagen voor en na het huwelijk nog druk met ze bent, en dat kan zowel tijd als energie vreten.

Een ander nadeel van een huwelijk op een feestdag is de prijs. Denk je maar eens in hoeveel jij zou vragen als je met Kerstmis zou moeten werken. Dat geldt ook voor je leveranciers.

Hoe later in de week je trouwt, hoe duurder het wordt!

### Piektijden

Sommige stellen zijn sentimenteel over een bepaalde datum. Ze willen trouwen op nieuwjaarsdag als symbool van hun nieuwe start samen, of op een van beider verjaardagen, of precies drie jaar na hun eerste kus. Het is aandoenlijk, maar pas wel op. Jouw speciale plek op de kalender kan precies op een feestdag vallen, of op een lastige dag van de week, of tijdens een piektijd (dus: dure tijd). Januari, februari en maart zijn meestal wat rustigere maanden, aangezien de meeste stellen tussen mei en oktober willen trouwen.

Met de bruiloft van onze aanstaande kroonprins die op 02-02-2002 plaatsvond, heeft zich een heel populaire trend gevormd. Vele bruidsparen kiezen voor speciale datums zoals 05-05-2005, 20-05-2005, 06-06-2006 en 20-06-2006, wees dus op tijd als je besluit om op een van die dagen te gaan trouwen.

Het loont om flexibel te zijn. Een locatie is goedkoper op zondagmiddag of donderdagavond dan op zaterdagavond. Bovendien kan een populaire locatie de komende twee jaar al elke zaterdagavond volgeboekt zijn.

Als je bruiloftsgasten niet van verre komen en je plannen eenvoudig zijn, maakt een doordeweekse dag je leven eenvoudiger – en goedkoper.

## Uitbesteden: een team kiezen

We nemen aan dat je dit boek hebt gekocht omdat je geïnteresseerd bent in het regelen van je eigen bruiloft. Maar denk eraan: geld betekent macht. Je zult het misschien niet leuk vinden, maar als je schoonouders of ouders meebetalen aan de bruiloft, hebben ze er ook iets over te zeggen. Dit kan een van de lastigste situaties zijn die veel diplomatie vergt. Andere mensen kunnen heel andere ideeën hebben over jouw bruiloft dan jij.

Weeg het belang van geldelijke bijdragen af tegen het belang van bepaalde onderdelen van je huwelijk. Alleen jij kunt die afweging maken. Als je een aanzienlijke bijdrage accepteert van anderen, moet je ook veel van hun advies aannemen. Bepaal wat je het belangrijkste vindt: veel financiële steun of zelf de touwtjes in handen hebben.

Als mensen opdringerig worden, doe dan het volgende. Luister naar wat ze te zeggen hebben en bedank hen met alle gratie en charme waar je om bekendstaat. Vervolgens neem je samen met je aanstaande de beslissing en stel je de mensen daar vriendelijk maar ferm van op de hoogte.

Geef personen die dreigen te bemoeizuchtig te worden een eenvoudig project, zoals zoeken naar een goed hotel voor je buitenlandse gasten of het opsporen van een recept. Wij zijn groot voorstander van het op milde wijze uitbuiten van familie en vrienden, maar denk er wel aan dat iemand die iets voor je trouwdag doet, ook uitgenodigd dient te worden. Vraag alleen gunsten aan goede vrienden of aan mensen die niets te winnen of te verliezen hebben wanneer ze je helpen. De beste manier is om familie en vrienden om aanbevelingen te vragen. Zo hebben ze het gevoel dat ze je geholpen hebben, zonder dat ze er zich verder in hoeven te mengen.

Wanneer iemand zijn hulp aanbiedt, denk daar dan eerst rustig over na. Je beste vriendin kan dan wel zeggen dat ze een naaicursus heeft gevolgd, maar dat betekent nog niet meteen dat ze er ook goed in is. Delegeer met verstand. Het is de bedoeling dat je tijd bespaart en niet met nóg meer werk, kosten of gekwetste gevoelens eindigt.

# Werken met een weddingplanner

Ze zijn overgewaaid uit de Verenigde Staten maar worden ook hier al steeds vaker in de arm genomen: professionele weddingplanners.

Je zou kunnen overwegen een weddingplanner in te schakelen als:

- je niet zo'n twaalf uur per week de tijd hebt om alles zelf te regelen – en twee keer zoveel naarmate de trouwdatum nadert;
- je allebei een drukke baan hebt;
- je meer dan honderd gasten wilt uitnodigen;
- je de bruiloft thuis, in een tuin, bij een museum of andere niet-horecalocatie wilt houden;
- je heel bijzondere wensen hebt.

Als je bij een bruiloft van iemand anders bent geweest en je wilt zelf een gelijksoortige dag, vraag het stel dan wie hun dag geregeld heeft. Cateraars, bloemisten en fotografen kunnen je soms ook op het spoor zetten van een betrouwbare planner.

In de Gouden Gids kun je ook weddingplanners vinden, maar denk eraan dat iedereen die iets met trouwerijen te maken heeft, van fotografen tot cateraars, kan beweren dat hij een weddingplanner is. Probeer er, voor je een afspraak maakt, achter te komen of het weddingplannen hun hoofdactiviteit is of slechts een bijzaak. Vraag altijd om referenties.

Vraag de weddingplanner om voorbeelden van eerder geplande bruiloften. Vraag of de weddingplanner jullie naam wil doorgeven aan het betreffende eerder getrouwde bruidspaar, zodat zij contact met je kunnen opnemen.

## De hoeveelheid hulp bepalen

De beste tijd om een weddingplanner in te huren is aan het begin van het proces. Sommige planners zijn echter ook beschikbaar om alleen bepaalde onderdelen te regelen of alleen op de huwelijksdag zelf als regisseur op te treden. Een planner kan je ook alleen advies geven als je er toch voor kiest om de bruiloft zelf te regelen.

Weddingplanners berekenen hun tarieven als vast bedrag, per uur of als percentage van het huwelijksbudget. Ga voor het inhuren van een weddingplanner die de hele dag voor jullie regelt uit van ongeveer 10 tot 15 procent van je totale huwelijksbudget. Overigens kan een weddingplanner vaak kortingen regelen bij leveranciers die je als particulier niet kunt regelen, en dat maakt de uitgave dan weer enigszins goed.

De meeste leveranciers geven commissie of kortingen aan de weddingplanners waarmee zij vaste afspraken hebben.

## Een weddingplanner kiezen

Doe je huiswerk voordat je met een weddingplanner gaat praten. Zorg ervoor dat je hem of haar kunt vertellen wanneer je gaat trouwen, waar je wilt trouwen (of in ieder geval een selectie van locaties hebt gemaakt), hoeveel gasten je denkt uit te nodigen en wat je budget ongeveer is. Maak altijd een afspraak om alles persoonlijk door te nemen.

Wanneer je bij de weddingplanner komt, zal die je waarschijnlijk een portfolio laten zien. De foto's kunnen je helpen een idee te vormen over zijn of haar stijl, maar zeggen eigenlijk meer over de ontwerper of de bloemist. Vraag dus altijd wie voor wat verantwoordelijk was als je een foto mooi vindt. Enkele andere relevante vragen:

- Hoe lang doe je dit al?
- Welke diensten zitten er in het contract?
- Kun je uit de voeten met ons budget?
- Mag ik zelf leveranciers kiezen?
- Hoe wordt je prijs berekend?
- Wat zijn je voorwaarden (zijn deze gedeponeerd bij de Kamer van Koophandel)?

- Ben je aangesloten bij een professionele Associatie voor Trouwconsulenten?

Tegenwoordig schieten de weddingplanners als paddestoelen uit de grond en in principe mag zich iedereen een weddingplanner noemen. Er bestaat landelijk maar een selecte groep die zich ook met recht weddingplanner mag noemen. Vraag om referenties!

Jij en je aanstaande staan hier samen voor, dus jullie moeten ook samen naar de weddingplanner. Als jullie bepaalde ideeën nog niet hebben uitgekristalliseerd, kan een gesprek met een weddingplanner duidelijkheid scheppen. Neem foto's uit tijdschriften en dergelijke mee waar decoraties en kleuren op staan die je mooi vindt. Zo krijgt de weddingplanner een idee van jullie smaak en stijl.

Denk eraan, je zoekt iemand met stijl, creativiteit en smaak. De weddingplanner moet georganiseerd zijn, gericht op details en objectief (dat is een voordeel in beladen situaties). Hij of zij moet ook vindingrijk zijn en goed zijn in onderhandelen. En ten slotte wil je natuurlijk iemand die volkomen betrouwbaar is en een goed gevoel voor humor heeft.

Net als in een goede relatie, moet ook de band die je met je weddingplanner vormt zijn gebaseerd op vertrouwen, eerlijkheid en wederzijds respect. Zo zorg je ervoor dat jij en je gasten nog lang en met veel genoegen op jullie huwelijksdag terugkijken.

# Vrijgezellenfeestjes

Zodra je bekendmaakt dat jullie gaan trouwen, zal er in jullie familie- en vriendenkring heel wat bekokstoofd gaan worden. Afhankelijk van je familie, zul je bedacht moeten zijn op ludieke acties zoals vrijgezellenfeestjes voor jullie beiden. Met de volgende informatie kom je wat meer beslagen ten ijs en kun je (althans proberen) een en ander wat bij te sturen.

## De geheel vernieuwde vrijgezellenavond – voor de man

Vroeger werd een vrijgezellenavond voor de bruidegom georganiseerd door zijn ongetrouwde vrienden. De arme drommel die op het punt stond te gaan trouwen, ontving geld van zijn vrienden om te drinken omdat hij straks al zijn uitgaven zou moeten verantwoorden tegenover moeder de vrouw. Aan het einde van de avond werd er dan een toast op de bruid uitgebracht, waarna de glazen werden stukgegooid zodat die nooit meer voor een minder belangrijke toast gebruikt konden worden.

Tegenwoordig organiseren familieleden of vrienden de vrijgezellenavond. Hoewel er nog steeds mensen zijn die het leuk vinden om een aanstaande bruidegom in een raar pak te laten lopen en mee te sleuren naar een striptent, is dat steeds minder gangbaar. Er zijn zoveel leukere dingen te doen, dingen waarbij je zelfs je vader en schoonvader kan meenemen zonder je te schamen. Om maar wat te noemen:

- **Uitstapje.** Pak de trein of huur een busje en ga naar een stad in de buurt voor een weekend vol culturele uitstapjes, concerten en veel eten.
- **Avontuur.** Ga parachutespringen of een weekend survivallen, of volg met zijn allen een cursus Thais koken (om maar wat te noemen).
- **Toernooi.** Tennis, squash of karten. De winnaar krijgt tijdens het uitgebreide diner achteraf een medaille of andere prijs.

De vrijgezellenavond houden op de avond voor je trouwt is meestal niet zo'n goed idee (anders ben je de volgende dag helemaal uitgeput, en hoe moet dat dan met je huwelijksnacht?)

## De geheel vernieuwde vrijgezellenavond – voor de vrouw

Ook de vrouwelijke versie van de vrijgezellenavond die bestaat uit het met zijn allen zo snel mogelijk dronken worden, is aan het verdwijnen. Er zijn wederom zoveel leukere alternatieven, zoals:

- Ga een weekendje naar een beautyfarm.
- Breng een bezoek aan een helderziende of medium.
- Huur een stapel romantische films (Father of the Bride, My Best Friend's Wedding) en hou een marathon met veel papieren zakdoekjes.
- Dit is nu echt een goede reden om weer eens een pyjamafeestje te geven.

# Hoofdstuk 2

# Voorkom financiële verrassingen

***In dit hoofdstuk:***

- Een budgetspreadsheet maken
- Je aan je budget houden
- Contractonderhandelingen
- Internet afspeuren

Boeken en tijdschriften met daarin de prachtigste huwelijken, scheppen soms onhaalbare verwachtingen. Een stel kan het idee krijgen dat het zo móét. Ze landen weer met beide benen op de vloer (of zakken erdoor) zodra de offertes van leveranciers op de mat vallen. Het uitvogelen hoe je dit alles moet gaan betalen is een tijdrovende aangelegenheid en legt bij veel stellen een behoorlijke druk op de relatie.

In dit hoofdstuk helpen we je het financiële plaatje helder te krijgen. We leggen je uit hoe je een budget vaststelt en je daaraan houdt, hoe je onderhandelt over contracten en hoe je dure verrassingen voorkomt. Ook vind je in dit hoofdstuk enkele van onze favoriete geldbesparende tips, waarvan je er elders in dit boek nog meer aantreft.

Bij je zoektocht naar 'waar voor je geld' moet je in gedachten houden dat er slimme en minder slimme manieren zijn om kosten te besparen. Ga niet direct naar de goedkoopste leverancier, maar ga er ook niet van uit dat de duurste de beste is. Vraag altijd naar referenties, stel veel vragen, laat alles op papier zetten en weeg je mogelijkheden zorgvuldig af. Als iets te mooi lijkt om waar te zijn, dan is het dat waarschijnlijk ook. Goedkoop is soms duurkoop.

## Liefde kost geld

Eerst het slechte nieuws: we hebben geen formule voor je om te berekenen hoeveel je bruiloft gaat kosten. Sommige deskundigen hebben wel geprobeerd daar richtlijnen voor op te stellen in de vorm van taartdiagrammen, maar die blijken in het werkelijke leven vaak totaal nutteloos te zijn. Schattingen die je op internet kunt vinden, zijn niet meer dan, inderdaad, schattingen. Feit is dat geen twee bruiloften hetzelfde zijn. Wie kan zeggen hoe veel van je budget wordt besteed aan het feest en hoe veel aan je kleding? Dat hangt af van je persoonlijke smaak, financiële situatie en de omstandigheden.

En dan nu het goede nieuws: je kunt echt een prachtige trouwdag hebben zonder failliet te gaan. Het enige wat je ervoor nodig hebt is de juiste houding, een beetje gezond boerenverstand, een creatieve planning en de constante controle over je budget.

Het belangrijkste wat je moet onthouden, is dat je gaat trouwen met degene van wie je houdt. Of je nu drieduizend of driehonderdduizend euro te besteden hebt, het succes van het feest hangt uiteindelijk toch af van de genegenheid die jullie tegenover elkaar en de gasten laten zien. Het is geen toneelvoorstelling. Het is het smeden van een nieuwe band als getrouwd stel. De manier waarop je met je gasten omgaat, moet jullie waarden weerspiegelen.

We kunnen niet vaak genoeg benadrukken wat een huwelijk niét moet zijn: de oorzaak van veel ellende en spanning. Misschien ben je bezorgd dat je gasten elk aspect van je trouwdag onder de loep gaan nemen en weddenschappen met elkaar sluiten over hoeveel dit alles wel niet gekost heeft. Hou daarmee op. Je maakt jezelf gek, en bovendien ga je je budget afstemmen op andermans prioriteiten. Bovendien, als je vrienden hebt die dat soort dingen denken, waarom nodig je ze dan uit op je bruiloft?

Wat je ook doet, steek jezelf nooit in de schulden om te gaan trouwen. Ja, het is een belangrijke dag. Nee, het is het niet waard om nog jaren voor krom te liggen. Vier je bruiloft op een manier die je kunt betalen en maak er het beste van. Het is immers 'in rijkdom en in armoede' en niet 'tot de bank onze rekeningen bevriest'.

# Maak een spreadsheet

Niets werkt beter dan een eenvoudige spreadsheet om je kosten en uitgaven op een rijtje te zetten en het budget in het oog te houden. Voor een leek ziet zo'n spreadsheet er misschien intimiderend uit, maar deze is echt makkelijk te gebruiken. Als je daar eenmaal achter bent, zie je in één oogopslag wat deze trouwgrap je kost. Als je niet bekend bent met spreadsheetsoftware zoals Excel, lees dan *Excel 2003 voor Dummies*.

In figuur 2.1 zijn we onderaan begonnen, namelijk met het gebudgetteerde bedrag, omdat je waarschijnlijk wel een idee hebt van wat je ongeveer wilt uitgeven. Vul op basis van dat bedrag schattingen in voor de verschillende onderdelen. Pas de bedragen in de kolom 'Geschat' aan wanneer je offertes van leveranciers hebt ontvangen. Sommige zaken kunnen meevallen en andere kunnen tegenvallen (helaas valt het meestal tegen). Maar raak niet in paniek. De spreadsheet is er enkel om je wat overzicht te bieden en je met beide benen op de grond te houden.

Wanneer je je leveranciers hebt gekozen, maak je een aparte spreadsheet om de geldstromen in kaart te brengen. In figuur 2.2 zie je hoe je uitgaven bijhoudt, eventuele aanbetalingen noteert en nog te betalen bedragen verwerkt. Het is meestal ook handig om een kolom te maken met de datum waarop een factuur betaald moet worden. Je kunt het zo uitgebreid maken als je wilt, met kolommen voor extra betalingen, contactgegevens of notities. (Zie de kadertekst 'En dan nog iets …' in dit hoofdstuk voor een lijst van mogelijke uitgaven die je in je spreadsheet kunt opnemen.)

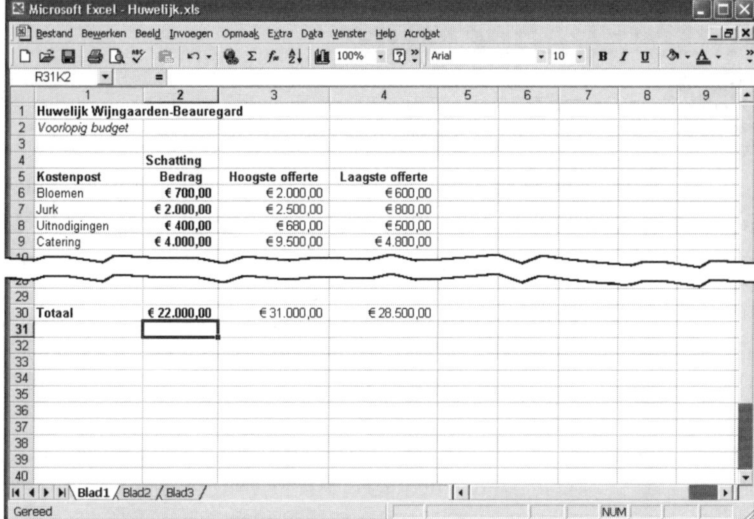

Microsoft Excel - Huwelijk.xls

| | 1 | 2 | 3 | 4 |
|---|---|---|---|---|
| 1 | **Huwelijk Wijngaarden-Beauregard** | | | |
| 2 | *Voorlopig budget* | | | |
| 3 | | | | |
| 4 | | **Schatting** | | |
| 5 | **Kostenpost** | **Bedrag** | **Hoogste offerte** | **Laagste offerte** |
| 6 | Bloemen | **€ 700,00** | € 2.000,00 | € 600,00 |
| 7 | Jurk | **€ 2.000,00** | € 2.500,00 | € 800,00 |
| 8 | Uitnodigingen | **€ 400,00** | € 680,00 | € 500,00 |
| 9 | Catering | **€ 4.000,00** | € 9.500,00 | € 4.800,00 |
| 30 | **Totaal** | **€ 22.000,00** | € 31.000,00 | € 28.500,00 |

**Figuur 2.1:** Maak een spreadsheet om offertes te vergelijken

Microsoft Excel - Huwelijk.xls

| | 1 | 2 | 3 | 4 | 5 | 6 |
|---|---|---|---|---|---|---|
| 1 | **Huwelijk Wijngaarden-Beauregard** | | | | | |
| 2 | *Aangepast buget 4-1* | | | | | |
| 3 | | | | | | |
| 4 | | | | **Rest-** | **Betaal-** | **Totaal** |
| 5 | **Kostenpost** | **Bedrag** | **Aanbetaling** | **bedrag** | **datum** | **betaald** |
| 6 | Bloemen | **€ 800,00** | € 300,00 | € 500,00 | 05-jun | |
| 7 | Jurk | **€ 2.000,00** | € 1.000,00 | € 1.000,00 | 10-apr | € 680,00 |
| 8 | Uitnodigingen | **€ 680,00** | € 680,00 | € 0,00 | 09-mrt | |
| 9 | Catering | **€ 5.000,00** | € 2.500,00 | € 2.500,00 | 05-jun | |
| 30 | **Totaal** | € 22.000,00 | **€ 9.050,00** | **€ 15.950,00** | | **€ 680,00** |

**Figuur 2.2:** Maak een wat gedetailleerdere spreadsheet om de geldstroom bij te houden

Maak een extra kolom met een marge van tien procent voor extra kosten. Behalve als je helderziend bent, kun je sommige dingen onderschatten en andere overschatten. Mocht het nodig zijn, dan heb je een buffer in de vorm van die extra tien procent.

Of je nu een spreadsheet gebruikt of een ander systeem, het gaat erom dat je alle kosten bijhoudt die je maakt. Een budget is makkelijk te overschrijden als je achterloopt met je administratie.

## Kostenbeheersing

Aangezien bruiloften meestal meer kosten dan je zou verwachten, is het zaak zo veel mogelijk waar voor je geld te krijgen:

- **Ken je grenzen.** Als je de hele bruiloft zelf betaalt, raadpleeg dan een weddingplanner (die je kan vertellen wat alles kost) en een accountant of financieel adviseur (die je kan helpen bepalen wat je je kunt veroorloven en hoe je dat gaat betalen).
- **Open een trouwbankrekening.** De eenvoudigste manier om je huwelijksbudget te beheren, is door een aparte trouwbankrekening te openen. Dan weet je precies hoeveel geld er binnenkomt en hoeveel geld je uitgeeft.
- **Laat eventuele financiële bijdragen van tevoren overmaken.** Als iemand je financieel steunt, probeer dan of je het hele bedrag ineens en van tevoren kunt krijgen.
- **Maak gebruik van aanbiedingen.** Betaal grote aankopen met je creditcard die je bijvoorbeeld extra Airmiles oplevert. We gaan ervan uit dat je slim bent, dus we hoeven je niet te vertellen dat je de schuld op je creditcard zo snel mogelijk moet inlossen.
- **Word lid van clubs.** Naast de Airmiles-organisatie bieden veel hotels extra voordeel als je vaker bij ze overnacht. Als je je receptie in zo'n hotel houdt, kan je dat misschien een paar gratis huwelijksnachten opleveren.
- **Ga stiekem trouwen.** Grapje.
- **Wees punctueel.** Blijf georganiseerd en houd je aan het schema voor de trouwdag om kosten van overwerk te voorkomen.
- **Lees de kleine lettertjes.** Lees contracten zorgvuldig. Komen er nog extra kosten bij?
- **Onderhandel.** Het is heel normaal om leveranciers om korting te vragen, vooral als je een goede reden hebt, bijvoorbeeld omdat je trouwt op een onpopulaire dag of omdat je minder gangen tijdens het diner serveert.

## En dan nog iets …

Hoewel we je geen standaardformules kunnen geven om te budgetteren (omdat die gewoon niet bestaan), geven we je hieronder wel een lijst van onderdelen die je in je budget zou moeten opnemen. Als je onaangename verrassingen wilt voorkomen, lees dan verder:

**Ceremonie**

Bloemen

Decoratie

Inzegening

Kerk

Organist

Programma's

Ringenkussen

**Kleding**

Haar

Handschoenen

Juwelen

Make-up

Nagels

Ondergoed

Schoenen

Sluier of haarversiering

Stropdas

Trouwjurk

Trouwkostuum

Verstelwerk

**Cadeaus**

Bedankjes

Bruid en bruidegom (aan elkaar)

Ouders

Welkomstmandjes

**Diversen**

Fooien

Kinderoppas

Massages

Zonnebank

Tien procent marge

**Muziek**

Band

Diskjockey

Koor

Microfoon

Overuren

Geluidsinstallatie

**Andere evenementen**

Borrel

Brunch de volgende dag

Diner avond vooraf

**Foto's**

Album

Bijbestellingen

Fotograaf

Negatieven

Video-opnames

**Receptie**

Bruidstaart

Drankjes

Personeel

Versiering

Hapjes

Bloemen

**Huur**

Bestek

Kapstokken

Koelkast

Meubilair

Servies

Speciale verlichting

Stoelen

Tafellinnen

Tafelnummers

Tafels

Tent

Zaalhuur

**Ringen**

Trouwringen

Verlovingsringen

**Drukwerk**

Antwoordkaarten

Bedankbriefjes

Enveloppen

Gastenboek

Kaarten en routebeschrijvingen

Kaarten voor 'reserveer de dag'

Plaatsaanwijzers

Porto

Receptie-/ceremoniekaarten

| RSVP's | **Transport en accommodatie** | **Weddingplanner** |
|---|---|---|
| Uitnodigingen | Bruid en bruidegom | Extra personeel |
| | Gasten | Onkosten |
| | Ouders | Tarief weddingplanner |

- **Houd de uitverkoop in de gaten.** Het ligt misschien nogal voor de hand, maar je staat er versteld van hoeveel dingen je voor een lagere prijs kunt krijgen. Kijk bij een bruidsboetiek of er monsterjurken in de verkoop gaan, ga naar een groothandel voor feestartikelen enzovoort.
- **Beperk het aantal gasten.** Nodig minder mensen uit of houd een receptie voor een grote groep, gevolgd door een diner voor twintig familieleden en goede vrienden.
- **Houd het getal onder de streep in de gaten.** De beste manier om te voorkomen dat je overmoedig wordt, is je administratie bijhouden. Als je het budget voor een bepaald onderdeel hebt overschreden, kijk dan of je dat bij een andere post weer kunt compenseren. Denk eraan: je kunt je geld maar één keer uitgeven!

# Contracten controleren

Elke leverancier die je inhuurt, moet je voorzien van een schriftelijk contract waarin de aanbetaling en het restbedrag voor de levering of dienst worden vermeld. Als je te maken hebt met professionals (en dat hopen we toch), moet het contract een gedetailleerde lijst van afspraken bevatten. Als je te maken hebt met een kennis of familielid, zet dan zelf iets op papier en laat de ander dat ondertekenen. Maak geen uitzonderingen. Mondelinge overeenkomsten zijn dan wel bindend, maar mensen lijden nog weleens aan geheugenverlies en bovendien zijn ze moeilijker overeind te houden in de rechtbank.

Een contract moet zo specifiek mogelijk zijn. In plaats van 'boeketten rozen' moet er staan: 'drie biedermeiers met gele en oranje rozen, handgebonden met een lichtgeel satijnen lint, één druppelvormig handgebonden bruidsboeket met roze, gele en ivoorkleurige rozen met ivoorkleurig satijnen lint'. Laat ook eventuele alternatieven opnemen, zoals: 'wanneer rozen niet verkrijgbaar zijn, wordt een gele bloem van gelijke grootte gebruikt'.

De meeste bedrijven hebben hun eigen contracten, maar als een leverancier je geen contract stuurt, geldt ook hier dat je er zelf een opstelt. Maak een overzicht van de goederen of diensten die je hebt besteld, informatie voor de leverancier over je bruiloft en het bedrag dat jullie zijn overeengekomen. Vraag de leverancier een kopie te ondertekenen en te retourneren. Als de leverancier weigert, ga dan naar een ander. Je kunt beter geen zaken doen met mensen die geen verantwoording willen afleggen over hun werk.

Lees een contract zorgvuldig voor je het ondertekent, en wees niet bang om vragen te stellen of dingen te laten wijzigen of toevoegen. Bij wijzigingen in een contract moeten beide partijen een paraaf voor akkoord zetten. Teken nooit een contract dat nog deels leeg is, bijvoorbeeld wanneer een leverancier roept dat hij die dingen later wel invult. Er hoeven geen criminele motieven achter te zitten, maar je kunt beter wachten of een andere leverancier zoeken.

Stuur na een telefoongesprek met een leverancier altijd een brief of e-mail met een samenvatting van wat jullie hebben besproken. Bewaar zelf ook een kopie. In feite moet je alle contracten en reçu's bij elkaar bewaren. Je zult ze voor en na de trouwdag nog nodig hebben.

Afhankelijk van het soort leverancier, moet een contract het volgende bevatten:

- bedrijfsnaam, adres en telefoonnummer;
- contactpersoon en/of zaakbehandelaar;
- volledige beschrijving van product of dienst;
- besteld aantal;
- aantal gasten;
- datum en tijd van levering;
- datum en tijd einde werkzaamheden;
- exacte prijzen van producten;
- waar en hoe laat er moet worden geleverd of opgebouwd;
- tarieven voor bezorging en opbouwen;
- wanneer eventueel overwerk ingaat en kosten daarvan per uur/halfuur;
- beleid ten aanzien van retouren, uitstellen of annuleren;
- prijsbeleid bij hogere grondstofkosten;
- betalingsafspraken, zoals ineens of in termijnen;
- annuleringsvoorwaarden;
- aanvaardbare betaalwijzen (cheque, contant, creditcard);

- handtekening leverancier;
- jouw handtekening.

## Aanbetalingen

Het is geen vreemd fenomeen dat leveranciers een garantie willen hebben dat je bruiloft ook echt doorgaat. Leveranciers kunnen een aanbetaling eisen tussen tien en vijftig procent van het totale geschatte bedrag binnen een bepaalde periode waarin de afspraak is vastgelegd.

Hoewel je normaal gesproken pas het volledige bedrag hoeft te betalen als alles naar wens is geleverd, werkt het bij dit soort evenementen vaak anders. Veel leveranciers eisen volledige betaling voor de huwelijksdatum, en zetten dat ook in hun contract.

Denk eraan: als je een contract ondertekent en een aanbetaling doet, ben je wettelijk verplicht het gehele bedrag te voldoen. Lees goed de voorwaarden door!

Verwerk aanbetalingen meteen in je budget. Als je met je creditcard betaalt, zorg dan dat duidelijk is waarvoor de betaling precies is, bijvoorbeeld 'tien procent van bruidstaart'. Het is sowieso een goed idee om aanbetalingen via je creditcard te betalen. Als de leverancier failliet gaat of niet levert – en je de creditcardmaatschappij daarvan kunt overtuigen – kun je je betaling wellicht terug laten storten. Maar spijt is geen reden voor een terugboeking.

Verwacht geen volledige terugbetaling van je aanbetalingen wanneer je de bruilof afzegt of uitstelt. Sommige bedrijven rekenen vijftig procent van de geschatte kosten; welke reden je ook opgeeft. Ze hebben wellicht andere klanten afgezegd voor jouw trouwdag of compenseren op die manier hun verlies. Sommige leveranciers willen een aanbetaling nog wel terugstorten wanneer je de bruiloft afzegt vanwege een sterfgeval of wanneer het geen probleem voor ze is om op een andere datum alsnog te leveren. Als je niet afzegt maar enkel uitstelt, kan dat een prijsverhoging tot gevolg hebben.

## Indekken

Als je iemand bent die altijd vindt dat het glas halfleeg is en ook nog eens op zes plaatsen gebarsten, kun je overwegen een bruiloftsverzekering af te sluiten. Die verzekering dekt de onkosten als de bruiloft niet door kan gaan, uitgesteld of halverwege afgebroken moet worden, door bijvoorbeeld ziekte of overlijden van een belangrijk iemand, als de locatie plotseling niet meer beschikbaar is of als het uitzonderlijk slecht weer is.

Is de premie het waard? Net als alle verzekeringen kan het geldverspilling lijken, tot het moment dat alles in de soep loopt. Maar lees de kleine lettertjes. De kosten van uitstel of annulering worden doorgaans alleen vergoed als die ontstaan door oorzaken die je niet kunt beïnvloeden. En wie is eigenlijk 'een belangrijk iemand'? Bovendien, en dat zal je niet verrassen, is 'ik ben van gedachten veranderd' geen reden voor de verzekeringsmaatschappij om uit te keren.

# Geef eens een fooitje

Je wilt de mensen die helpen je huwelijksdag soepel te laten verlopen natuurlijk wat extra belonen. Wees niet te zuinig!

Neem wat extra contant geld mee (of geef dit aan je ceremoniemeester) om tijdens de dag links en rechts wat mensen een fooi te kunnen geven. En vergeet niet dit bedrag ook in je budget op te nemen.

## Catering

Meestal wordt cateringpersoneel op locatie per uur betaald, en worden personeelskosten in een horecagelegenheid als vast bedrag berekend. Als je uitzonderlijk tevreden bent met het personeel, beloon ze dan wat extra. Of stuur de leverancier een mooie bedankbrief die hij bij zijn referenties voor toekomstige klanten kan gebruiken. Dat wordt vaak ook bijzonder op prijs gesteld.

## Andere leveranciers

Het geven van een fooi aan andere leveranciers, zoals bloemisten, fotografen of de weddingplanner is niet erg gebruikelijk. Wil je ze extra bedanken, geef ze dan een cadeau zoals een fles wijn, een zijden sjaal of een cadeaubon.

# Koopjes zoeken op internet

Dankzij internet kun je bijna je gehele bruiloft vanachter de computer plannen – van virtuele rondleidingen op feestlocaties tot het bestellen van uitnodigingen en het aanschaffen van benodigdheden.

Je begint natuurlijk op de pagina van je favoriete zoekmachine, zoals Google of Yahoo. Zoek eerst naar datgene wat je precies zoekt (`geruite cumberband`). Levert dat niet de gewenste resultaten op, zoek dan op wat algemenere termen (`trouwkleding heren`).

De meeste zoekmachines zijn zo slim, dat je alleen een reeks woorden hoeft in te typen zonder aanhalingstekens. Aanhalingstekens kunnen het zoeken echter wel versnellen. Wanneer je woorden zonder aanhalingstekens invoert, zoekt de zoekmachine naar al die termen die in willekeurige combinatie op een website voorkomen. Typ je echter een reeks termen tussen aanhalingstekens, dan levert de zoekmachine alleen websites waarin de woorden in die volgorde voorkomen.

Je kunt in veel gevallen geld besparen door te winkelen via internet, maar niet altijd. Hier volgen enkele tips.

- **Zoek naar acties.** Veel winkels hebben speciale acties. Voer in wat je zoekt, plus woorden als `coupon`, `korting`, `promotie`, `actie` of `uitverkoop` om naar speciale acties te zoeken.
- **Bestel niet-ingepakte cadeaus.** Wanneer je op internet zoekt naar leuke cadeautjes, wees er dan op bedacht dat een cadeauverpakking vaak extra geld kost. Koop zelf een rol inpakpapier.
- **Vergelijk prijzen.** Consumentensites bieden databases van artikelen die verkrijgbaar zijn bij online winkels en sorteren die op prijs. Soms vind je op deze sites ook gebruikerservaringen.
- **Koop 'tweedehands'.** Op veilingsites als eBay en Marktplaats vind je ringen, jurken, sluiers, schoenen, juwelen, kaarsen en zo ongeveer al het andere wat je kunt verzinnen. Vaak ongebruikt en goedkoper dan in de winkel (zolang je niet tegen iemand anders op gaat bieden). Lees alle instructies en voorwaarden van zo'n veilingsite, en zorg dat je weet wat een product in de winkel kost.

# Hoofdstuk 3

# De wettelijke kant van de zaak

*In dit hoofdstuk:*

- Huwelijksaangifte
- Huwelijkse voorwaarden
- Naamswijziging
- Homohuwelijk
- Een bruiloft afzeggen

Een huwelijk is niet alleen een roze wolk van festiviteiten. Dat is allemaal maar opsmuk voor een heel serieus overgangsritueel. Het moet allemaal nog wel wettelijk worden gemaakt. Wanneer je in ondertrouw gaat, moet je je nog afvragen of je je naam wilt veranderen en of huwelijkse voorwaarden voor jullie situatie een goed idee zijn. In dit hoofdstuk behandelen we al deze zaken.

## Huwelijksaangifte

De huwelijksaangifte wordt meestal ondertrouw genoemd: je moet eerst in ondertrouw voor je kunt gaan trouwen. Het trouwboekje, dat je ontvangt op de huwelijksdag zelf, is het bewijs dat je getrouwd bent. Bel de burgerlijke stand in de plaats waar een van jullie beiden staat ingeschreven en vraag naar de procedure voor ondertrouw en wat je moet meebrengen (paspoort, getuigenlijst, kopieën van identificatiebewijzen).

Indien een van jullie documenten uit het buitenland moet aanvragen, is het raadzaam om  hier vroegtijdig mee te beginnen.

Een huwelijksaangifte kan maximaal een jaar voor de geplande trouwdatum plaatsvinden. Maar denk eraan: minimaal veertien dagen (in België vijftien dagen) voor de trouwdatum moet de huwelijksaangifte zijn gedaan.

### Trouwen in het buitenland

Het kan best ingewikkeld zijn om te trouwen in het buitenland. Soms gelden er regels voor de lengte van je verblijf in dat land, of moeten er allerlei documenten al een hele tijd van tevoren worden opgestuurd aan de ambassade van dat land. De vereisten verschillen per land, maar vaak zal er in ieder geval om geldige paspoorten en geboorteaktes worden gevraagd. In sommige gevallen dienen die dan ook nog vertaald te zijn in de landstaal, al dan niet met een stempel van een notaris erop. Het proces kan tijd- en geldverslindend zijn. Ben je echt van plan om in het buitenland te trouwen en heb je dit er allemaal voor over, neem dan eerst contact op met de burgerlijke stand in je eigen gemeente en vervolgens met de ambassade van het land waar je wilt trouwen.

In ondertrouw ga je natuurlijk samen. Maak daarvoor een afspraak met de burgerlijke stand. Je hebt een geboorteakte nodig en een uittreksel uit het register van de burgerlijke stand om te bewijzen dat in ieder geval een van jullie in de gemeente woont. Wanneer jullie beiden al in de betreffende gemeente wonen, hoef je waarschijnlijk niet zelf voor dit uittreksel te zorgen, maar wordt het door de gemeente zelf opgezocht als onderdeel van de huwelijksaangifte.

# Huwelijkse voorwaarden

Geloof het of niet, maar huwelijkse voorwaarden zijn er niet alleen voor popsterren. Jullie kunnen overwegen onder huwelijkse voorwaarden te trouwen wanneer een van jullie iets bezit dat bij een scheiding niet verdeeld mag worden. Denk hierbij aan een meubelstuk met grote sentimentele waarde, een erfenis of een familiebedrijf. Wanneer partners kinderen hebben uit een eerder huwelijk, kunnen ze in de huwelijkse voorwaarden opnemen dat bij een scheiding niet de helft van hun vermogen naar de partner gaat, maar naar hun kinderen.

Sommigen gaan bij het woord 'huwelijkse voorwaarden' op hun achterste benen staan en zien het als een motie van wantrouwen wanneer de ander erover begint. Dit komt voort uit de situatie zoals die vroeger vrij standaard was: trouwen in gemeenschap van goederen. De man verdiende het geld en de vrouw deed het huishouden. Bij een scheiding bleef een vrouw zonder inkomsten achter, en vanuit die gedachte was het eerlijk dat zij de helft van het geld en de bezittingen kreeg. Aangezien we tegenwoordig veel meer op onze eigen benen staan, is deze situatie veel minder vaak gewenst. Zie het dus niet als een motie van wantrouwen, maar als een blijk van zelfstandigheid van jullie beiden.

Zelfs als je denkt dat jullie niets bezitten waarover jullie ruzie zouden kunnen gaan maken, probeer dan toch eens in een kristallen bol te kijken. Over tien jaar kan het er wel heel anders uitzien. Misschien haalt een van jullie een universitaire graad en gaat veel meer geld verdienen. Misschien krijgt een van jullie een briljant idee en loopt binnen. Je kunt in huwelijkse voorwaarden veel zaken opnemen die nu nog niet aan de orde zijn. Bovendien kun je ze altijd op een later moment door de notaris laten aanpassen, zolang jullie er allebei mee akkoord gaan. Als je eenmaal in gemeenschap van goederen bent getrouwd, blijft dat zo.

Het bespreken van jullie huwelijkse voorwaarden kan ook een manier zijn om bepaalde behoeften of zorgen van de ander boven water te krijgen. Het is beter dat nu te doen, voordat het onoverkomelijke problemen worden.

Sommige mensen blijven gevoelig over het onderwerp. Als je geen idee hebt hoe de ander zal reageren als je over huwelijkse voorwaarden begint, vraag je dan af: hoe belangrijk vind ik een dergelijke overeenkomst? Ben je bereid een dergelijke voorwaarde te laten varen, mocht de ander hier heel heftig op reageren?

# Naamsperikelen

Vroeger nam de vrouw automatisch de achternaam van haar man aan na een huwelijk. Dat is niet langer het geval. Sterker nog: wanneer er niets wordt geregeld, houdt de vrouw gewoon haar eigen naam. Ze heeft wel het recht om de achternaam van haar man te gebruiken. De vrouw moet het zelf aangeven wanneer ze haar naam officieel wil veranderen, en daarvoor de nodige stappen nemen. Of je je naam verandert of niet, heeft verder geen gevolgen voor de rechten en plichten die je als huwelijkspartner hebt.

Je kunt als vrouw de achternaam van de man aannemen, maar ook een combinatie van beide, of je eigen naam houden. De man kan ook de achternaam van de vrouw aannemen of een combinatie van beide gebruiken.

Het kan in sommige gevallen nadelen hebben om als vrouw de achternaam van je man te gaan gebruiken. Bijvoorbeeld wanneer je man eerder getrouwd is geweest of schulden heeft (gehad). Het kan dan namelijk gebeuren dat je last krijgt met schuldeisers of deurwaarders of dat je ineens wordt geconfronteerd met de schulden van de ex van je man.

Daarnaast moet een vrouw overwegen of het voor haar carrière handig is om van naam te veranderen. Veel vrouwen die tegenwoordig trouwen, zijn al zodanig gesetteld in hun werk dat ze het idee hebben dat een naamswijziging de boel onnodig gecompliceerd maakt. Aan de andere kant kan een naamswijziging ook weer een prima gelegenheid zijn om weer eens met iedereen contact op te nemen en de banden aan te halen.

## De papierwinkel bijwerken

Zorg dat je op je huwelijksdag weet of je je naam wilt gaan veranderen: wettelijk, in je werk en in je dagelijkse leven. Als een van jullie een andere achternaam aanneemt, begin die dan meteen te gebruiken en wijzig de naam op alle legitimatie, bankrekeningen en andere belangrijke documenten.

Begin bij de gemeente, de belastingdienst, je paspoort en je rijbewijs. Loop dan al je andere financiële gegevens en dergelijke na. Net als je denkt dat je alles gehad hebt, zul je wel weer ergens een instantie tegenkomen die je vergeten was. Als je eenmaal begonnen bent, moet je er wel mee doorgaan, anders kun je er problemen mee krijgen. Dan kan het gebeuren dat je vliegticket ineens niet geldig is omdat de naam op het ticket afwijkt van die in je paspoort en dergelijke. Hier volgt een lijstje van zaken waar je aan moet denken:

- bankrekeningen;
- belasting;
- briefpapier;
- creditcards;
- paspoort;
- pensioenpolissen (denk ook aan begunstigden);
- rijbewijs;
- verzekeringen (denk wederom aan begunstigden);
- visitekaartjes.

Vertel ook je werkgever dat je naam is veranderd. Bij veel bedrijven kun je een naamswijziging per e-mail of telefonisch doorgeven. Bij andere bedrijven, zoals banken en creditcardbedrijven, moet je echter een schriftelijk wijzigingsverzoek indienen, soms met een kopie van je trouwboekje. Wanneer je schriftelijk verzoekt om een naamswijziging, onderteken de brief dan samen.

Wanneer je vlak na het huwelijk gaat reizen of iets officieels moet ondertekenen, neem dan een kopie van je trouwboekje mee. Nadat alle documenten zijn omgezet, kun je die kopie thuislaten.

# We zijn gay en zeggen geen nee

Sinds 1 april 2001 kunnen twee vrouwen of twee mannen in Nederland trouwen. Met de Wet Openstelling huwelijk is het bestaande burgerlijk huwelijk opengesteld voor personen van gelijk geslacht.

Voor twee mannen of twee vrouwen die in Nederland trouwen, gelden in beginsel dezelfde voorwaarden voor het aangaan, sluiten en beëindigen van het huwelijk als voor een man en een vrouw. De verplichtingen en rechten van de echtgenoten ten opzichte van elkaar zijn ook dezelfde.

Er zijn echter twee belangrijke verschillen:

Een huwelijk van twee vrouwen of twee mannen schept geen afstammingsrelatie met de kinderen van de echtgenoten. Bij een huwelijk van een vrouw en een man wordt de mannelijke echtgenoot van rechtswege vader van de tijdens het huwelijk geboren kinderen van zijn vrouw (ook al is hij niet de biologische vader). Een vrouwelijke echtgenoot wordt echter niet van rechtswege moeder van de kinderen van haar vrouw. Zij is echter wel stiefouder (en heeft dus een onderhoudsplicht en mag later geen huwelijk aangaan met het kind) en kan daarnaast als zodanig bij de rechter om het gezag over de kinderen verzoeken. Als haar partner de enige juridische ouder is, hebben beiden van rechtswege het gezamenlijk gezag. Ook de mannelijke echtgenoot is op dezelfde wijze stiefouder van de kinderen van zijn man. Pas als de stiefouder het kind adopteert ontstaat tussen beiden een afstammingsrelatie. Het kind heeft in dit geval dan twee juridische vaders (en geen juridische moeder meer: de adoptie snijdt deze band door) of twee juridische moeders. Een vrouw kan geen kind van een andere vrouw erkennen.

In het buitenland kan de erkenning van een huwelijk tussen twee vrouwen of twee mannen problemen geven. De heersende leer in de rechtsstelsels van de meeste landen beschouwt dit soort huwelijken als absoluut nietig. Een uitzondering vormen Aruba en de Nederlandse Antillen.

Ook in België is het sinds 1 juni 2003 mogelijk dat twee partners van hetzelfde geslacht in het huwelijk treden. In principe gelden dezelfde rechten en plichten als bij een klassiek huwelijk (partners van verschillend geslacht), maar het homohuwelijk schept (net als in Nederland) geen affiliatie en adoptie is nog niet toegestaan. Sinds kort is het door een omzendbrief van minister Onkelinx ook mogelijk dat een van de partners uit een land komt waar het homohuwelijk nog niet is ingevoerd, voorheen kon een Belg alleen trouwen met iemand uit België of Nederland.

## Overige plaatsen waar het homohuwelijk legaal is

Het homohuwelijk is momenteel legaal in vijf provincies en een territorium van de Canadese federatie: in de provincies Ontario, British Columbia, Quebec, Manitoba en Nova Scotia en in het Yukon territorium. Canada overweegt federale wetgeving om het homohuwelijk overal legaal te maken.

In de Verenigde Staten valt het huwelijk onder de deelstaten en niet onder de federale regering en wetgeving. Homohuwelijken werden al sinds

1975 af en toe als plaatselijke initiatieven voltrokken. In de meeste gevallen maakte men gebruik van lacunes in wetten die niet bepaalden dat echtgenoten van verschillende sekse moesten zijn. De meeste van dergelijke huwelijken werden echter later officieel ontbonden. Sinds 17 maart 2004 is het homohuwelijk legaal in de staat Massachusetts. Bij de presidentsverkiezingen van 2004 werden in diverse deelstaten van de Verenigde Staten referenda gehouden over de wenselijkheid van legalisering van het homohuwelijk. In de elf deelstaten waarin deze referenda plaatsvonden (Arkansas, Georgia, Kentucky, Michigan, Mississippi, Montana, North Dakota, Ohio, Oklahoma, Oregon en Utah) is het referendum negatief uitgevallen. Er wordt nu in de grondwet van deze staten opgenomen dat het huwelijk alleen is voorbehouden aan relaties tussen man en vrouw. In al deze staten was het homohuwelijk ook voorheen niet legaal. De Republikeinse afgevaardigden blijven proberen in de federale grondwet een bepaling op te laten nemen die alleen het huwelijk tussen man en vrouw toestaat. Een eerdere actie hiertoe mislukte omdat het Congres, nagenoeg volgens partijlijnen, besloot om de beslissing bij de deelstaten te houden. Er is een meerderheid nodig van tweederde van het aantal uitgebrachte stemmen in het Huis van Afgevaardigden en de Senaat om de grondwet te veranderen, afgezien nog van ratificatie door de deelstaten. Het wordt dan ook onwaarschijnlijk geacht dat zo'n initiatief zal lukken.

Spanje is momenteel bezig met een wijziging van de grondwet, waardoor ook daar het homohuwelijk mogelijk zal zijn. Naar verwachting wordt een en ander nog in 2005 gelegaliseerd.

## Wie voltrekt het huwelijk?

Sommige ambtenaren van de burgerlijke stand hebben moeite met het homohuwelijk. Zij mogen weigeren om het huwelijk te sluiten, maar de gemeente moet er dan wel voor zorgen dat een andere ambtenaar waarneemt. Iedere gemeente is verplicht homo's de mogelijkheid te bieden om te trouwen. De procedures rond een homohuwelijk zijn hetzelfde als voor een traditioneel huwelijk.

Veel kerken staan intolerant tegenover het homohuwelijk. Al zullen ze homoseksuele kerkgangers misschien niet weren, dat is toch nog iets heel anders dan een huwelijk tussen twee mannen of twee vrouwen zegenen. De Samen op Weg-kerken bijvoorbeeld, laten het homohuwelijk toe. In principe. Want het is een onderwerp van veel controverse. Kerken zijn niet verplicht om homohuwelijken in te zegenen, maar sommige kerken doen het wel. Er zit niets anders op dan bij de kerk van je keuze na te vragen of een inzegening daar mogelijk is.

## Wat trekken we aan?

Als je van plan bent met een partner van hetzelfde geslacht te trouwen, bereid je dan maar vast voor op nog irritantere vragen dan normaal.

Een voorbeeld: 'Wie is de bruid en wie de bruidegom?' Met je kleding kun je daar eventueel iets aan doen, maar heb niet het gevoel dat je aan het standaardplaatje moet voldoen zodat de hetero's 'het snappen'.

# De bruiloft afzeggen

Een bruiloft afzeggen of uitstellen kan behoorlijk traumatisch zijn. Wat de oorzaak ook is, je staat voor een onplezierige taak, die naast de stress nog kan worden verergerd door financiële verliezen.

In hoofdstuk 5 vertellen we je hoe je gasten laat weten dat de bruiloft is afgelast. Wat je moet doen met eventuele reeds ontvangen cadeaus, vertellen we je in hoofdstuk 14. Hierna gaan we in op contracten en geldzaken.

## Geldzaken

Bel de trouwlocatie, de cateraar en andere leveranciers en probeer je aanbetaling geheel of gedeeltelijk terug te krijgen. Als een leverancier weigert je een aanbetaling volgens afspraak terug te betalen, kun je proberen dat via de creditcardmaatschappij alsnog voor elkaar te krijgen (als je met een creditcard betaald had). Over het algemeen kijken leveranciers naar de reden van uitstel of afstel, hun mogelijkheden om voor die datum een andere klant te boeken, en de tijd en kosten die ze al hebben geïnvesteerd in jouw huwelijk.

Wanneer iemand een feestje voor je heeft gegeven en je nu vraagt zijn kosten te vergoeden, ben je daar niet toe verplicht. Maar cadeaus die je al hebt ontvangen, hoor je nu wel terug te sturen met een 'Dankjewel, maar …' -briefje (zie hoofdstuk 14).

Als de relatie wordt verbroken en er moeten financiële zaken worden uitgezocht, is het verstandig om daarvoor allebei een advocaat in de arm te nemen. Zo blijven de gesprekken zakelijk.

# Wie houdt de verlovingsring?

Er zijn rechtszaken over gevoerd met verschillende uitkomsten. De ene rechter vindt een verlovingsring een cadeau, de ander zegt dat de verlovingsring onderdeel uitmaakt van het geplande huwelijk. Ons standpunt: wanneer de bruiloft is afgezegd, door wie dan ook, hoor je een eventuele verlovingsring terug te geven.

# Deel II

# Gast aan tafel

*'Naast uitnodigingen, aankondigingen en reserveer-de-datum-kaartjes wil ik ook "Zie je nou wel"-kaartjes voor de mensen die zeiden dat ik nooit zou trouwen.'*

## In dit deel...

Helpen we je een geweldige gastheer/-dame te zijn. Een huwelijk draait namelijk niet alleen om twee mensen die gaan trouwen, het is ook een manier om je gastvrijheid te tonen. Dat betekent niet per se dat je een fortuin moet uitgeven om je gasten te overrompelen. Zelfs al versier je de zaal met meer bloemen dan tijdens het bloemencorso, zet je levensgrote chocolade engelen op elke tafel of laat je jezelf uit een kanon afschieten, het meest gedenkwaardige aan een huwelijk is dat jullie laten zien dat jullie om elkaar en om de anderen rondom jullie geven. Dat is zichtbaar in de details, van de woorden op je uitnodiging tot de keuze van je locatie en het schema voor je huwelijksdag. En natuurlijk door de gasten het gevoel te geven dat je rekening met ze hebt gehouden.

## Hoofdstuk 4

# De trouwlocatie

***In dit hoofdstuk:***

- Op zoek naar de perfecte trouwlocatie
- Thuis trouwen
- Tentententoonstellingen
- Ver van huis trouwen

Of je nu trouwt in de plaatselijke kerk gevolgd door een ouderwetse receptie thuis, of een nieuwe traditie ergens ver weg kiest, een van de taken op je lijstje is het zoeken naar een trouwlocatie. Populaire locaties zijn vaak al een jaar van tevoren volgeboekt. Zalen in populaire hotels lopen snel vol naarmate het huwelijksseizoen nadert. Tot je weet waar je gaat trouwen, is het natuurlijk onmogelijk om je op andere activiteiten, zoals het bestellen van uitnodigingen, te richten.

## Zoeken naar de juiste locatie

Begin met het bepalen van het gebied waar je wilt trouwen, dan de stad en vervolgens de locatie. Denk eraan wie er zullen komen (wat niet hetzelfde is als wie je wílt dat er komen) en hoever ze moeten reizen. Waar wonen de meeste familieleden en vrienden?

Volgens de traditie wordt er getrouwd in de geboorteplaats van de bruid. Dat is echter niet altijd haalbaar of wenselijk. Als geen van jullie beiden 'iets heeft' met waar jullie momenteel wonen, kunnen jullie kiezen voor neutraal terrein of een geliefde vakantiestek. Wees er in dat laatste geval echter op voorbereid de reiskosten voor je gasten te betalen als die daar zelf de middelen niet voor hebben. Denk er ook aan dat omstandigheden in een ander land anders kunnen zijn dan thuis: vliegvelden kunnen met enige regelmaat gesloten zijn vanwege het weer, de kosten tijdens het zomerseizoen kunnen exorbitant zijn en dergelijke.

Wanneer je in een andere stad (laat staan een ander land) trouwt, is een plaatselijke Gouden Gids erg handig. Deze kun je bestellen via www.goudengids.nl/be.

Wanneer je wilt trouwen in een religieuze ceremonie, wacht dan met het boeken van allerlei dingen tot de datum, locatie en tijd zijn afgestemd met de geestelijke die jullie huwelijk gaat inzegenen. Sommige religies hebben strikte regels voor ceremonies. Een dominee, rabbijn of priester kan bezwaar hebben tegen jullie plannen om redenen waar je nooit aan had gedacht.

Als je een kerk of synagoge ziet op loopafstand van de feestlocatie, verwacht dan niet dat je er binnen kunt lopen en een reservering kunt doen alsof het een clubhuis is. Er komen veel gevoelige zaken aan te pas en misschien ook kosten als je geen lid bent van de gemeente. Als je via je familie of als stel een bepaalde relatie hebt met een geestelijke, vraag hem of haar dan om hulp bij de gesprekken met het gebedshuis waar je oog op is gevallen.

## Een prachtlocatie vinden

Voordat je als een dolle gaat rondrennen, verzamel je eerst zo veel mogelijk informatie over verschillende locaties. Je vindt informatie over trouwlocaties op veel verschillende plaatsen, zoals:

- **Bruidsshows.** Tijdens dit soort evenementen hebben ook eigenaren van feestlocaties een stand. Kijk bijvoorbeeld op www.bruidsbeurzen.nl voor een overzicht van trouwbeurzen in Nederland en België.

- **Cateraars.** Aangezien bruiloften op locatie voor de meeste cateraars dagelijkse kost zijn, zijn zij een goede bron voor het vinden van de mooiste locatie. Vraag hen om suggesties.

- **Kamer van Koophandel.** Vooral handig als je buiten je eigen woonplaats wilt trouwen. Een Kamer kan locaties, leveranciers en zelfs ambtenaren aanbevelen, al bevelen ze over het algemeen alleen degenen aan die bij hen staan ingeschreven. Veel Kamers versturen informatie en brochures op aanvraag. Kijk op www.kamervankoophandel.nl of www.kvkov.be.

- **Tijdschriften.** In tijdschriften zoals Trouwen, Bruid & Bruidegom en Loving You, worden regelmatig locaties besproken.

- **Internet.** Typ in een zoekmachine `trouwlocatie` en eventueel de plaatsnaam in.

- **Kranten.** Bekijk huwelijksadvertenties in je plaatselijke dagblad en kijk waar de mensen zoal trouwen. Soms wordt ook de feestlocatie genoemd.

- **Reisgidsen.** Vraag je reisbureau om advies wanneer je in een ander land wilt trouwen, en vraag om gidsen met accommodaties waar je kunt trouwen.

## Telefonische eerste indruk

De manier waarop een bedrijf de telefoon beantwoordt, kan veelzeggend zijn voor hun dienstverlening. Bellen ze volgens afspraak terug? Lijken ze flexibel of hebben ze de houding: voor jou tien anderen? Heb je het gevoel dat ze graag (maar ook weer niet wanhopig graag) je bruiloft willen regelen? Hebben ze tijd voor je? Doen ze neerbuigend? Onbeleefd? Ontwijken ze je vragen?

Tijdens het eerste telefoongesprek:

- Schrijf de je naam op van degene met wie je praat (je staat er versteld van hoe vaak de telefoniste prijzen en beschikbare data doorgeeft).
- Vraag je welke ruimte(s) er beschikbaar zijn voor je trouwdatum en -tijd. Als er eerder of later op de dag nog een bruiloft is op die locatie, hoeveel tijd zit er dan tussen?
- Vraag je om een schatting van de kosten.
- Vraag je of er extra kosten aan de ruimtes verbonden zijn.
- Vraag je of deze vervallen wanneer je een bepaald bedrag uitgeeft.

## Volg je neus

Je eigen houding speelt ook een rol tijdens je zoektocht naar een originele, magische plek om te trouwen. Dat houdt in:

- **Heb lef.** Vraag om suggesties van mensen wiens smaak je bewondert, waaronder de redactie van tijdschriften.
- **Wees nieuwsgierig.** Misschien ben je ooit bij een prachtige bruiloft geweest die om een of andere reden – kosten, locatie, grootte – net niet ideaal was voor jullie situatie. Vraag aan het bruidspaar welke andere locaties zij hebben overwogen. Op hun lijst van 'afvallers' staat misschien wel jullie droomlocatie.
- **Wees creatief.** Vraag eigenaars van onconventionele ruimtes of ze te huur zijn, zoals woonhuizen, zolderetages, museums, galeries, boten en tuinen. Misschien had de eigenaar er nooit aan gedacht om zijn locatie te verhuren, maar wil hij een uitzondering maken voor een enthousiast bruidspaar.

Als je je oog hebt laten vallen op een exclusieve zakenlocatie, moet je meestal worden gesponsord door een lid of zelf lid zijn. Dit kan lastig zijn. Bij sommige van die clubs mag je niet eens komen kijken zonder dat je een sponsor hebt, en hoe vind je een sponsor als je niet weet wie er lid zijn? Ze kunnen ook hun eigen cateraar of strikte regels over andere zaken hebben.

Hoewel we je aanraden vasthoudend te zijn tijdens je naspeuringen, moet je ook redelijk blijven, vooral als je leveranciers begint te bestoken met vragen. Leveranciers zijn ook mensen. Bovendien zullen ze, als je besluit met hen in zee te gaan, zich nog herinneren hoe je hen hebt behandeld.

## Op locatie

Het eerste wat je moet weten over een trouwlocatie is of het een horecalocatie is of niet. Een horecalocatie is een hotel, restaurant, club of andere plek waar het personeel en de voorzieningen voor het ontvangen van gasten aanwezig zijn. Wanneer dat niet zo is, zul je de locatie zelf moeten huren, maar ook al het andere eromheen. Dat kan variëren van een tent in je achtertuin tot een museum of een park. Sommige van die locaties hebben een lijst van leveranciers met wie ze vaker werken of met wie ze alleen máár willen werken. Vraag dus altijd of je je eigen cateraar en dergelijke mag kiezen. Als je het eten het belangrijkst vindt, zoek dan eerst een cateraar en vraag hem om je te helpen bij het zoeken naar een locatie (zie hoofdstuk 10 voor tips over het vinden van een goede cateraar).

# Meer dan een locatie nodig?

Als je trouwt in een gebedshuis, heb je waarschijnlijk een extra locatie nodig voor je receptie of feest. Misschien kan het wel allemaal op één plek, maar vraag daarnaar.

Als je van plan bent om buiten te gaan trouwen, werk dan altijd met een alternatief plan en boek voor de zekerheid een binnenlocatie mee, voor als het slecht weer dreigt te worden op je huwelijksdag.

## Ruimtes ombouwen

Het is niet eenvoudig een veelzijdige ruimte met meerdere zalen te vinden. Dat houdt in dat een ruimte soms moet worden omgebouwd. Als je de ceremonie en het feest in dezelfde ruimte wilt houden, zullen op een bepaald moment de stoelen moeten worden verplaatst en de tafels worden aangekleed. Laat je je gasten in die ruimte blijven, of is er een afzonderlijke ruimte waar men iets kan drinken terwijl de ceremoniezaal in een feestzaal wordt omgetoverd, en hoe lang duurt dat? Is iedereen al dronken voor het feest begint, omdat er nog op elke bar een ijssculptuur moest worden gezet?

### Wat zit er in de prijs?

Restaurants, hotels en andere faciliteiten bieden vaak een pakket aan met daarin de huur van de ruimte, het eten en de drank. Vraag of in de prijs naast het eten en de drank ook de personeelskosten, eventuele vergunningen (voor het harder spelen van muziek dan normaal) en overuren inbegrepen zijn.

## Ceremonie hier, receptie daar

Zelfs als je het niet belangrijk vindt om in een gebedshuis te trouwen, dan nog kun je ervoor kiezen om de ceremonie en de receptie op verschillende locaties te houden. Dit kan echter extra kosten met zich meebrengen zoals de zaalhuur, extra bloemen en vervoer van de gasten. Ga er niet van uit dat het vervoer van de gasten jouw zorg niet is. Denk er maar eens aan wat er gebeurt als tweehonderd gasten in de stromende regen in een onbekende stad hun weg moeten vinden.

Bovendien moet je in je tijdschema rekening houden met de twee locaties. Als de ceremonie eindigt om halfzes en het is een halfuur rijden naar de feestlocatie, maar die is pas om kwart voor zeven klaar (rekenmachientje nodig?), wordt dat lastig. Dan komen je gasten aan terwijl de band nog met speakers aan het slepen is en de stoelen nog opgestapeld in een hoek staan. Zie hoofdstuk 6 voor een voorbeeldschema.

Hoe meer locaties, hoe meer stress!

# Een rondje door de zaak

Nadat je het eerste uitzoekwerk hebt gedaan, gaan jullie samen kijken bij de locaties die op jullie voorkeurslijstje staan. Neem hierbij trouwens je ouders en schoonouders niet mee. Je wilt graag rustige reacties op eventuele nadelen van elke locatie.

Maak uitvoerig aantekeningen wanneer je een locatie bekijkt. Vraag om brochures en foto's van andere bruiloften die er hebben plaatsgevonden. Maak zelf ook foto's (vraag wel even om toestemming). Tegen de tijd dat je de tiende trouwlocatie hebt bezocht, weet je niet meer waar ze ook alweer dat afschuwelijke behang of alleen tl-verlichting hadden.

Houd in gedachten dat dit nog een voorbereidende fase is. Ga af op je gevoel. Dit is niet het moment om te gaan overwegen hoe je een ruimte kunt veranderen die je eigenlijk gewoon niet aanstaat. Als de locatie je deprimeert of anderszins niet bevalt, streep haar dan van je lijstje af.

## Stel de juiste vragen

De vragen die je moet stellen tijdens je speurtocht naar een locatie, zijn afhankelijk van de locatie zelf en of je er de hele dag of slechts een paar uur wilt vertoeven.

Vraag specifiek welke delen van de ruimte beschikbaar zijn. Misschien zie jij de tuin achter het pand wel als de perfecte plek om foto's te maken, maar komt de hovenier op de ochtend van jullie huwelijksdag juist de boel bemesten.

Als er meerdere bruiloften tegelijk worden gegeven op een grote locatie, vraag dan hoe men zorgt dat de groepen niet door elkaar lopen. Op je grote dag wil je liever geen andere bruiden tegenkomen.

De vragenlijst in figuur 4.1 helpt je bij de details.

Veel locaties bieden geen proeverij aan van het menu dat je je gasten wilt voorzetten. In Nederland en België gebeurt het steeds vaker dat locaties of cateraars deze service wel aanbieden. Op zich kunnen we ons daar wel iets bij voorstellen. Nadat je echter een cateraar of locatie hebt geboekt, vinden we wel dat je recht hebt op een proefmaaltijd, en dat dit ook in het contract moet worden opgenomen. Als je het eten niet lekker vindt, moet er ook een tweede (en derde, en vierde) proefmaaltijd mogelijk zijn. Al is dat natuurlijk wel een veeg teken.

Als je de échte kosten voor eten en drank voor een feest op locatie wilt weten, kun je andere cateraars om een offerte vragen. Alleen de huur van de locatie geeft je geen volledige financiële informatie om je besluit op te baseren. Daarom geven we je een vragenlijst voor potentiële cateraars in hoofdstuk 10.

## Ruimtes berekenen

Neem de getallen die een restaurant of hotel noemt voor het aantal gasten dat in een ruimte past altijd met een korreltje zout. Niet dat ze zouden liegen, maar het is tenslotte hun werk om te zorgen dat een ruimte vol zit. Vraag om plattegronden en mogelijke tafelopstellingen. Het kan ook geen kwaad om de ruimte zelf op te meten. Kijk bij twijfel in tabel 4.1.

**Let op**: de lijst in tabel 4.1 is een richtlijn. Kijk ook naar de vorm van de ruimte, eventuele obstakels zoals pilaren, en de hoeveelheid onbruikbare ruimte.

## *Checklist receptielocaties*

### Data en tijden

- ❑ Kunnen er op dezelfde dag meerdere evenementen of bruiloften plaatsvinden? (Is het een probleem als je receptie uitloopt?)
- ❑ Hoe ver van tevoren moet de reservering definitief worden gemaakt?
- ❑ Hoe laat kunnen je leveranciers terecht om de ruimte in te richten (bloemen, tafels)?
- ❑ Moet alles dezelfde avond weer worden opgehaald of kan dat ook de volgende dag? (Leveranciers kunnen extra kosten rekenen voor de avonduren.)

### Capaciteit, logistiek en plattegrond

- ❑ Hoeveel vierkante meter beslaat de ruimte?
- ❑ Welke ruimtes zijn er beschikbaar?
- ❑ Hoeveel zitplaatsen zijn er (rond de dansvloer) tijdens het eten? Vraag om een plattegrond en foto's van andere evenementen dan bruiloften.
- ❑ Hoeveel zitplaatsen zijn er aan een tafel?
- ❑ Hoe groot zijn de tafels?
- ❑ Waar komen de gasten binnen? (Als de ruimte zich op de achtste verdieping bevindt waar je via een lift komt, worden de gasten dan beneden opgevangen?)
- ❑ Hoe zit het met parkeergelegenheid?
- ❑ Is de ruimte toegankelijk voor gehandicapten?
- ❑ Waar kunnen mensen hun jassen kwijt?
- ❑ Hoe lang duurt het om eventueel de ruimte om te bouwen?
- ❑ Waar moeten mensen heen tijdens het ombouwen?
- ❑ Is er een mooie plek om foto's te maken?
- ❑ Wat gebeurt er met buitenevenementen in geval van regen?

### Kosten

- ❑ Hoeveel bedraagt de huur voor de ruimte?
- ❑ Is de ruimte een maximumaantal uren beschikbaar? Vanaf welk tijdstip worden er extra kosten berekend, en wat zijn die dan?

**Figuur 4.1:** Stel de juiste vragen om te ontdekken of een ruimte geschikt is voor een ceremonie, receptie of beide

**Tabel 4.1: Aanbevelingen voor vierkante meters**

| *Ruimte* | *Vierkante meter per persoon* |
|---|---|
| Ceremonie | 2 |
| Receptie (staand) | 1,5-2 |
| Feest met dansvloer en deels zitplaatsen | 2 |
| Diner met buffetstations en deels zit- en staanplaatsen | 3-4 |
| Diner aan tafel met dansvloer | 4-4,5 |
| Band | 5,5-6 per instrument |
| Dansvloer | 1 |

Hotels en feestzalen zijn bedoeld voor het houden van evenementen voor groepen, dus het indelen van die ruimtes is meestal niet zo moeilijk. Degene die bij het hotel of zalencomplex over de verhuur van de ruimtes gaat, zal vaak goed op de hoogte zijn van de verschillende toepassingsmogelijkheden van een ruimte. In andere omgevingen, zoals scholen of musea, komt er wat vindingrijkheid aan te pas om een ruimte leuk aan te kleden.

# Zoals het klokje thuis tikt ...

Hoewel je zonnige huisje een prachtige plek lijkt om te trouwen, kun je pas tijdens een stortbui echt bepalen of dat ook werkelijk zo is. Denk hier eens aan:

- Als het gaat stortregenen/sneeuwen/hagelen, kun je dan al je gasten binnen kwijt?
- Heb je voldoende toiletten?
- Waar moeten de gasten parkeren?
- Moet er veel gebeuren om je tuin of huis geschikt te maken voor je trouwdag? Dat kan nog behoorlijk wat extra kosten opleveren.
- Stel dat het een mooie dag is en je kunt alle festiviteiten buiten houden, hoe staat het dan met de insecten? Moet je regelmatig een sproeivliegtuigje laten overkomen?
- Hoe modern is je elektriciteitsnet? Wanneer er een extra koffieautomaat voor honderd gasten wordt aangesloten, slaan de stoppen dan door? Kun je een extra generator kwijt?
- Is er voldoende ruimte in je keuken zodat een cateraar daar uit de voeten kan?
- Heb je voldoende koeling voor de dranken en eventueel de hapjes?

- Hoeveel tijd hebben je leveranciers nodig om de boel op te bouwen (bijvoorbeeld een tent)? Kun je tijdens de werkzaamheden thuis terecht? Wordt alles weer weggehaald en opgeruimd voordat je op huwelijksreis gaat?

## Tenten en tierelantijnen

Hoewel een bruiloft thuis of bij een mooi landhuis een prachtig plaatje oplevert, is het noch een eenvoudige, noch een goedkope optie. Waarom? Omdat je meestal een tent zult moeten opzetten. Aangezien de meeste huizen tegenwoordig geen balzaal meer hebben en ook lang niet altijd een indoortennisbaan, zal de bruiloft deels buiten moeten plaatsvinden. Het ophangen van een stuk zeil is niet duur of moeilijk, maar je hebt er niet veel aan als het ijskoud of snikheet is of wanneer het flink gaat regenen. De enige manier om op zeker te gaan is een echte tent te huren.

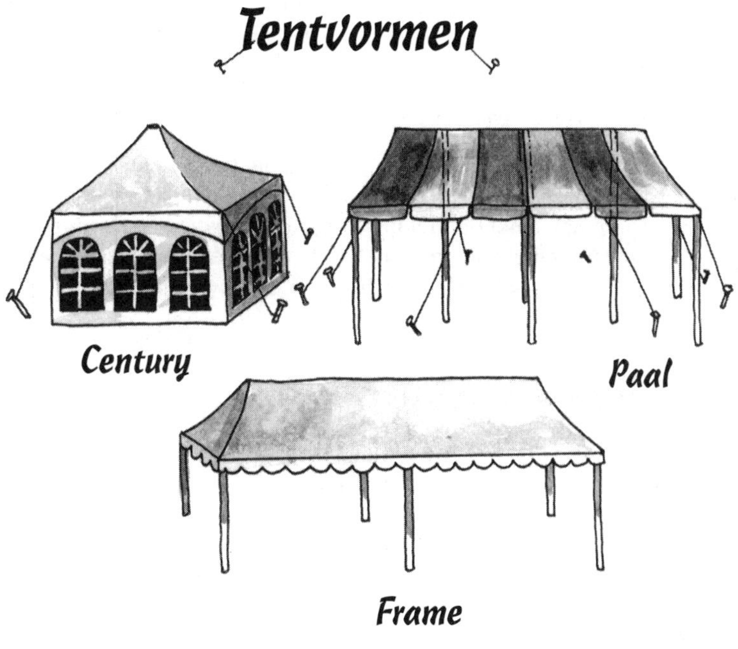

Tentvormen

Century

Paal

Frame

**Figuur 4.2:** De Century-tent heeft zijpanelen met vensters, en de Paal- en Frame-tenten bieden enkel afdak

Als je besluit een tent te huren, denk dan aan het volgende:

- **Meerdere tenten.** Naast de hoofdtent heb je misschien een tent nodig voor de cateraar en een verlichte tent met toiletten. Deze tenten moet je wellicht met elkaar verbinden met overdekte paden.
- **Plaatsing.** Kijk of er een geschikte plaats is voor de tent. Als je in de achtertuin een mollenkolonie hebt, is het opzetten van een

tent zonder vlondervloer riskant. Een vlondervloer kan ontzettend duur zijn omdat er zoveel werk bij komt kijken, maar zonder vloer heb je de kans dat er ongelukken gebeuren. Tafels en stoelen kunnen omvallen, de dansvloer is ongelijkmatig of er loopt water de tent in. Regen van boven is namelijk niet je enige overweging. Als de grond vochtig is, kan water vanuit de grond omhoogkomen, zelfs al staat je tent op een heuvel. Tel daar nog eens honderd paar hoge hakken bij en de ramp is compleet.

- **Decoratiedilemma.** Hoe ga je de tent verlichten en aankleden? Zelfs al heb je iets eenvoudigs in gedachten, het camoufleren van een enorm wit tentdoek met ijzeren tentstokken is een dure grap. (Zie hoofdstuk 13 voor tentdecoratietips.)

- **Comfort.** Verwarming is nog wel te betalen, maar airconditioning is duur en vreet stroom. Iedereen die weleens een feest in een tent heeft meegemaakt terwijl de stroom uitviel, zal je aanraden een reservegenerator te huren. Zorg wel dat die ver genoeg weg staat, zodat je gasten niet hoeven te schreeuwen om over het gebrom heen te komen. Als je helemaal wegdroomt bij een doorzichtig tentdak waardoor je de sterren kunt zien, denk er dan aan dat die zonder airco al snel beslaat en/of in een bloedheet terrarium verandert.

Tentovereenkomsten zijn ingewikkeld. Een leverancier zal een tent doorgaans enkele dagen voor de bruiloft willen opzetten, dus zelfs als je (dapper) denkt dat het prachtig weer wordt en je de tenten bij nader inzien toch niet wilt, moet je er rekening mee houden dat de tentleverancier je kosten in rekening brengt. Vraag de leverancier naar zijn annuleringsbeleid.

## Even doorspoelen

Dit valt onder het kopje 'Dingen die je nooit dacht te hoeven weten maar waarvan je toch blij bent dat we erover beginnen': de toiletsituatie. Net als parkeergelegenheid, kapstokken en het vervoer van je gasten, moeten toiletten geen ondergeschoven kindje zijn. Mensen staan vaak niet te springen om geld uit te geven aan zoiets oneleganits tijdens een verder zo mooie dag, maar toiletten zijn nu eenmaal onmisbaar.

Denk er bij het huren van verplaatsbare toiletten aan dat elk verplaatsbaar toilet maximaal 125 keer gebruikt kan worden. Doorgaans gaan mensen eenmaal per drie uur naar het toilet. Als je drie uur lang 500 gasten hebt, heb je dus vier toiletten nodig (500 / 125 = 4). Als ze zes uur blijven, heb je acht toiletten nodig.

Reserveer een stel toiletten voor dames en een stel voor heren. Zelfs als er evenveel mannelijke als vrouwelijke gasten komen, zijn er meer toiletten nodig voor de dames. Zoals iedereen weet, hebben zij altijd iets langer werk op het toilet. Je wilt tenslotte niet dat mensen de rij voor de toiletten aanzien voor een polonaise.

## De kerk opblazen

Een Brits bedrijf, InnovationsUK.com (www.inflatablechurch.com) heeft een opblaasbare kerk gemaakt. Hij is zo'n veertien meter lang en vijf meter breed en er passen ongeveer zestig mensen in. De kerk is gemaakt van polyester en pvc en lijkt op een romantische (lichtelijk opgeblazen) Gotische kerk, compleet met toren, plastic 'glas in lood' en ge-airbrushte iconen. Binnen staan een opblaasbaar orgel, altaar, banken en gouden kruis. Er staan zelfs opblaasengelen aan weerszijden van de deur. De makers zeggen dat de kerk in drie uur kan worden opgebouwd en in minder dan twee uur weer afgebroken. De verkoopprijs is (bij het ter perse gaan) zo'n 32.000 euro en de huurprijs is 2.900 euro per dag. Altijd al een gebouw willen opblazen? Dan is dit misschien iets voor jullie.

## Gasten met bijzondere behoeften

Als je gasten verwacht die bejaard, gehandicapt of ziek zijn, let dan extra op hun comfort. Dat betekent dat je zorgt voor hun vervoer en dat de ceremonie en de receptie (en de toiletten) met een rolstoel toegankelijk zijn. Mensen die niet goed zien of horen, voelen zich vaak een beetje buitengesloten, dus is het een aardig gebaar om ze op een ereplaats te zetten en regelmatig even bij hen langs te gaan. Wijs eventueel iemand aan die speciaal voor deze gasten zorgt.

Verplaatsbare toiletten zijn er in verschillende uitvoeringen: van de blauwe plastic dozen die je op bouwterreinen ziet tot geheel ingerichte toiletwagens met wastafels en spiegels. Wat je ook kiest, denk aan overdekte wandelpaden naar de tenten toe en aan verlichting voor 's avonds. En natuurlijk aan iemand die de toiletten schoonhoudt.

# Trouwen op afstand

Er zijn veel redenen waarom mensen een bruiloft op afstand willen. Sommige stellen van wie familie en vrienden ver uit elkaar wonen, kiezen voor een bruiloft op afstand en brengen enkele dagen door met de hele groep. Doorgaans vindt dit soort bruiloften tijdens een lang weekend plaats. Er komt wat meer onderzoek, planning en logistiek bij kijken, maar het kan natuurlijk prachtig zijn en je kunt al je creativiteit kwijt. Bovendien is het neutraal terrein en voorkom je mogelijk familieruzies.

Nog een reden om te trouwen op afstand: de kosten. Er komen doorgaans minder gasten en bovendien kun je een goede deal maken met een all-inresort. Sommige plekken zijn echter zo moeilijk bereikbaar dat geld besparen geen optie is, vooral als je alles wat je nodig hebt moet 'importeren'. Maar daar zijn ook weer oplossingen voor. Maak gebruik van de eigen schoonheid van een plek. Het heeft geen zin om een strand te willen veranderen in een chique feestzaal of een gezellig dorpje in een metropool.

Als je op een mooie, exotische locatie trouwt, kun je ter plaatse misschien geen goede fotograaf vinden. Maar wellicht laat de fotograaf van je keuze zich wel overhalen om gratis foto's voor je te maken in ruil voor tickets en een paar dagen kost en inwoning op je trouwlocatie.

## Hoe vind je een locatie op afstand?

De bestemming die je kiest is er misschien een die je al kent, zoals je geboorteplaats of een dorp waar je als kind altijd op vakantie ging, maar het kan ook een heel nieuwe, fascinerende plek zijn. In figuur 4.3 vind je een checklist. Hierin worden diverse factoren genoemd om je te helpen een locatie op afstand te kiezen.

Je bepaalt zelf het aantal gasten (misschien alleen goede vrienden en familie) en welk deel van hun kosten je voor je rekening neemt.

Vraag bij hotels, resorts en vliegtuigmaatschappijen naar groepskortingen. Zoek een goede reisagent en laat iedereen rechtstreeks bij één contactpersoon boeken.

### Trouwen tijdens de huwelijksreis

Nog een mogelijkheid: trouwen met zijn tweeën (en twee getuigen) tijdens je huwelijksreis. Sommige resorts (zoals Walt Disney) zijn gespecialiseerd in intieme trouwerijen. Die zijn minder ingewikkeld en kostbaar dan een volledige bruiloft op afstand. Soms is de ceremonie zelfs gratis, maar ze verlopen meestal wel volgens een bepaalde formule en alleen op bepaalde plaatsen in een resort.

Vraag bij de beoogde locatie na hoe ze omgaan met minirecepties en ceremonies. Als je de details belangrijk vindt, ga er dan eerst zelf een keer naartoe en maak een afspraak met degene die je bruiloft zal coördineren. Als je iets anders wilt dan het standaardrecept (en bereid bent daarvoor te betalen), vraag dan om een schriftelijke bevestiging van de afspraken. Ga in ieder geval een paar dagen voor de trouwdatum alvast naar de locatie om alles te regelen zoals je het hebben wilt.

Trouwen tijdens de huwelijksreis kan een eenvoudige oplossing zijn. Vooral als het je voornamelijk om de reis te doen is en je geen gasten uitnodigt. In zulke gevallen zorgt het resort voor de rest, zelfs de getuigen. Je kunt eventueel kaarten rondsturen of een feest geven wanneer jullie weer thuis zijn.

## Checklist voor een bruiloft op afstand

- ❑ Welke wettelijke en religieuze eisen gelden er voor trouwen op de locatie?
- ❑ Wat zijn de verblijfseisen?
- ❑ Hoe komen je gasten er? Moeten ze overstappen tijdens een eventuele vlucht?
- ❑ Zijn er vaccinaties nodig?
- ❑ Welke documenten zijn er nodig om te trouwen?
- ❑ Is er een bewijs van scheiding (indien van toepassing) of iets dergelijks nodig?
- ❑ Moeten documenten worden vertaald in de landstaal? Moeten de documenten originelen zijn?
- ❑ Moeten de documenten van tevoren worden toegezonden?
- ❑ Hoe lang zit er tussen de ondertrouw en het huwelijk?
- ❑ Zijn er getuigen nodig? Moeten dat inwoners van dat land zijn?
- ❑ Welke religieuze ceremonies zijn toegestaan?
- ❑ Is er een weddingplanner of reisagent die gespecialiseerd is in trouwen op afstand, die kan helpen met de regelingen voor je gasten en het inhuren van leveranciers?
- ❑ Kun je de locatie van tevoren bekijken?
- ❑ Zou je daar je huwelijksreis willen doorbrengen?
- ❑ Wat voor weer is het in het seizoen waarin je wilt trouwen?
- ❑ Hoe lang voor je huwelijk zou je er moeten zijn?

**Figuur 4.3:** Op zoek naar de perfecte locatie voor je bruiloft

# Buitenlandse zaken en bureaucratie

Voor je besluit in een ander land te gaan trouwen – of zelfs maar op zoek gaat naar een locatie in het buitenland – moet je eerst goed weten wat erbij komt kijken. In sommige landen moet je eerst een halfjaar wonen voor je er kunt trouwen, en in andere landen kunnen alleen burgers van dat land in het huwelijk treden! Men kan staan op een bloedonderzoek, misschien alleen uitgevoerd door een plaatselijke arts, en de papierwinkel kan overweldigend zijn. Vraag informatie op bij de burgerlijke stand in je gemeente en bij de ambassade van het betreffende land.

Laat achteraf meteen je trouwdocumenten door je gemeente goedkeuren en opnemen in het gemeentelijke huwelijksregister.

Trouwen op een cruiseschip is niet slechts een kwestie van een kapitein die je in de echt verbindt. Slechts weinige huwelijken die op zee worden gesloten, zijn wettelijk. Vraag dit dus altijd na. Er zijn wel veel scheepseigenaren die huwelijkscruises aanbieden, waarbij je ergens aan land trouwt en dan aan boord je feest houdt.

## Privé-ceremonie, openbaar feest

Als je op locatie of tijdens je huwelijksreis trouwt of om een andere reden maar een klein aantal gasten had tijdens de ceremonie, kun je naderhand een feest geven. Maak er een knalfeest van, met grote foto's van jullie tijdens de trouwerij. Maak collages van de huwelijksdag en hang die op. Leg tijdens een toast diplomatiek uit waarom jullie een en ander op deze manier hebben gedaan.

### Essentiële feiten over trouwen in het buitenland

Naast onze lijst van huwelijksreistips voor het buitenland in hoofdstuk 17, moet je het volgende in gedachten houden bij een bruiloft op locatie:

- Geboorteakte (gelegaliseerd)
- Confirmatie, doopakte voor katholieke bruiloft
- Inentingen en andere gezondheidsverklaringen
- Paspoorten
- Bewijs van solvabiliteit
- Bewijs dat je vrij bent om te trouwen, zoals een echtscheidingsverklaring of overlijdensakte (gelegaliseerd en misschien vertaald)

# Hoofdstuk 5

# Alleen op uitnodiging

*In dit hoofdstuk:*

- Conventies voor formele uitnodigingen
- In zee met een drukker
- Je eigen uitnodigingen maken

De uitnodiging is bedoeld om de nodige feiten over je op handen zijnde huwelijk en de daaropvolgende feestelijkheden over te brengen. Als het zo eenvoudig was als wie, wat, wanneer en waar, zouden we dit hoofdstuk meteen hebben geschrapt en kon je alvast een boel geld besparen.

Maar, zoals je wel zult weten, dat is niet het geval. De uitnodiging – de tekst, vorm, adressering, stijl en kleur – is onderwerp van veel controverse onder hen die het weten kunnen. Er zijn lange, lange hoofdstukken aan gewijd in boeken over trouwen. Als je de regels negeert die in deze boeken staan, ga je af als een gieter.

Zo erg is het natuurlijk allemaal ook weer niet, maar we vinden het wel nuttig om je te informeren over 'hoe het hoort' voor je creatief aan de slag gaat. We geven je ook enkele tips om je uitnodiging een persoonlijk tintje te geven.

## Planning

Hou het ruim aan. Bestel je uitnodigingen drie tot vier maanden – en verstuur ze zes tot acht weken – voor je bruiloft. Gasten die vanuit het buitenland moeten komen, krijgen de uitnodiging tien weken van tevoren. Als je van plan bent om in een weekend na een feestdag te trouwen, stuur dan iedereen de uitnodiging acht tot tien weken van tevoren, behalve als je al een kaartje hebt gestuurd om mensen de datum te laten reserveren.

Bij het uitrekenen van het aantal uitnodigingen dat je nodig hebt, wordt vaak de fout gemaakt om tweehonderd uitnodigingen te bestellen wanneer je tweehonderd gasten uitnodigt. Niet slim. Kijk eens op je lijst. Veel van die mensen komen samen, en dus hoef je maar één uitnodiging per stel te sturen. Bestel echter wel een stuk of tien extra exemplaren, want nabestellen kost extra.

Je kunt je feestelijke dag voorzien van een motto, een thema of een stijl die op alle correspondentie over de trouwdag terugkomt (van reserveer-de-dag-kaartjes tot bedankbriefjes) en op servetjes, menu's en plaatskaartjes. Een consistent kleurpalet geeft een gevoel van samenhang en laat zien dat je over de dingen hebt nagedacht.

Het kan geld besparen wanneer je al het trouwdrukwerk tegelijk besteld. Bovendien zorg je zo dat de kleur en kwaliteit van het papier steeds hetzelfde is. Je moet in dit geval wel heel goed zorgen dat je alles van tevoren op een rijtje hebt.

Als je denkt dat je niet alles al zo ver van tevoren in beeld hebt, stuur dan een kaartje zodat mensen de datum alvast reserveren. Je kunt daar bijvoorbeeld op zetten:

*Hans en Marian gaan trouwen!*
*11 augustus 2008*
*in Amsterdam*
*Reserveer de datum!*
*Uitnodiging en details volgen*

Als je liever geen kaartjes stuurt, zijn er talloze alternatieven. Je kunt van alles verzinnen, van koelkastmagneetjes (op veel trouwsites te vinden) tot kalenders met een omcirkelde trouwdatum. Zie hoofdstuk 4 voor tips over reserveer-de-dag-kaartjes.

Wanneer je in het toeristenseizoen in een ander land trouwt, wanneer de accommodatie het duurst is, kan een langere brief handig zijn, waarin je alvast opties voor de reis en logies opneemt (zie hoofdstuk 4 voor informatie over ver van huis trouwen).

## Hoor wie klopt daar kind'ren

Voor je kunt uitrekenen hoeveel uitnodigingen je moet bestellen, moet je eerst je gastenlijst in beeld hebben. Houd in de lijst ook rekening met mensen die je ouders of schoonouders graag op de dag willen zien. Als je nu je poot stijf houdt, kan dat de relatie met je schoonmoeder voor de rest van je leven schaden. Misschien vind je het wel helemaal niets om iemand uit te nodigen die je zelf amper kent, maar het kan ook hartverwarmend zijn dat die mensen op jouw dag de moeite nemen te komen.

Denk eraan dat een bruiloft geen kans is om sociale verplichtingen na te komen of iets terug te krijgen voor trouwcadeaus die je ooit aan anderen hebt gegeven. En stuur nooit een uitnodiging naar mensen van wie je eigenlijk hoopt dat ze niet komen. Je zult zien dat zij de eersten zijn die bellen dat ze er zeker zullen zijn.

Sommige mensen praten nooit meer met je als je ze niet uitnodigt. Als je daar wel mee kunt leven, laat ze dan van de lijst. Is dat niet zo, stuur ze dan een uitnodiging en kijk niet meer achterom.

# Eerst de formaliteiten

Wil je het traditioneel en formeel aanpakken, dan laat je jullie ouders het huwelijk aankondigen. De meest formele uitnodiging bestaat uit een dubbelgevouwen, gedrukte kaart van geschept papier. Deze papiersoort heeft een crèmewitte kleur en reliëf. Volgens de etiquette staan de namen van de ouders van de bruidegom op het linkerbinnenvel, en de namen van de ouders van de bruid op het rechterbinnenvel.

Iedereen die je een kaart stuurt met daarop de aanvangstijden van de huwelijksvoltrekking en de receptie, nodig je automatisch voor beide onderdelen uit. Wil je ook gasten alleen maar voor het diner of jullie feest uitnodigen, dan zul je daarvoor aangepaste kaarten moeten laten drukken.

# En wie betaalt dat allemaal?

In een traditionele, formele uitnodiging kun je door de plaatsing van de namen afleiden wie er familie is van wie en wie de bruiloft betaalt.

Als de **ouders van de bruid** betalen:

*De heer en mevrouw Van Bierenbroodspot Wijngaarden*

*verzoeken om uw aanwezigheid*

*bij het huwelijk van hun dochter*

*Ida Hortensia*

*met*

*De heer Wim Beauregard*

*Op zaterdag elf augustus tweeduizendacht*

*om halfvijf*

*Sint Agneskerk*

*Wateringen*

*en bij de receptie naderhand*

*in het paviljoen van de Neptunusvereniging*

*Pieterszstraat achttien*

*RSVP*

Als het huwelijk **niet in een kerk** plaatsvindt, kun je het als volgt verwoorden:

*De heer en mevrouw Van Bierenbroodspot Wijngaarden*

*verzoeken om uw aanwezigheid*

*bij het huwelijk van hun dochter*

*Ida Hortensia*

*met*

*De heer Wim Beauregard*

*Op zaterdag elf augustus tweeduizendacht*

*om halfvijf*

*Paviljoen De Vier Rozen*

*Wateringen*

*RSVP*

Op de **meest formele** uitnodigingen wordt de naam van de ontvanger met de hand ingeschreven:

*De heer en mevrouw Van Bierenbroodspot Wijngaarden*

*verzoeken om aanwezigheid van*

***De heer en mevrouw Francken***

*bij het huwelijk van hun dochter...*

Op een uitnodiging voor **alleen de ceremonie** hoef je geen RSVP te zetten. De kerk of synagoge is doorgaans meer dan groot genoeg om alle gasten een zitplaats te bieden.

Als de ontvanger alleen voor de receptie is uitgenodigd:

*De heer en mevrouw Van Bierenbroodspot Wijngaarden*

*verzoeken om uw aanwezigheid*

*bij de huwelijksreceptie van hun dochter ...*

Dit soort uitnodiging is vooral handig bij een verlate receptie, bijvoorbeeld als jullie net terug zijn van de huwelijksreis of als de ceremonie elders is gehouden (zie hoofdstuk 4 voor informatie over een bruiloft ver van huis). Als de receptie niet onmiddellijk na de ceremonie plaatsvindt, geef dan ook de aanvangstijd van de receptie aan.

RSVP onder een uitnodiging staat voor *Repondez, s'il vous plait*. Met andere woorden: laat even weten of je komt.

### Extra, extra

Gebruik alleen verschillende vormen drukwerk die je ook echt nodig hebt, anders lijkt je uitnodiging op een pakket folders.

- **Regenkaartje.** Als je ceremonie buiten plaatsvindt, zul je een noodlocatie moeten hebben voor het geval het weer te slecht is. Is dat niet direct in de buurt van de oorspronkelijke locatie, dan hebben je gasten een routebeschrijving nodig. Laat wel iemand op de oorspronkelijke locatie staan om de gasten die daar toch arriveren alsnog op het juiste spoor te zetten.
- **Rijkaartjes.** Kleine kaartjes met het rijnummer in de kerk of synagoge waar de gasten moeten zitten. Je kunt bij bepaalde gasten ook volstaan met 'binnen het lint' als je een speciaal gedeelte hebt afgezet voor je naaste familie.
- **Adreswijziging.** Als jullie pas na het huwelijk gaan samenwonen, gebruik je de adreswijziging tegelijkertijd om door te geven onder welke naam of namen jullie vanaf nu door het leven zullen gaan.

## Als het anders loopt dan gepland

Besluiten jullie het huwelijk af te gelasten nadat alle uitnodigingen al de deur uit zijn en dringt de tijd, dan zullen jullie iedereen persoonlijk moeten opbellen. Als er voldoende tijd is, kun je iedereen schriftelijk op de hoogte stellen. Je hoeft je besluit niet te verantwoorden op een dergelijke afgelasting. Je kunt het bijvoorbeeld zo verwoorden:

*De heer en mevrouw Van Bierenbroodspot Wijngaarden*

*delen u mede dat het huwelijk van hun dochter*

*Ida Hortensia*

*met*

*De heer Wim Beauregard*

*niet zal plaatsvinden.*

Wanneer een huwelijk wordt uitgesteld vanwege een sterfgeval of andere onvoorziene gebeurtenis, zou je het als volgt kunnen verwoorden:

*De heer en mevrouw Van Bierenbroodspot Wijngaarden*

*delen u mede dat het huwelijk van hun dochter*

*Ida Hortensia*

*met*

*De heer Wim Beauregard*

*vanwege een sterfgeval in de familie is uitgesteld*

*naar zaterdag zevenentwintig september.*

# Kan het ook anders?

Natuurlijk kan het ook anders. Wil je een wat informelere stijl voor je uitnodiging, dan kun je best creatief zijn. Als je er maar voor zorgt dat de ontvanger begrijpt waar het over gaat en niet de slappe lach krijgt.

Hier volgen enkele alternatieven voor de standaardhuwelijksuitnodiging:

- Gebruik de eerste persoon (wij nodigen u uit) in plaats van de derde persoon (de heer en mevrouw Janssen nodigen u uit) en sluit af met jullie eigen namen.
- Laat meneer en mevrouw weg en gebruik voornamen van ouders en schoonouders.
- Voeg een geadresseerde retourenvelop met postzegel bij voor de RSVP-kaart.
- Zet een datum op de RSVP-kaart wanneer je graag antwoord zou willen hebben. Denk eraan dat degenen die van plan zijn te komen, het eerst reageren. De mensen die niet van plan zijn te komen, zullen het afzeggen zo lang mogelijk uitstellen.

Heb je een weddingplanner ingehuurd, vermeld dan de naam en contactgegevens van de planner op je huwelijksuitnodiging en verwijs je gasten naar haar/hem door.

## Slechte ideeën voor uitnodigingen

Een grote uitnodigingskaart hoef je niet per se te vullen. En zéker niet met de volgende dingen:

- Afgezaagde gedichten en snotterig sentiment
- Lelijke tekeningen
- Frutsels zoals confetti en glitters die meteen voor eeuwig in het tapijt van de ontvanger zitten
- Metalige muziekjes
- De plaats(en) waar jullie huwelijkslijst ligt
- Zeggen dat kinderen niet welkom zijn (zie hoofdstuk 1)
- Zoveel namen van gastheren en -dames dat iedereen weet dat er een hele commissie is die jullie huwelijk financiert

## *Minder formele uitnodigingen*

Als het allemaal wat losser mag, volgen hier enkele variaties op de formele uitnodiging.

*De heer en mevrouw Van Bierenbroodspot Wijngaarden*

*nodigen u uit*

*bij het huwelijk van hun dochter ...*

of

*Janet en Dirk van Bierenbroodspot Wijngaarden*

*nodigen u hartelijk uit*

*bij het huwelijk van hun dochter*

*Ida Hortensia*

*met*

*Wim Beauregard ...*

of

*Ida Hortensia van Bierenbroodspot Wijngaarden*

*en Wim Beauregard*

*nodigen u hartelijk uit om hun huwelijk bij te wonen*

*op zondag twaalf augustus*

*om half twee*

*in de Beth Jeruzalem tempel*

*te Wateringen*

*en voor de receptie achteraf*

*in restaurant Holle Bolle*

*te Weegbree*

Wanneer de ceremonie en de receptie op dezelfde locatie plaatsvinden, denk je misschien dat het niet nodig is om beide evenementen op de uitnodiging te noemen. Je gaat ervan uit dat de gasten aannemen dat je ze niet helemaal laat opdraven zonder ze iets te eten te geven. Neem het zekere voor het onzekere, zodat je gasten niet direct na de ceremonie de deur uitrennen naar het dichtstbijzijnde restaurant. Zet op de uitnodiging bijvoorbeeld:

*Ida Hortensia Bierenbroodspot Wijngaarden*

*en Wim Beauregard*

*nodigen u hartelijk uit om hun huwelijk bij te wonen*

*en naderhand te dineren en dansen onder de sterren ...*

## RSVP-remedies

Een kaartje waarop men enkel nog wat dingen hoeft in te vullen, is het handigst en aardigst:

*............................................................................(naam)*

*...............komt naar het huwelijk*

*...............is verhinderd*

*op zaterdag elf augustus*

Op een RSVP-kaartje hoor je niet te vragen naar het aantal gasten dat komt. De gast schrijft zelf de namen op van degenen die komen.

Zet met potlood een nummer op de achterkant van de RSVP-kaartjes dat overeenkomt met je genummerde gastenlijst. Dan hoef je niet met een vergrootglas de handschriften van je gasten te ontcijferen.

## Handgeschreven uitnodiging

Is je huwelijk een kleinschalige onderneming, dan hoef je niet naar een drukker om uitnodigingen te laten drukken. Je kunt je gasten ook een handgeschreven briefje of kaartje sturen:

*Lieve Petronella,*

*Wim en ik gaan op zaterdag 11 augustus aanstaande trouwen. We zouden het heel leuk vinden als je daarbij aanwezig zou kunnen zijn. De ceremonie begint om drie uur in het stadspark van zijn geboorteplaats, Weegbree. Naderhand drinken we thee bij Wims tante Harriët, Breedspoorweg 3 in Weegbree.*

*Veel liefs en hopelijk tot dan,*

*Ida*

### Kledingvoorschriften

Een van de moeilijkste beslissingen voor veel stellen is of je nu wel of niet de gasten moet voorschrijven wat ze moeten dragen. Een chique uitnodiging of een uitnodiging voor een diner bij kaarslicht, zet mensen niet automatisch aan om in smoking te verschijnen. Als je dat wel graag wilt, zet dan *Black tie* op de uitnodiging. Wil je dat absoluut niet, zet dan *casual* of *tenue de ville* op de uitnodiging.

Als je locatie bijzonder is, bijvoorbeeld buiten op een grasveld, dan zou je op de uitnodiging kunnen zetten: *kleed u voor een avond op het platteland.* Daarmee voorkom je hopelijk dat de dames op hun naaldhakken komen.

Wanneer je de uitnodigingen besteld hebt, krijg je een proefdruk toegezonden. Lees die proefdruk zeer zorgvuldig na. Liever nog: laat iemand anders hem nalezen – bij voorkeur iemand die niets van het huwelijk weet. Vaak zie je de meest opvallende typefouten het snelst over het hoofd.

# Je eigen uitnodigingen maken

Als je geld wilt besparen kun je natuurlijk ook zelf aan de slag. Het is tegenwoordig met alle computerprogramma's, printers en prachtige papiersoorten die je bij de kantoorboekhandel kunt krijgen niet eens meer zo heel moeilijk.

Het is niet altijd goedkoper om je eigen uitnodigingen te maken. Hoewel je de tussenpersoon – de drukker – overslaat, moet je wel papier en inkt aanschaffen en eventueel een geschikt softwarepakket. Vergeet niet dat het jou ook tijd kost. En hoeveel vellen van dat dure papier help je in je zenuwen in de vernieling voordat alle uitnodigingen goed zijn?

In de kantoorboekhandel vind je zo'n beetje alles wat je nodig hebt, zoals:

- **Speciaal papier.** Combineer verschillende texturen – vellum, crêpe, handgeschept enzovoort – om je uitnodiging een exclusief tintje te geven.
- **Speciale scharen.** Er zijn verschillende scharen te koop waarmee je papier kunt voorzien van een golf- of kartelrandje.
- **Lint.** Een eenvoudige strik of een lint van organza maakt van een eenvoudige kaart een chique uitnodiging. Koop een paar rollen van hetzelfde lint, want je kunt het later gebruiken om servetten mee samen te binden, plaatskaartjes te versieren of linten aan gastenmandjes te maken.

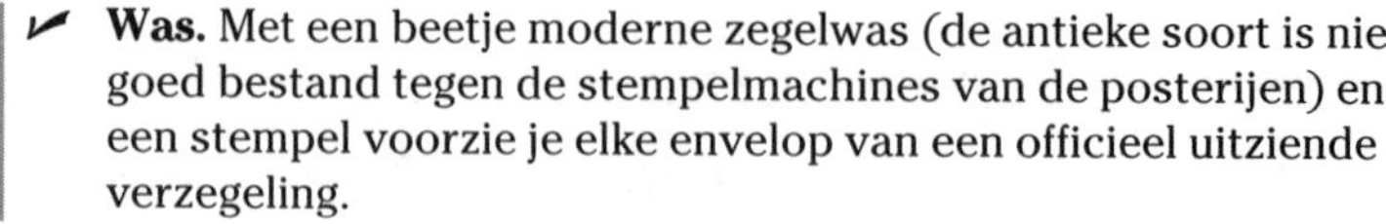

- **Was.** Met een beetje moderne zegelwas (de antieke soort is niet goed bestand tegen de stempelmachines van de posterijen) en een stempel voorzie je elke envelop van een officieel uitziende verzegeling.

# Tante Pos

Vergeet niet om ook je ouders en de geestelijke een uitnodiging te sturen. Je staat er versteld van hoe vaak juist de belangrijkste mensen over het hoofd worden gezien.

Denk bij de kosten voor je uitnodigingen ook aan de portokosten. Ga naar het postkantoor met een complete uitnodiging en laat die wegen. Als je speciaal of handgeschept papier gebruikt, neem er dan een paar mee, want er kan verschil in zitten.

Vraag bij het postkantoor ook eens naar bijzondere reeksen zegels. Misschien is er net een serie uit die bijzonder goed bij jullie uitnodiging of thema past.

Creëer je eigen persoonlijke postzegels met een foto van jullie of een speciaal symbool.

Een postzegel op een retourenvelop is erg aardig, maar niet bruikbaar voor buitenlandse gasten. Zij moeten hun nationale postzegels gebruiken.

## Het is een plaatje

De eenvoudigste manier om je uitnodiging te bewaren is door hem in het fotoalbum te stoppen of in te lijsten. Als je creatief bent aangelegd, kun je haar ook op een dienblad plakken en aflakken, of op het deksel van de kist met overige herinneringen aan de bruiloft.

# Hoofdstuk 6

# Schema voor de trouwdag

***In dit hoofdstuk:***

- Het verloop van de gebeurtenissen bepalen
- De spelers vervoeren
- De ontvangstrij op lijn zetten
- Zorg voor het ondersteuningsteam

Of je nu een weddingplanner inhuurt of alles zelf regelt, een schema voor de trouwdag is een erg nuttig hulpmiddel.

In het schema kunnen alle spelers (de mensen die je helpen, leveranciers en personeel) zien wat ze moeten doen en wanneer. Belangrijker nog, het schema werkt als een spiekbrief waardoor je je precies kunt voorstellen hoe de dag gaat verlopen. We geven toe, het is D-day niet, maar een beetje organisatie kan geen kwaad.

Denk eraan dat een schriftelijk schema van je trouwdag een middel is waardoor iedereen weet waar hij of zij aan toe is. Het is niet bedoeld als bijbel die tot op de letter en in blinde gehoorzaamheid moet worden gevolgd. Met andere woorden: laat de dag ook een beetje op zijn natuurlijke beloop.

## Iedereen déze kant op

Elke bruiloft is uniek, en dus is het onmogelijk om een standaardschema op te stellen dat voor iedereen werkt. We geven je echter wel een prototype dat je kunt gebruiken om je eigen versie te maken. De beste aanpak is om twee versies te maken:

- **Master.** Op dit uitgebreide schema staat elk detail van de dag, van minuut tot minuut. Het begint een paar uur voor de ceremonie en eindigt na het laatste nummer van de band. Geef deze lijst aan iedereen in het team van mensen die bij je huwelijk zijn betrokken – je cateraar, bloemist, bakker, ceremoniemeester.
- **Alleen ceremonie.** De verkorte versie van het masterschema is alleen gericht op de ceremonie. Geef deze informatie aan de geestelijke, ouders en andere deelnemers. Vraag iemand om op de

dag zelf het schema mee te nemen – behalve natuurlijk als je soapactrice bent en het hele schema al uit je hoofd hebt geleerd.

Spreek met de mensen die je op de dag gaan helpen ruim van tevoren het schema door. Ze kunnen je eventueel nog suggesties aan de hand doen. Als je op het laatste moment nog wijzigingen aanbrengt, zorg dan wel dat iedereen een nieuw schema heeft en dat ze weten wat er gewijzigd is.

Het masterschema bevat:

- een overzicht van alle spelers met adressen, vaste en mobiele telefoonnummers (zie hoofdstuk 1 voor informatie over het verzamelen van deze gegevens);
- vervoersplan met namen en aankomsttijden;
- routebeschrijving naar locaties;
- overzicht van stappen voor, tijdens en na de ceremonie;
- details over de ceremonie;
- geschatte tijdsduur van elke activiteit;
- notities voor leveranciers, indien van toepassing;
- verkorte lijst van hoofdpunten.

Werk het masterschema samen met je leveranciers en je weddingplanner (als je die hebt) uit. Zij weten hoe lang het duurt om alle gangen van het diner te serveren, voor de band opgesteld is enzovoort. Stuur de eerste opzet van je schema naar je leveranciers en vraag om hun inbreng.

## Vervoer

Als je zorgt voor vervoer op je trouwdag, weet je zeker dat je familie overal op tijd is.

Vraag hoeveel mensen er in een auto of bus kunnen zitten en of de chauffeur buiten blijft wachten tijdens de ceremonie/het feest.

De volgende pagina van het schema kan er uitzien zoals in figuur 6.1 is weergegeven, waarin staat waar iedereen gedurende de dag is en hoe ze daar komen. Geef dit schema aan iedereen die er op voorkomt en aan de chauffeurs.

## Vervoer voor gasten

Als je niet de hele dag op één locatie (of op loopafstand ervan) blijft, is het misschien een idee om vervoer te regelen. Zo komen je gasten veilig en comfortabel aan. Het lijkt misschien een overbodige uitgave, maar het is het geld waard zodra het stortregent en iedereen tegelijk de kerk uitkomt.

Laat de voertuigen vertrekken vanaf een centraal punt en houd meerdere vertrektijden aan voor laatkomers. Als er bejaarde of gehandicapte gasten komen, zorg dan eventueel voor speciaal transport. Wijs mensen aan die assisteren en koppen tellen.

## Verkeer regelen

Voor het geval iemand de weg niet weet in je stad, zul je moeten zorgen voor een routebeschrijving naar de locatie. Geef routebeschrijvingen vanuit verschillende richtingen (voor het geval men pas op de routebeschrijving kijkt nadát men verdwaald is). Je kunt hiervoor ook kaartjes en routebeschrijvingen van internet gebruiken.

***Voorbeeldoverzicht trouwvervoer***

| *Ophaaltijd en -locatie* | *Bestemming en tijd* | *Chauffeur wachten?* | *Passagiers* | *Auto* |
|---|---|---|---|---|
| 10.00 uur huis ouders bruidegom | 10.20 Hotel Excelsior | Nee | Mw. Bakker (moeder bruidegom) en Betty Bakker (zuster bruidegom) | 1 |
| 15.00 uur Hotel Excelsior | 15.20 uur Pelicaankerk | Ja | Mimi Keuvels, Kelly Janssen en Annie van der Aa | 2 |
| 16.30 uur Pelicaankerk | 16.50 uur Hotel Excelsior | Nee | Keuvels, Janssen, Van der Aa, Rob Derksen, Bob de Zwart | 2 |

**Figuur 6.1:** Coördineer het halen en brengen van de gasten

# Het masterschema opstellen

Je masterschema (zelfs wanneer je dat puur voor jezelf maakt) begint met de voorbereidingen zoals aankleden en opmaken. De timing voor de ceremonie is erg belangrijk. Zorg dat je ook rekening houdt met kleine dingen, zoals een boterhammetje tussendoor. Door die dingen ook in je schema op te nemen, heb je op de dag zelf een houvast, want alles verloopt dan namelijk razendsnel.

En dan is er de ceremonie zelf. In hoofdstuk 7 behandelen we onderdelen van veel religieuze ceremonies. Daar helpen we je ook bij het samenstellen van een specifiek schema en script, compleet met tijdstippen voor de muziek, speeches en andere details. In het masterschema staat echter een algemeen overzicht.

Verderop in het masterschema komt de receptie aan bod. Je wilt dat de cateraar, de band en andere leveranciers precies weten wanneer je wilt eten of dansen (in theorie, dan). Stuur die mensen een week van tevoren een verkort overzicht van wat je van hen verwacht.

***Voorbeeldoverzicht trouwdag***

| **Vóór de ceremonie** | | |
|---|---|---|
| *Tijd* | *Gebeurtenis* | *Opmerkingen* |
| 13.00-14.30 uur | Haar en make-up | Thuis |
| 14.30-15.30 uur | Aankleden bruid | |
| 14.30 uur | Iets eten | Moeder warmt soep op |
| 15.30 uur | Foto's maken in kleedkamer | Eigen fototoestel |
| 16.00 uur | Bloemist deelt corsages uit | |
| 16.30 uur | Familieleden arriveren voor foto's | Fotograaf arriveert 16.15 uur |
| 17.20 uur | Vertrek naar ceremonie | |

**Figuur 6.2:** Met een schema komt iedereen op tijd op cruciale momenten

| **Schema ceremonie** | | |
|---|---|---|
| *Tijd* | *Gebeurtenis* | *Opmerkingen* |
| 17.45 uur | Kerkdeuren open, muziek start | |
| 18.00 uur | Programma's worden uitgedeeld | Schema's bij tante Ella |
| 18.15 uur | Entreemuziek start | |
| tot 18.25 uur | Naar het altaar | |
| 18.25-19.00 uur | Ceremonie | Vertrekmuziek begint na 'dan verklaar ik u nu…' |
| 19.00-19.05 uur | Vertrek uit kerk | Zie parenlijst |
| 19.05 | Vertrek met auto's | Zie vervoerslijst |
| 19.15-19.30 | Muziek speelt tot alle gasten de kerk hebben verlaten | |

**Figuur 6.3:** Met een schema voor de ceremonie komt iedereen op de juiste tijd en plaats aan

Dansen op een bruiloft is tegenwoordig niet meer aan zoveel regels gebonden. Vaak wordt er wel van het bruidspaar verwacht dat zij samen de eerste dans maken, maar je kunt al snel anderen de dansvloer op halen (of de bandleider iedereen laten uitnodigen de vloer te betreden).

Denk tijdens de maaltijd aan je bandleden (degenen die niet voor eventuele achtergrondmuziek zorgen), de fotograaf en andere hulp. Zorg dat ook zij iets te eten krijgen, ook al is het niet zo uitgebreid als het viergangendiner dat je je gasten voorzet.

| **Schema receptie** | | |
|---|---|---|
| *Tijd* | *Gebeurtenis* | *Opmerkingen* |
| 19.15-20.30 uur | Borreluurtje op terras Hotel Excelsior. Gasten arriveren | Obers delen drankjes rond. Achtergrond muziek: Barry Bakker-cd |
| 19.15 uur | Fotosessie bruid/bruidegom buiten | |
| 20.15 uur | Licht-/geluidscheck eetzaal | |
| 20.20 uur | Bruid, bruidegom inspecteren eetzaal voor de gasten binnenkomen | |
| 20.25 uur | Muziek start | |
| 20.30 uur | Gasten naar eetzaal | |
| 20.45 uur | Drankjes, toast door vader bruid | |
| 20.50-21.15 uur | Voorgerecht | |
| 21.15 uur | Eerste dans (20 minuten) | |
| 21.25-22.20 uur | Hoofdgerecht | |
| 22.20-22.45 uur | Dansen | |
| 22.45 uur | Champagne, bruidstaart | |
| 23.10 uur | Koffie en nagerecht | |
| 23.10-00.30 uur | Band speelt. Laatste dans om 00.25 uur | |

**Figuur 6.4:** Met een schema zorg je voor een geslaagd feest

## Gooien met bloemen

Het is eigenlijk een Amerikaans gebruik: het gooien van het bruidsboeket. Degene die het boeket vangt, is dan volgens een oud bijgeloof de volgende die trouwt. Zorg dat, als je met je boeket gaat gooien, men daarvan op de hoogte is (anders landt hij zo sneu op de grond).

### Wel of geen weer?

We zijn toch al geobsedeerd door het weer, maar op je trouwdag ben je er natuurlijk extra in geïnteresseerd. Voor gratis weersvoorspellingen kijk je op de site van het KNMI in Nederland (www.knmi.nl) of het KMI in België (www.kmi.be).

# De felicitatierij

Sommige trouwboeken vinden een felicitatierij nog steeds een must. Het betekent dat je samen met ouders, schoonouders en getuigen op een rij staat om al je binnenkomende gasten te begroeten. Wij vinden het eigenlijk veel leuker als je tijdens het feest of de receptie een ronde maakt. Bovendien kun je wel de hele avond blijven staan, want niet iedereen komt netjes op tijd. Tegenwoordig kiezen steeds meer bruidsparen om dit gedeelte over te slaan.

# Zorg voor het ondersteuningsteam

Het zijn dan misschien je beste vriendinnen, maar dat wil niet automatisch zeggen dat je er op je trouwdag het meest aan hebt. Kies degenen die je op deze dag gaan helpen met zorg uit, en vertel ze duidelijk, maar op een vriendelijke manier, wat je van ze verwacht.

Als je iemand op een andere manier in het zonnetje wilt zetten, vraag dan of ze een gedicht willen voordragen, een lied willen zingen of een speech willen houden. Je zet iemand niet in het zonnetje door haar de hele avond bij het gastenboek te laten staan of de tafelindeling te laten coördineren.

## Functie-eisen

Alleen omdat je tien jaar geleden bij iemand getuige bent geweest, hoef je die persoon niet automatisch nu voor je eigen bruiloft te vragen. Mensen begrijpen wel dat relaties veranderen. Als je bang bent mensen voor het hoofd te stoten, kun je je ouders als getuigen vragen of alleen broers en zussen.

- **De getuigen.** In principe hoeft een getuige niet veel meer te doen dan zijn of haar handtekening op de huwelijksakte te zetten. Je kunt echter met de ambtenaar van de burgerlijke stand afspreken dat hij/zij de trouwringen overhandigt, eventueel na een korte speech. Laat het een beetje afhangen van de sfeer die je wilt creëren en natuurlijk van de persoonlijkheid van de getuige. Je moet samen ten minste twee getuigen hebben, maar het mogen er ook vier zijn.

- **Ceremoniemeester.** Een ceremoniemeester is je rots in de branding op je huwelijksdag. Hij of zij is op de hoogte van het complete dagschema, kan zorgen dat de ringen niet worden vergeten en houdt problemen ver bij je vandaan.
- **Bruidskinderen.** Schattig, natuurlijk. Ze moeten oud genoeg zijn om opdrachten uit te voeren zoals bloemblaadjes strooien en vriendelijk naar iedereen lachen. Als je een lief klein jongetje als ringdrager wilt aanwijzen maar niet de kans wilt lopen dat er iets met de ringen gebeurt, bind dan een stel nepringen op een kussentje vast en laat een van de getuigen of de ceremoniemeester die later stiekem omwisselen.
- **Overig.** Al diegenen van wie je denkt dat je ze nodig hebt om je bij te staan (een vriendin die je haar doet, een neef die je stropdas strikt).

## Wat je vrienden van je verwachten

Degenen die je bijstaan op je huwelijksdag, moeten het je makkelijker maken. Kies die personen dus weloverwogen uit en ga er niet van uit dat je ze kunt veranderen. Je chaotische nicht die al gaat huilen als de melk in de supermarkt op is, is niet direct iemand die je moet vragen je in je jurk te helpen.

## Een blijk van waardering

Genoeg over jullie. Wat ga je doen voor die mensen die je hebben geholpen je meesterwerk waar te maken? Geef ze iets wat tegelijkertijd een aandenken aan de trouwdag is, bijvoorbeeld iets wat voor hen persoonlijk betekenis heeft.

Je budget dwingt je niet om alleen dasspelden en nepparels weg te geven. Je hoeft ook niet iedereen hetzelfde te geven. Hier zijn wat creatieve bedankjes voor de vrouwelijke assistenten:

- schoenclips voor feestelijke gelegenheden;
- een bedelarmband met een eerste bedel die past bij de persoon;
- een chiffon sjaal en/of een avondtasje.
- een cadeaubon van Douglas of de Bijenkorf.

Voor de mannen zijn bijvoorbeeld goede cadeaus:

- een stel whiskyglazen met hun initialen;
- een leren reisscheerset;
- een draagbare golfset.

Of deze tekens van waardering die het zowel bij mannen als vrouwen goed doen:

- een zilveren fotolijstje met de datum en jullie namen erin gegraveerd. Stuur na de bruiloft een foto die je van die persoon hebt gemaakt tijdens de bruiloft;
- antiek glas, een horloge of een zilveren dienblad;
- een badmantel met monogram.

Zoek op eBay naar leuke, betekenisvolle – en vaak niet dure – aandenkens, zoals ansichtkaarten (met lijstjes) van je geboorteplaats of trouwlocatie, juwelen of gebruiksvoorwerpen met monogrammen of opvallende oude boeken.

## Voor je geliefde

Bij vroegere Deense en Germaanse stammen gaven mannen hun kersverse vrouw op de ochtend na de huwelijksnacht juwelen als symbool van hun liefde. Tegenwoordig geven veel stellen elkaar ook vaak iets. Dat hoeft niet extravagant te zijn; het kan een mooi boek zijn, een juwelenkistje of een horloge met de trouwdatum erin gegraveerd.

Bedank de kinderen die een rol vervullen tijdens je trouwdag met iets wat bij hun leeftijd past. Enkele mogelijke opties zijn kettinkjes met een natuursteen, sleutelhangers met hun initialen, een verrekijker, haarclips of een draagbare cd-speler met muziek. Het is ook altijd aardig om de ouders een foto te sturen van hun kinderen in actie.

# Deel III

# Overlevingsgids voor de ceremonie

## In dit deel...

Gaan we het hebben over dat waar het allemaal om draait: de huwelijksceremonie. We geven een overzicht van traditionele rituelen, maar ook ideeën voor een persoonlijke ceremonie. Richt je echter niet teveel op de sier en de details, want hoe mooi het allemaal ook is, het gaat om jullie gevoelens voor elkaar.

# Hoofdstuk 7

# Sensationele ceremonies

***In dit hoofdstuk:***

- Werken met de geestelijke
- De ceremonie plannen
- Religieuze riten
- Programma's ontwerpen

Hoewel de ceremonie het belangrijkste gedeelte is van een huwelijk, kan zij toch minder aandacht krijgen dan zij verdient tussen alle andere dingen die er te regelen zijn. Als jij en je aanstaande hetzelfde geloof aanhangen en lid zijn van een kerk, ga je er maar al te gemakkelijk van uit dat alles wel op zijn pootjes terecht zal komen. Natuurlijk hebben religieuze ceremonies een bepaalde structuur, maar je moet toch je huiswerk doen.

Wanneer je op een rijtje hebt staan hoe je denkt over de belangrijke dingen in het leven, helpt je dat bij het plannen van een ceremonie die betekenisvol is voor jullie en je naasten. Zelfs als er bij jouw geloof een redelijk vastgesteld script wordt aangehouden, zul je misschien over de muziek moeten nadenken en praten met de geestelijke. Als jullie allebei een verschillend geloof aanhangen, zul je misschien kiezen voor een gemengde ceremonie.

## *Potentiële geestelijke overwegen*

Niet-religieuze ceremonies – huwelijken voor de wet – worden voltrokken door de ambtenaar van de burgerlijke stand. Wanneer een huwelijk door een kerk moet worden erkend, dient dat huwelijk te worden ingezegend door een priester, rabbijn of andere geestelijke.

Een van de beste manieren om te beoordelen of degene die het huwelijk voltrekt bij je past, is door een persoonlijk bezoek. Als het mogelijk is kun je een ceremonie, mis of andere dienst bijwonen die door die persoon wordt geleid.

Als je je ceremonie graag in een bepaald gebedshuis wilt houden, heb je waarschijnlijk weinig keus in degene die het huwelijk zal voltrekken. Het kan zelfs getuigen van weinig respect als je te veel vragen stelt in een gebedshuis waar je geen lid van bent, dus wees hier voorzichtig in.

Je zou een geestelijke wel het volgende kunnen vragen:

- Kan het huwelijk worden voltrokken op een andere plaats dan in het gebedshuis zelf, als dat gewenst is?
- Wat zijn de kosten, en wanneer worden die voldaan?
- Wordt er een bepaald script voor de ceremonie aangehouden, en welke punten zou je eventueel mogen wijzigen?
- Zijn er restricties in het gebruik van videocamera's en/of flitscamera's?
- Wat zijn de voorwaarden waaronder je in dit gebedshuis kan/mag trouwen?

Je huwelijk wordt misschien voltrokken door de geestelijke die je hele familie al kent. Als je echter een geestelijke in de arm neemt die geen lid is van een bepaalde kerk, zorg dan dat je weet of je huwelijk officieel erkend wordt. Bel de organisatie waar hij of zij lid van is en vraag om referenties.

Als je een civiele of gemengde ceremonie wilt, is het misschien belangrijk voor je in welke mate er over God, spiritualiteit of specifieke religies wordt gesproken. Wees respectvol, maar maak je wensen kenbaar en stel vragen.

Wanneer er twee geestelijken bij een ceremonie aanwezig zijn, mag slechts een van beiden de officiële documenten ondertekenen. Wees duidelijk over wie dat zal zijn.

# Trouwen in de kerk

Wanneer je wilt trouwen in een kerk of ander gebedshuis, zul je je aan de regels moeten houden. Zorg dat er duidelijkheid is over de volgende punten. Meestal is de beste (en meest diplomatieke) manier om antwoorden te krijgen, te praten met degene in de kerk of het gebedshuis die de leiding heeft over huwelijksceremonies, niet je eigen geestelijke.

- Moet er gebruik worden gemaakt van de huisorganist of -musici?
- Zijn hieraan extra kosten verbonden?
- Welke regels of aanbevelingen heeft men ten aanzien van ceremoniële muziek?
- Hoe lang duurt de ceremonie? Welke woorden worden er gebruikt (om het begin van de muziek op af te stemmen)?
- Welke regels bestaan er over fotografie en filmen?

- Wat gaat er met de bloemen gebeuren – mogen deze na afloop meegenomen worden?
- Is het verplicht om in de maanden voor het huwelijk regelmatig de diensten bij te wonen?
- Hoeveel uur zitten ertussen verschillende ceremonies?
- Kan de ceremonie in twee talen worden voltrokken?

# De volgorde van gebeurtenissen bepalen

Nadat je een besluit hebt genomen over de toonzetting of religieuze aard van je ceremonie, moet je nadenken over het verloop ervan. Je kunt op verschillende momenten muziek laten spelen of voordrachten laten geven. Je wilt tenslotte dat alles zonder haast maar ook zonder dralen verloopt, en je wilt dat elk moment zowel de ernst als de vreugde van de gelegenheid weerspiegelt.

Je kunt een ceremonie helemaal volgen zoals die wordt gehanteerd door de kerk. Als je echter je eigen script wilt aanhouden of een gemengde ceremonie wilt, kun je de verschillende stappen wijzigen.

De meeste westerse religieuze ceremonies bevatten enkele of alle van de volgende elementen:

- **Opening van de dienst.** De geestelijke spreekt woorden van welkom uit, introduceert het huwelijkspaar en vertelt over het doel van de bijeenkomst. Met de openingswoorden wordt de toon van de ceremonie gezet.
- **Openingsgebed.** Ook wel de invocatie genoemd.
- **Inleiding.** Het huwelijkspaar wordt eraan herinnerd dat ze een eed zweren voor God en alle getuigen.
- **Vraaggesprek.** De woorden die het huwelijkspaar uitspreekt voordat de geloften worden uitgewisseld, waarmee ze aangeven dat ze dit huwelijk vrijwillig aangaan.
- **Binnenkomst van de bruid.** Het ritueel waarin de vader de bruid binnenleidt en 'weggeeft' aan haar aanstaande. Aangezien veel mensen tegenwoordig bezwaar hebben tegen het idee van de bruid als bezit, wordt dit gedeelte ook wel overgeslagen.
- **Bijbellezingen.** Diverse toepasselijke delen uit de bijbel worden voorgelezen.

### Verschillend geloof

Soms als compromis of als teken van respect naar ouders of grootouders, houden stellen met verschillend geloof twee verschillende ceremonies (in plaats van een gemengde ceremonie). Je kunt een religieuze ceremonie op de ene dag houden en de volgende dag voor de burgerlijke stand trouwen, of misschien twee religieuze ceremonies achtereen op dezelfde locatie.

- **Huwelijksbelofte.** Het meest cruciale deel van de ceremonie, waarin de overeenkomst tussen twee mensen wordt uitgesproken.
- **Huwelijkszegen en uitwisseling van ringen.** De ring is een fysieke herinnering aan de overeenkomst tussen bruid en bruidegom, en vaak worden hierbij bijzondere woorden uitgesproken. Vervolgens kondigt de geestelijke aan dat het stel officieel in de echt is verbonden.
- **Gebed.** Na het uitwisselen van de geloften, vraagt het stel om Gods zegen over hun huwelijk.
- **Zending en zegen.** In christelijke ceremonies kunnen de gasten aangeven dat ze het huwelijkspaar willen helpen bij het instandhouden van hun geloften. In een Joodse ceremonie roepen de gasten bijvoorbeeld 'Mazel Tov!' nadat het echtpaar op wijnglazen heeft getrapt.

# Religieuze riten en regels

Zelfs iemand die alle ins en outs van zijn geloof kent, is mogelijk niet bekend met alles wat er bij een huwelijksceremonie komt kijken. Soms is dat namelijk best veel. Het gaat te ver om hier alle details van alle verschillende religieuze en etnische huwelijken te beschrijven, maar we bieden je een overzicht van de huwelijksgebruiken bij de belangrijkste stromingen.

## Joods

Er bestaan vier hoofdstromingen in het jodendom: orthodox en conservatief, die zeer religieus zijn, en de reform- en liberale stroming, die veel minder stringent zijn.

## Wie, wanneer en waar

De geestelijke bij een joods huwelijk is degene die het huwelijk inzegent. Joden geloven namelijk niet dat iemand het huwelijk voltrekt, maar dat je samen met elkaar trouwt. Het huwelijk kan worden ingezegend door een voorzanger, rabbijn of gemeenschapsleider.

Als zowel de bruid als de bruidegom joods zijn en lid van een synagoge, is het geen probleem in die synagoge te trouwen. De meeste rabbijnen werken graag samen met een andere rabbijn – van de andere familie bijvoorbeeld. Als je echter geen lid bent van een synagoge, vraag dan je kennissen om aanbevelingen.

Joodse huwelijken mogen niet worden gesloten op de sabbat – van zonsondergang op vrijdag tot zonsondergang op zaterdag. Op de sabbat zijn werken en reizen verboden, en bovendien mogen er geen twee vieringen (waarvan de sabbat er een is) op één dag plaatsvinden. Stem de datum dus af met de rabbijn. Huwelijken mogen ook niet worden ingezegend op andere grote feestdagen zoals Rosj Hasjana, Jom Kippoer, Pesach, Sjawoeot en Soekot. Drie weken in juli en augustus en de zeven weken tussen Pesach en Sjawoeot (meestal april en mei) zijn ook verboden tijdstippen. Controleer hoe laat precies de zon ondergaat. Het kan zijn dat de rabbijn pas dan wil reizen en de ceremonie wil leiden.

Een Joodse ceremonie kan overal plaatsvinden – buitenhuwelijken zijn zeer populair – maar ze moeten worden uitgevoerd onder een choepa. Deze joodse huwelijksbaldakijn symboliseert het nieuwe leven en het nieuwe huis.

## Voor het huwelijk

Bij een traditionele, religieuze joodse huwelijksceremonie ontvangt de bruidegom vrienden en familie voor het huwelijk in een gescheiden kamer. Vroeger moesten twee volwassen mannen, die geen familie van elkaar of de bruid en de bruidegom waren, een eenvoudig document ondertekenen dat dienst deed als huwelijkscontract: de ketoeba. Tegenwoordig worden ketoeba's, afhankelijk van de rabbijn, zowel door mannen als vrouwen ondertekend. De bruidegom presenteert de ketoeba later onder de choepa aan zijn bruid, waarna de ceremonie plaatsvindt.

## Tijdens het huwelijk

Hoewel er geen formele regels zijn voor een joodse huwelijksprocessie, houdt men meestal een traditionele indeling aan. De rabbijn en de voorzanger (indien aanwezig) leiden de processie, gevolgd door de grootouders van de bruid en bruidegom, die op de eerste rij plaatsnemen. De bruidegom loopt tussen zijn ouders in, gevolgd door de getuigen, en daarachter de bruid met aan weerszijden haar ouders.

**Figuur 7.1:** Opstelling bij een joods huwelijk onder een choepa

De gasten nemen plaats. De rechterzijde van de synagoge is voor de bruid, de linker voor de bruidegom. De voorzanger zingt, en de gasten eventueel ook. De muziek mag best een pittig tempo hebben, maar moet wel statig zijn.

De bruidegom loopt de bruid tegemoet en begeleidt haar naar de choepa, waarmee wordt gesymboliseerd dat hij haar naar zijn nieuwe huis brengt.

Nadat iedereen onder de choepa heeft plaatsgenomen, verwelkomt de rabbijn de gasten en het bruidspaar en vraagt om Gods zegen. De ceremonie begint met het zegenen van de wijn, waarvan de bruid en bruidegom slokjes nemen. De moeder of een vriendin van de bruid tilt vervol-

### Meer dan een stukje papier

De ketoeba, het joodse huwelijkscontract, is vaak een mooi versierd document dat door de rabbijn wordt voorgelezen en dat wordt getoond tijdens de ceremonie. Je kunt je ketoeba door een kaligraaf laten uitschrijven en versieren en dan prachtig laten inlijsten. Veel stellen hangen hun ketoeba thuis aan de wand. De tekst van de ketoeba is standaard.

gens de sluier van de bruid op; een eervolle taak. De bruidegom schuift de trouwring – die vlak moet zijn en waar geen stenen op mogen zitten – om de wijsvinger van de rechterhand van de vrouw (zij kan die later verplaatsen naar welke vinger ze wil). De rabbijn leest de ketoeba voor en de bruidegom overhandigt het document vervolgens aan de bruid (het is namelijk haar eigendom), die het weer afgeeft aan haar ouders of iemand anders om hem veilig te bewaren. De rabbijn houdt een korte toespraak, en het stel kan daar vervolgens gedichten, gebeden of persoonlijke woorden aan toevoegen.

Het volgende gedeelte begint met het nogmaals zegenen van de wijn. Het stel drinkt uit dezelfde beker of een nieuwe; sommige bruidsparen gebruiken twee bekers (één om het verleden en overleden familieleden te symboliseren, één die de toekomst symboliseert). Dan komen de zeven zegeningen. De rabbijn verklaart dat de bruid en bruidegom nu een wettelijk echtpaar zijn en kan daar nog een zegening ter afsluiting aan toevoegen.

Dan volgt het bekendste onderdeel van een joods huwelijk: het breken van het glas. Traditioneel is het de bruidegom die op het glas trapt, maar tegenwoordig doen veel stellen het samen. Dit ritueel is op vele manieren uitgelegd – als herinnering aan de vernietiging van de tempel, de breekbaarheid van het huwelijk of de intensiteit van de seksuele samenkomst.

Bij een religieus huwelijk gaat het stel vervolgens naar een yichud, een privé-ruimte, waar ze samen een tijdje bijkomen van de emoties met een hapje en een drankje voor ze hun gasten weer onder ogen komen. Dit is overigens zo'n fijn gebruik, dat ook veel stellen tijdens andere ceremonies het steeds meer oppakken.

Als je al eerder in een religieuze ceremonie getrouwd bent geweest, heb je om in een joodse ceremonie te kunnen trouwen een *get* nodig, een religieuze echtscheiding.

## Islamitisch

De moslims in Nederland en België hebben verschillende afkomsten, en ook de gebruiken voor hun huwelijksrituelen verschillen. Daarom maken we hier een onderverdeling in de drie grootste stromingen: de Turkse, Marokkaanse en Hindoestaanse moslims.

## Turkse moslims

Het Turks Burgerlijk Wetboek maakt onderscheid tussen een burgerlijk huwelijk (de resmi nikâhi) en een religieus huwelijk. Het religieuze huwelijk mag officieel pas worden gesloten wanneer de burgerlijke huwelijkssluiting heeft plaatsgevonden. Met het trouwboekje van de burgerlijke stand, kan het bruidspaar een imam nikâhi laten voltrekken. Hoewel de Turkse wet bepaalt dat de burgerlijke huwelijkssluiting, moet hebben plaatsgevonden voorafgaande aan de imam nikâhi, houdt men zich meestal niet strikt aan deze bepaling. De betekenis die aan deze beide ceremoniën gehecht wordt, bepaalt in hoge mate de volgorde waarin zij gesloten worden en het aantal mensen dat elk van deze rituelen bijwoont.

In het Turks Burgerlijk Wetboek wordt geen bruidsschat genoemd, en deze is dus niet verplicht. Bij de imam nikâhi wordt meestal wel een bruidsschat vastgesteld, maar als de bruidegom deze niet betaalt, kan de bruid de betreffende som niet opeisen.

De imam nikâhi vindt vaak plaats in aanwezigheid van slechts enkele mensen. Dit gebeurt niet in de gebedsruimte van een moskee, maar bij de bruid of bij de bruidegom thuis, in een zaaltje bij de moskee of in een ruimte bij de feestzaal. Naast het jawoord (aanbod en aanvaarding) en het vaststellen van de bruidsgave, wordt soms uit de koran voorgelezen of wordt een kort gebed opgezegd. Zowel bruid als bruidegom wordt drie keer gevraagd met het huwelijk in te stemmen en ook kan er een huwelijksdocument worden opgesteld.

Na afloop van de ceremonie is er gelegenheid om het bruidspaar en hun ouders te feliciteren: de handen van de gasten worden besprenkeld met geurwater en zij krijgen bij hun vertrek zoetigheid en sigaretten aangeboden.

## Marokkaanse moslims

Een Marokkaanse bruiloft duurt vaak twee of drie dagen. Ook Marokkaanse echtparen moeten eerst voor de burgerlijke stand trouwen. Vaak gebeurt dit al een halfjaar voor het religieuze huwelijk, omdat een bruiloft van drie dagen veel voorbereiding kost.

De eerste dag is de hennadag. De handen en voeten van de bruid (en ongetrouwde vrouwelijke familieleden) worden versierd met hennatekeningen. Dit is een oud gebruik waarmee kwade geesten worden geweerd.

Op de officiële trouwdag, de tweede dag, draagt de bruid een bruidsjurk. Er worden foto's van het aanstaande echtpaar gemaakt, en vervolgens gaan ze naar de feestlocatie. Het echtpaar neemt plaats op versierde stoelen en de bruid wordt, begeleid door traditionele zang en muziek, getoond aan de gasten. Vervolgens kleedt de bruid zich om en wordt het hele ritueel herhaald. Soms verkleedt de bruid zich wel vijf keer, telkens in een andere jurk. De gedachte hierachter is dat, hoe meer jurken de bruid draagt, hoe groter de bruidsschat zal zijn.

Aan het einde van de dag, wanneer de ringen worden uitgewisseld, draagt de bruid dezelfde jurk die ze ook aan het begin van de dag droeg. Er worden vragen gesteld aan het bruidspaar, zoals of de bruid een bruidsschat heeft ontvangen. De bruidsschat bestaat uit een geldbedrag en is een verplicht onderdeel. De bruid hoort het geld aan zichzelf te besteden, bijvoorbeeld aan sieraden of kleding. Daarna snijdt het kersverse bruidspaar de bruidstaart aan. Bij de bruidstaart worden melk en dadels geserveerd; de melk staat symbool voor reinheid en maagdelijkheid en de dadels voor vruchtbaarheid. De rest van de avond wordt er gefeest met traditionele muziek, hapjes en drankjes.

De derde dag is de dag waarop de bruid haar ouderlijk huis verlaat en bij haar nieuwe echtgenoot gaat wonen. Deze dag wordt niet altijd bij de feestelijkheden betrokken.

## Hindoestaanse moslims

Hindoestaanse moslims die in Nederland of België trouwen, zijn ook wettelijk verplicht om een burgerlijk huwelijk te sluiten. Enkel een religieus huwelijk is niet rechtsgeldig.

De Hindoestaanse moslims zijn over het algemeen verdeeld over twee groepen: de wat strengere (soennie's) en de wat liberalere (ahmadiyya's). Een huwelijksvoltrekking bij de ahmadiyya's verloopt vaak wat 'westerser' dan bij de soennie's.

Het stel kan er voor kiezen de religieuze huwelijkssluiting bij de bruid thuis te houden, voorafgaande aan het burgerlijk huwelijk op het stadhuis. Bruid en bruidegom mogen namelijk niet naast elkaar zitten als zij nog niet (in een religieuze ceremonie) getrouwd zijn. Mocht de religieuze ceremonie plaatsvinden in of bij een moskee, dan is het gebruikelijk dat de bruidegom zijn bruid bij haar ouders ophaalt, met een lange stoet volgauto's.

Tijdens de religieuze ceremonie, de nikah, draagt de bruid een salwar of sari en de bruidegom vaak een hooggesloten pak zonder revers. Ook heeft hij bij deze gelegenheid een pagri op zijn hoofd, al dan niet met bloemslingers.

Er zijn zowel mannen als vrouwen aanwezig bij de religieuze huwelijkssluiting. De mannen (bruidegom, familie, getuigen) zitten voor in de zaal aan een tafel. De rest van de gasten zit verspreid door de ruimte aan tafeltjes.

Een Surinaams-Hindoestaanse bruid is aanwezig bij de huwelijkssluiting, maar (bij de soennie's) niet in de ruimte waar alle gasten bijeen zijn. Aan het begin van de religieuze ceremonie worden er twee officiële getuigen aangewezen. Bovendien wordt er een wakil aangewezen. Dit is degene die de bruid en bruidegom vraagt in te stemmen met het huwelijk. Dit is een eervolle taak, die niet noodzakelijkerwijs door een religieus leider vervuld hoeft te worden; de wakil kan ook een familielid van de bruidegom zijn.

Meestal gaat de wakil samen met de getuigen eerst naar de ruimte waar de bruid zich bevindt. Daar legt de bruid de islamitische geloofsbelijdenis (shahada) af, waarbij ze de belangrijkste geloofsartikelen van de islam opzegt. Vervolgens wordt haar drie keer gevraagd in te stemmen met het huwelijk en te vertellen wat de hoogte is van de bruidsschat. Deze bestaat vaak uit gouden sieraden, kleding en dergelijke.

De wakil en de getuigen gaan terug naar de ruimte waar de bruidegom zich bevindt, en meestal begint dan het officiële gedeelte van de ceremonie. Er wordt uit de koran voorgelezen, de imam houdt een preek, er wordt gebeden en soms gezongen.

Dan wordt de bruidegom ook gevraagd de belangrijkste geloofsartikelen op te zeggen. Ook hij stemt drie keer in met het huwelijk, en belooft bovendien om de door de bruid gevraagde bruidsschat te betalen.

Ook bij de Hindoestaanse moslims geldt dat gemengde huwelijken problematisch zijn. Een huwelijk met een moslim van een andere stroming wordt vaak wel geaccepteerd.

## Protestants

In de protestantse kerk wordt een huwelijk ingezegend, en deze ceremonie wordt ook wel overtrouw genoemd. Het bruidspaar vraagt God om het huwelijk te zegenen. Wettelijk moet je eerst voor de burgerlijke stand trouwen, waarna je met je trouwboekje naar de kerk gaat voor de inzegening.

Ook als je al een hele tijd niet naar de kerk bent geweest kun je in de kerk trouwen als je dat echt graag wilt. Bespreek de kerk en de dominee ruim van te voren. Een dominee heeft vaak veel verplichtingen en kerken zijn niet altijd beschikbaar. Een afspraak voor de kerkelijke inzegening kun je het beste tussen de negen en zes maanden voor je huwelijk maken. Maak daarbij ook goed duidelijk wat je wensen zijn en maak samen met de dominee een draaiboek. Hierin kan staan in welke volgorde je gasten binnenkomen, maar ook welke liederen wanneer gezongen moeten worden, of er een koor is, of er bloemen in de kerk moeten staan. Ook kun je vragen of de kerkklokken kunnen luiden als jullie huwelijk is voltrokken.

### Tijdens de ceremonie

Wanneer het bruidspaar en de gasten binnen zijn gekomen, kan de kerkdienst beginnen. De dominee zal beginnen met een persoonlijk woord aan het bruidspaar en de gasten. Daarna zal hij de huwelijksinzegening voltrekken, waarbij hij zal vragen of het bruidspaar elkaar trouw zal blijven tot in de dood en of toekomstige kinderen worden opgevoed in de geest van het protestantse geloof. Nadat deze vraag met ja is beantwoord, vraagt de dominee het stel te knielen, waarna hij de zegen uitspreekt. Daarna worden de ringen uitgewisseld. Getuigen zijn niet nodig bij een protestants huwelijk. Aan het einde van de dienst zal de dominee vaak de huwelijksbijbel overhandigen. Na de inzegening wordt het huwelijk bijgeschreven in het kerkboek.

Als je lid bent van het kerkgenootschap waar jullie trouwen, dan is de bevestiging en inzegening (vaak) gratis. Er wordt echter tijdens een protestants huwelijk wel een collecte gehouden. Vaak mag je zelf kiezen naar welk doel de opbrengst gaat.

## Katholiek

De katholieke kerk erkent een huwelijk pas nadat het in de kerk is gesloten. Maar ook hier geldt dat je eerst voor de ambtenaar van de burgerlijke stand gaat trouwen, en dat je je trouwboekje toont wanneer je in de kerk komt voor de inzegening.

Wanneer je in de rooms-katholieke kerk trouwt moet je een huwelijksformulier tekenen waarin je verklaart dat je nog niet eerder kerkelijk gehuwd bent. Als een eerder burgerlijk huwelijk in een officiële scheiding is geëindigd, dan is dit voor de rooms-katholieke kerk geen probleem. Echter, wanneer er eerder een rooms-katholiek huwelijk is voltrokken, dan maakt de burgerlijke scheiding geen einde aan het rooms-katholieke huwelijk. Dit huwelijk kun je laten ontbinden, maar dit is een tijdrovende en ingewikkelde zaak.

Bespreek de kerk en de pastoor ruim van te voren. Een pastoor wil namelijk vaak meerdere gesprekken met jullie hebben over het huwelijk en het geloof. Daarnaast heeft hij vaak veel verplichtingen en zijn kerken niet altijd beschikbaar. Een afspraak voor de kerkelijke inzegening kun je het beste tussen de negen en zes maanden voor je huwelijk bespreken. Maak daarbij ook goed duidelijk wat je wensen zijn en maak samen met de pastoor een draaiboek. Hierin kan staan in welke volgorde je gasten binnenkomen, maar ook welke liederen wanneer gezongen moeten worden, of er een koor is, of er bloemen in de kerk moeten staan. Ook kun je vragen of de kerkklokken kunnen luiden als jullie huwelijk is voltrokken.

### Tijdens de ceremonie

Normaal gesproken wordt het huwelijk gesloten in de parochiekerk van de bruid ten overstaan van een pastoor. Hierbij zijn twee en maximaal vier getuigen nodig. De pastoor is de bedienaar van het sacrament van het huwelijk. De pastoor zal aan zowel de bruid als de bruidegom het jawoord vragen en hen verzoeken elkaar de rechterhand te geven. Dan zegent hij de ring van de bruid. Na deze zegening wordt er een heilige mis opgedragen waarin de huwelijkszegen gegeven wordt.

Na het verlaten van de kerk is het traditie om het bruidspaar met rijst te bestrooien (voor vruchtbaarheid), maar dit kunnen ook bloemblaadjes, vogelzaadjes of confetti zijn.

Het is in de meeste gemeenten niet meer toegestaan om met rijst te strooien!

Als je lid bent van het kerkgenootschap waar jullie trouwen, dan is de bevestiging en inzegening (vaak) gratis. Ook de pastoor hoef je niet te betalen. Natuurlijk wordt een kleine attentie als aandenken wel op prijs gesteld.

## Ideeën voor teksten

Je wilt misschien tijdens de ceremonie gedichten, bijbelteksten, citaten of andere teksten laten voordragen die voor jullie betekenisvol zijn. We kunnen honderden boeken vullen als we alle mogelijkheden willen noemen, maar hier zijn enkele algemene richtingen die je kunt verkennen:

- **Bijbelteksten.** Genesis, de Talmud, Korinthiërs, Romeinen, Johannes, Matthëus, Psalmen.
- **Literatuur.** *De kleine prins* van Antoine de Santi-Exupéry; *Het fluwelen konijn* van Margery Williams; *Zielsverwanten* van Thomas Moore; *Liefhebben is een kunst* van Erich Fromm, Confucius, I Ching.
- **Gedichten.** Shakespeare, Shelley, Pieter Corneliszoon Hooft of de bundel *Ik heb de liefde lief* met Nederlandse en Vlaamse liefdesgedichten, samengesteld door Willem Wilmink.

Als je iemand wilt vragen iets voor te dragen tijdens je huwelijk, geef ze dan meer dan voldoende tijd om hun keus te bepalen en te oefenen.

Het gebeurt steeds vaker dat men livemuziek voor tijdens een burgerlijk huwelijk inhuurt. Je kunt echter ook een cd met je eigen favoriete muziek aan de bode geven, en hem vertellen welk nummer hij op welk moment moet starten.

### Opstelling

De opstelling tijdens een niet-religieuze huwelijksceremonie kan op verschillende manieren worden geplaatst. Je kunt bijvoorbeeld met je gezicht naar je gasten toe zitten, tussen de gasten op de voorste rij in of met zijn tweeën vooraan zoals meestal gebeurt.

Wanneer je stoelen in rijen plaatst, zoals in een kerk, zorg dan dat de rijen niet te lang zijn en dat er voldoende ruimte tussen de rijen is zodat mensen zonder struikelen hun stoel kunnen bereiken ('Ach, waren dat uw tenen? Sorry hoor.') Zet een even aantal stoelen in een rij, want de meeste gasten komen samen. Het is verstandig om als bruid ook aan je eigen stoel te denken. Ben je van plan een wijde hoepeljurk te dragen, dan is het wel zo handig om wat meer ruimte rondom je stoel te hebben.

Het maken van een plaatsindeling tijdens een burgerlijk huwelijk is meestal niet nodig. De bode van de burgerlijke stand zorgt ervoor dat ouders en getuigen op de voorste rij worden geplaatst. Wanneer je wilt dat ook anderen een vaste plaats krijgen, overleg dit dan met de bode.

## Regels en verwachtingen

- Laat de muziek beginnen voordat de gasten arriveren, een kwartier tot een halfuur voor de ceremonie. Na de ceremonie blijft de muziek spelen totdat de laatste gasten zijn vertrokken, of zodra de muziek voor de receptie (in dezelfde ruimte) start.
- Laat degenen die de gasten opvangen niet op een kluitje bij elkaar gaan staan kletsen. Ze moeten de gasten kunnen wijzen waar het toilet is en dienen op de hoogte te zijn van het schema van de dag en de locatie van de receptie.
- Instrueer degenen die de gasten opvangen om deze direct achter de eventueel gereserveerde voorste rij te plaatsen, zodat je niet over een paar lege rijen heen moet kijken (sommige mensen zijn verlegen en gaan bij binnenkomst in een zaal automatisch achterin zitten).
- Als er kinderen bij de ceremonie aanwezig zullen zijn, laat die dan eerst naar het toilet gaan.
- Wanneer de bruid bij het altaar arriveert, dient iemand haar boeket aan te pakken zodat ze haar handen vrij heeft. Eventuele handschoenen worden verwijderd voor het uitwisselen van de ringen. Na de ceremonie krijgt de bruid haar boeket en handschoenen weer terug.

### Gooi- en smijtwerk

Het loslaten van een massa heliumballonnen lijkt misschien romantisch, maar is eigenlijk zeer milieuonvriendelijk. Na een tijdje lopen de ballonnen leeg en vallen ze naar beneden. Ze komen terecht in bomen, meren en in zee waar dieren zoals vogels, walvissen en dolfijnen ze binnenkrijgen en eraan doodgaan. Rijst is ook niet meer zo populair, aangezien het in de maag van vogels uitzet en de vogels er dus aan dood kunnen gaan. Als je dan toch met iets wilt gooien, probeer dan vogelzaad of bloemblaadjes of laat kinderen bellen blazen.

- Iedereen die staat, moet erop letten zijn knieën te ontspannen. Als je knieën 'op slot' schieten, kan dit de bloedsomloop belemmeren en kun je flauwvallen.
- Tijdens een christelijke ceremonie neemt de moeder van de bruid als laatste plaats. Laat haar door iemand begeleiden.
- Veel kerken en synagogen hebben zware deuren. Zorg dat iemand (meestal een kerkbewaarder) de deuren opent en sluit en dat je er niet zelf mee hoeft te worstelen.
- Als je thuis trouwt of ergens anders waar een telefoon is, trek dan tijdens de ceremonie de stekker uit het stopcontact of zet de bel uit.
- Heb je meerdere auto's geregeld om gasten te vervoeren, zorg dan dat iemand een lijst heeft van wie, wat, waar en waar naartoe.

Vraag eerst bij de gemeente of het toegestaan is heliumballonnen los te laten.

# Wat staat er op het programma?

Een programmaboekje is niet alleen een draaiboek, maar kan ook een mooi aandenken van de dag zijn.

Als je een programmaboekje voor je kerkelijke inzegening opstelt, laat de geestelijke het dan nog een keer nalezen voor je het naar de drukker stuurt. Je kunt het boekje eenvoudig houden of helemaal aan jullie thema aanpassen. Een typische lay-out is in vier pagina's (voorblad, achterblad en twee binnenzijden) en bevat:

- **Voorblad.** De naam van het bruidspaar, de datum en plaats. Je kunt het voorblad versieren met een eventueel familiewapen, persoonlijk logo, een handgeschilderde bloem, een pentekening van de kerk of iets anders wat betekenis voor je heeft.
- **Binnenzijde voorblad.** Iedereen die betrokken is bij de ceremonie – de geestelijke, de bruid en bruidegom, de ouders en de getuigen.
- **Binnenzijde achterblad.** Stap voor stap overzicht van de ceremonie, inclusief muziek en voordrachten.
- **Achterblad.** Afhankelijk van de ruimte kun je hier een gedicht, tekstje of zegening plaatsen die jullie aanspreekt. Dit is ook een goede plek voor een dankwoord aan familie of vrienden, het herdenken van overleden ouders of vrienden, voor informatie over de receptie of kleine huishoudelijke mededelingen (bijvoorbeeld: flitsen niet toegestaan).

Wanneer je een uitgebreider programmaboekje van meerdere pagina's wilt maken, kun je vrienden en familie op de binnenzijde van het voorblad bedanken. Op de volgende pagina's zet je dan een gedetailleerdere versie van het verloop van de ceremonie, vooral als er veel gasten komen die niet bekend zijn met dit soort vieringen. Je kunt ook vertalingen bieden van bijbelteksten, liederen, gebeden of zegeningen voor je buitenlandse gasten, of een uitleg van bepaalde rituelen en gebruiken. Overspoel je gasten echter niet met al te veel informatie.

Wanneer een van beiden partners van buitenlandse afkomst is, kun je het programmaboekje in twee talen opmaken.

TIP

Wanneer je de muziek in je programmaboekje opneemt, noem dan ook de stukken die gespeeld worden bij binnenkomst, tijdens de ceremonie (inclusief nummers van psalmen) en bij het weggaan. Noem ook de namen van eventuele solozangers en musici bij de muziekstukken.

In figuur 7.2 zie je een typisch programma voor een christelijke ceremonie.

*Huwelijk van*
*Heleen Hennenschouw en Hendrik Hanenhaus*
*Heilige Zeeschuimkapel*
*Rotsenbaai*
*Zaterdag 19 juli 2003*

**Figuur 7.2:** Voorbeeld van een eenvoudig programma voor een christelijk huwelijk (pagina 1 van 3)

**Dominee:**
Frederik Vedervriend

**Getuigen:**

| | |
|---|---|
| Petra Platendraaier | Valerie Liaan |
| Jessica Jager | Erik Eigenaar |

**Voordrachten:**

| | |
|---|---|
| Charlotte Wezenkind | Irma Groothoek |

**Organist:**
Willem Zever

**Figuur 7.3:** Voorbeeld van een eenvoudig programma voor een christelijk huwelijk (pagina 2 van 3)

## *Volgorde van de dienst*

| | |
|---|---|
| **Inleiding:** | |
| Canon in D | Johann Pachelbel |
| Lucht (orkestsuite nr. III in D, S. 1068) | Johann Sebastian Bach |
| **Processie:** | |
| Trompetsonate | Jeremiah Clarke |
| Grande Piece Symphonique | Alexandre Guilmant |
| Oproep tot gebed | |
| Gebed | |
| Aankomst bruid | |
| Parzival | Wolfram von Eschenbach |
| Bijbellezing | Romeinen 12:1-2, 9-18 |
| Meditatie | |
| Huwelijksgeloften | |
| Uitwisseling van de ringen | |
| Sonnet 116 | William Shakespeare |
| Onze Vader | |
| Verklaring van de huwelijksvoltrekking | |
| Apache huwelijksgedicht | |
| Zegening | |
| Recessie | |
| Bruidsmars (uit Midzomernachtsdroom) | Felix Mendelssohn |

**Figuur 7.4:** Voorbeeld van een eenvoudig programma voor een christelijk huwelijk (pagina 3 van 3)

# Hoofdstuk 8

# Zeg het met bloemen en muziek

***In dit hoofdstuk:***

- Een gebedshuis decoreren
- Een persoonlijk boeket
- Bloemen voor de receptie
- Je eigen bloemschikkingen maken
- Trouwtoonladders
- Musici uitkiezen

Meestal vormen bloemen de belangrijkste decoraties bij een bruiloft. Zelfs mensen zonder groene vingers kunnen de symboliek en charme van bloemen waarderen. En hoewel 'dat wat wij een roos noemen, met elke andere naam even heerlijk zou ruiken', geeft een uit de losse pols gebonden boeket met lange stelen een heel andere sfeer dan een compact boeket van kleine bloemetjes dat eruit ziet als één grote bloem.

Zorg dat je een bloemist vindt die al je bloembenodigdheden kan verzorgen, ook voor de ceremonie en de receptie. Weet welke bloemen je mooi vindt voor je bij bloemisterijen langsgaat. Kijk in tijdschriften (niet alleen die over trouwen) en knip foto's uit van ruimte die de sfeer uitstralen die je zoekt. Wanneer er een bloemstylist wordt genoemd bij een foto die je mooi vindt, schrijf de naam dan op. Misschien kent jouw bloemist zijn werk en kan hij daar inspiratie uit putten. Je hoeft geen lid te zijn van een bloemschikclubje om iets te begrijpen van kleuren, sferen of stijlen zoals romantisch, modern of rococo. Richt je eerst op het grote geheel en zoek dan de bloemen uit die daarbij passen.

## Blommige bloemisten

Wanneer je de juiste bloemist voor je huwelijksdag zoekt, vraag dan bij vrienden, redacteurs van plaatselijke trouwtijdschriften of interieurbladen en andere leveranciers op het gebied van huwelijken om referenties. Bekijk de foto's bij de bloemist van trouwerijen, individuele boeketten en evenementen waarvoor de bloemist bloemen en/of decoratie heeft geleverd.

Hier volgen enkele vragen die je zou kunnen stellen (natuurlijk kan een bloemist zowel een man als een vrouw zijn, maar we gaan hier voor het gemak van een man uit):

- Heeft hij weleens eerder op deze locatie gewerkt? Zo niet, gaat hij dan de locatie bekijken voordat hij een offerte maakt?
- Welke decoratiestukken, tafelkleden, bloempotten en dergelijke accessoires heeft de bloemist in bezit? Wat zou hij moeten huren?
- Staat de sfeer in de bloemenwinkel je aan?
- Heeft hij originele creaties? Wat vindt hij van jouw ideeën? Als je knipsels hebt meegebracht, is hij daar dan in geïnteresseerd?
- Wat doet hij wanneer hij bloemen moet vervangen, voor het geval de gekozen bloem op dat moment niet beschikbaar zou zijn?
- Is hij bereid een voorbeeld voor je te maken?
- Wat berekent hij voor het bezorgen en opzetten/afbreken?
- Hoe snel kun je een offerte tegemoet zien?
- Welke betalingsvoorwaarden hanteert hij?
- Denkt hij dat je budget realistisch is? Zo niet, hoeveel denkt hij dan dat het echt gaat kosten?

Let goed op de antwoorden die de bloemist geeft. Als jullie op een heel andere planeet lijken te leven, ga dan door naar de volgende potentiële leverancier – dan is het toch maar tijdverspilling voor jullie beiden.

# Geurige ceremonies

Als je niet veel van bloemen weet, maar je weet wat je mooi vindt als je het ziet, kun je googelen naar bloemen. Ga naar www.google.nl, en typ `bloemen`, `bruidsboeketten`, `rozen` of iets dergelijks in. Je zult zien dat er honderden afbeeldingen van bruidsboeketten op internet te vinden zijn. Als je een boeket ziet dat je mooi vindt, druk de afbeelding dan af of stuur de url door naar je bloemist.

Wat je vaak hoort is: 'Kunnen we niet gewoon een paar flinke bossen wilde bloemen plukken in plaats van naar zo'n dure bloemist te gaan?' Natuurlijk kan dat. Maar denk eraan dat veel soorten wettelijk beschermd zijn en dat het plukken ervan dus verboden is. Nog afgezien daarvan heb je ook kans dat je insecten van buiten meeneemt, die vervolgens over je prachtig gedekte tafels gaan kruipen.

# De ceremonie aankleden

Of je nu trouwt in een oude kerk met Romeinse bogen, een rotspunt bij de zee of een witgeschilderde fotostudio, bloemen horen bij een huwelijk. Als de locatie mooi is, heb je weinig opschik nodig. Je hoeft enkel wat bloemarrangementen te plaatsen waar ze mooi uitkomen.

Bezoek de locatie samen met je bloemist (of weddingplanner) en houd de volgorde van de ceremonie in gedachten. Welke plaatsen kunnen een accent gebruiken? Wat zien je gasten als ze binnenkomen? Waar zitten de musici? Waar gaat iedereen naar buiten? Als je weet hoe de ruimte gebruikt zal worden, zie je ook snel waar een bloemstuk iets toevoegt of waar het zonde is van het geld.

Een buitenceremonie moet vooral draaien om het buitenaspect. Als je een hele tuin gaat bedekken met tule en gaas, ben je weer binnen. Laat de natuur voor zichzelf spreken.

Sommige mensen raden je aan de bloemen van de choepa of het altaar mee te nemen van de ceremonie naar de receptie om zo kosten te besparen. Maar als je beide onderdelen op verschillende locaties houdt, kan het een hoop extra kopzorgen opleveren. Vergelijk de kosten van extra bloemen met de kosten en moeite van het heen en weer zeulen. Als je constateert dat je werkelijk veel kunt besparen, bespreek dan de praktische details met je bloemist.

In een gebedshuis is er meestal iemand die verantwoordelijk is voor het aankleden van de locatie. Hij of zij kan je vertellen wat wel en niet mag, hoe laat je mag beginnen met het aankleden van de ruimte en wanneer alles weer weg moet zijn. Houd je strikt aan de regels. Sommige kerken hebben vaste vazen en/of kandelaars die bij het altaar mogen worden gebruikt, en soms eist men dat de bloemen worden achtergelaten bij wijze van donatie.

Als er in de kerk of synagoge nog een ceremonie na die van jullie plaatsvindt, kijk dan of het mogelijk is de kosten van de bloemen te delen met het andere stel. De kerk zal jullie graag met elkaar in contact brengen.

## Bankversiering

Je kunt decoratieve elementen zoals linten in strikken of bloemen aan de uiteinden van de rijen banken bevestigen, of elke twee of drie rijen vrijstaande bloemstukken plaatsen.

### Altaarbloemen

Meestal staan er aan weerszijden van het altaar bloemen. Delicate bloemen zijn van een afstand niet goed te zien, dus laat de bloemist hiervoor grote soorten gebruiken. Aangezien een kerk of synagoge meestal niet al te heldere verlichting heeft, kun je het beste lichte en felle kleuren kiezen. Maar maak de boeketten niet zo overdadig dat niemand jullie meer ziet staan.

Houd bij het kiezen van bloemstukken de afmetingen van de ruimte in je achterhoofd. Een prachtige oude kerk met een klein altaar moet je niet volstoppen met enorme boeketten. De ambiance van de ruimte moet intact blijven, ook nadat je bloementovenaar is langs geweest.

### Andere plaatsen voor bloemen

In kerken kan het doopfont een mooie plek zijn om een accent aan te brengen, maar vraag wel even na of het mag. Als het mag, kun je er bloemblaadjes in strooien of wat mooie wingerds langs de voet van het doopfont draperen.

Een lint met bloemen langs de deur of door een hek maakt gasten duidelijk waar ze naar binnen moeten en geeft een gastvrij tintje.

## Laat je versieren

Met de term 'persoonlijke bloemen' wordt niet alleen het bruidsboeket bedoeld, maar ook de bloemen en corsages die de anderen in het gezelschap dragen. Mannen hebben vaak zo hun voorkeur voor het soort corsage dat ze willen dragen op hun huwelijksdag. Voor een bruid is het bruidsboeket de ultieme aanvulling op haar trouwjurk.

Laat het corsage (ook boutonnière genoemd) van de bruidegom er anders uitzien dan dat van je gasten. Neem bijvoorbeeld een grotere bloem of gebruik twee bloemen in plaats van een.

### Bruid

In het begin van de twintigste eeuw waren bruidsboeketten zo overdadig, dat de vrouwen bijna een kruiwagen nodig hadden om ze te dragen. Een boeket mag mooi zijn maar nooit afleiden, het moet passen bij de jurk en bij de draagster. Een boeket kan prachtig worden afgewerkt met antieke kant, organza of lint rond de stelen, maar dat kost een paar centen.

Stem de kleuren van je bruidsboeket af op het thema van je bruiloft.

Laat de bloemist kleinere versies van je bruidsboeket maken die je aan je bruidsmeisjes geeft.

## De rode loper

Je kunt deze huren bij een verhuurbedrijf of neem contact op met de kerk, deze kunnen je vaak met de juiste personen in contact brengen. Lopers van canvas of andere stof zijn duurzamer en kunnen eventueel langs de randen nog versierd worden. Als je twijfelt, laat de loper dan geheel achterwege.

Jarenlang vonden mensen maar één soort boeket geschikt voor trouwerijen: alleen maar rozen. Dat is niet langer het geval. Zelfs bij zeer formele ceremonies dragen bruiden nu talloze verschillende bloemen, kleuren en vormen boeketten.

Bloemen, hoe prachtig ook, kunnen zorgen voor een hoop kopzorgen als ze niet goed worden behandeld. Kijk, voor je een boeket aanpakt, of het droog en stuifmeelvrij is.

Houd je boeket vast met je ellebogen op je heupen, en houd de stelen of het handvat in beide handen net voor je navel vast. Dit moet ook mogelijk zijn wanneer je aan iemands arm loopt. In figuur 8.1 zie je een aantal voorbeelden van typen boeketten.

- **Biedermeier.** Strak vormgegeven ringen van individuele kleuren, samengebonden in een kanten kraagje of ander soort houder.
- **Waterval.** Klassieke, ingewikkelde vorm met langstelige bloemen die door middel van draad in een watervaleffect worden gerangschikt.
- **Composiet.** Een bloem die bestaat uit honderden echte bloemblaadjes, samen op draad gebonden zodat het één grote bloem lijkt.
- **Halvemaan.** Bestaat uit één mooie bloem of bloesemtak, vaak een orchidee, bijeengebonden zodat je het in één hand kunt houden.
- **Druppel.** Ronde boeketjes met bloemen, groen en soms kruiden, op draad of samengebonden.

In plaats van een boeket, kun je ook toe met minder bloemen op een creatieve manier:

- een gebedsboek met een mooie bloem;
- een enkele bloem met lange steel zoals een calla, een roos of een lelie met een mooi lint;
- een bloemenslinger in je haar;
- een hoed met verse bloemen;

- een kam of haarband met kant, lint en bloemen;
- een rand van bloemen langs je sluier of de zoom van je jurk.

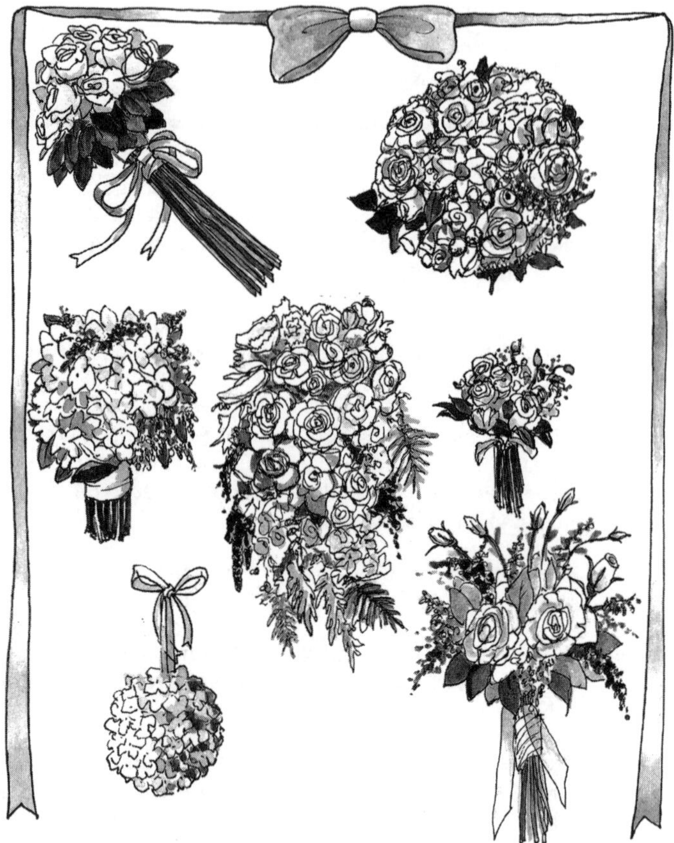

**Figuur 8.1:** De vorm en stijl van een boeket zijn even belangrijk als de bloemen die er in zitten

## Ouders en schoonouders en andere aanhang

Als je 'corsage' zegt, denken veel mensen meteen aan rimpels en lelietjes van dalen. En aan gaten in hun nieuwe zijden jurk. Er zijn alternatieven, zoals bloemarmbanden, maar die zijn weer wat minder geschikt voor de mannen in het gezelschap. Sommige bloemisten leveren corsages met magneetbevestiging, maar die zijn natuurlijk wat kostbaarder.

## De bruidegom en andere manspersonen

Het is niet meer zo vanzelfsprekend dat de corsages voor mannen en vrouwen hetzelfde zijn. Je kunt voor de mannelijke gasten ook iets kiezen wat past bij de sfeer van je boeket of het seizoen. Denk eens aan:

- korenbloemen;
- dennenappels;
- een roos met wat kruiden;
- bessen met een mooi herfstblad;
- enkel groene takjes.

Een eenvoudige corsage wordt ook flitsend door de steeltjes te omwikkelen met een lintje in een aparte kleur.

Mannen en vrouwen dragen corsages links, op de revers, zodat het speldje onzichtbaar is. Vrouwen dragen hun corsage met het steeltje schuin omhoog, mannen met het steeltje naar beneden.

Bestel een aantal extra corsages, want ze zijn niet al te kostbaar en tijdens het opspelden of in een omhelzing sneuvelen er altijd wel een of twee.

## Kleintjes

Speld kinderen alleen bloemen op die passen bij hun lengte. Zo zorg je dat het bloemenmeisje niet zelf op een enorm boeket lijkt terwijl ze naar het altaar strompelt. Naast een traditioneel bloemenmandje, kun je denken aan het volgende:

- **Haarband.** Een lint of slinger van bloemen in het haar.
- **Slinger.** Takken omwikkeld met bloemen die door twee of drie kinderen samen worden gedragen (ziet er schattig uit en houdt ze meteen bij elkaar).
- **Hoepel.** Van takjes met bloemetjes, wordt gedragen als een tamboerijn.
- **Pomander.** Een schuimbol omwikkeld met kant of tule waarin bloemenkopjes worden gestoken en die aan de pols kan worden gedragen (zie figuur 8.1).

Verse bloemblaadjes kunnen glad zijn. Als je een bloemenmeisje blaadjes laat strooien, doe dan voor hoe ze de blaadjes aan weerszijden van het pad moeten strooien, in plaats van in de gevarenzone in het midden.

Het belangrijkste accessoire van de ringdrager is het kussen, dat vaak wordt gemaakt van een mooi materiaal zoals satijn, zijde, fluweel of organza. De kussens worden soms versierd met borduursel, parels, echte of zijden bloemen. De ringen worden er aan lintjes op bevestigd.

## Boeketten bouwen

Een bos bloemen alleen is bijna nooit voldoende. Voor het maken van een bloemarrangement, zelfs al lijkt het eenvoudig, zijn wat toverkunstjes nodig. Hier lees je hoe verschillende arrangementen worden gemaakt en waarom de prijzen zo uiteenlopen.

- **Individueel bedraad.** Stelen worden afgeknipt en aan ijzerdraad bevestigd zodat de bloemen makkelijker te manipuleren zijn. Groene takken zoals klimop worden per blad voorzien van een dunne zilveren draad. Dit is een ingewikkelde, tijdrovende en dus dure techniek.
- **In houders.** Er wordt nat steekschuim in een plastic houder geplaatst, waarna de bloemen erin worden gestoken.
- **Gebonden.** Een natuurlijke bos bloemen die wordt samengebonden met lint. De hele steel kan worden bedekt met lint maar kan ook vrij worden gelaten, wat een natuurlijkere aanblik oplevert.

We raden je aan nooit de echte trouwringen op het ringkussen te leggen. Maak een stel nepringen op het kussen vast en laat je getuige of ceremoniemeester die met veel bombarie van het kussen losmaken. De echte ringen heeft hij natuurlijk veilig in zijn binnenzak.

# Receptiebloemen

Bloemen zijn vaak het belangrijkste decoratiemiddel van een receptie en slorpen dus ook vaak het grootste deel van je decoratiebudget op. (Zie hoofdstuk 13 voor meer over het aankleden van je receptieruimte.) Bloemen zijn van zichzelf al vrij prijzig, en bovendien moet iemand ze selecteren, voorbereiden, vervoeren en plaatsen. Dat tikt aan. Als je wilt dat je bloemen de hele dag mooi blijven, kun je ze niet gewoon in een vaas proppen; ze moeten worden behandeld. De stelen moeten worden ontdaan van doorns, vreemde uitlopers en overtollige bladeren (die kunnen gaan ontbinden in water en onaangenaam gaan ruiken), de uiteinden moeten worden afgesneden en de stelen moeten worden bedraad. Als je mooie open rozen wilt hebben, moeten die precies op het juiste moment worden geselecteerd. Zelfs een eenvoudig uitziend boeket is niet zo eenvoudig als het eruitziet. Eenvoud kost een hoop werk.

## Bloemarrangementen van formaat

Veel mensen zijn van mening dat een bloemstuk op tafel nooit hoger dan ooghoogte mag zijn. Hoewel hier vaak heftig over wordt gediscussieerd, moet je bedenken dat mensen aan tafel toch het meeste praten met degene die naast hen zit. Mensen willen elkaar wel kunnen zien, maar zolang je bloemstukken luchtig houdt, mogen ze best wat hoger zijn. Zet alleen geen miniheg in het midden van de tafel.

Wil je je gasten toch een ononderbroken zicht bieden over de tafel, doe dan de ellebogentest. Leg je elleboog op tafel en til je onderarm met uitgestoken vingers omhoog. Bloemstukken op tafel mogen niet boven je vingertoppen uitkomen (zo'n vijfendertig centimeter). Een bloemstuk op een voet, met bloemen boven ooghoogte, moet boven je vingertoppen beginnen.

Gebruik vulmiddelen, zoals extra bloemen en groen, met mate. Het beste is om groen te gebruiken dat van de bloemen zelf komt. Het groen dient om de techniek te verbergen – het schuim, kippengaas, band, ijzerdraad en buisjes. Hoe eenvoudig een bloemstuk ook is, de techniek mag nooit te zien zijn.

Boeketten hoeven niet overal precies gelijk te zijn. Afhankelijk van de tafelvorm en de plaats, kunnen er op bepaalde tafels kleine ronde bloemstukken worden geplaatst, en hoge arrangementen op andere tafels.

## Bloemschikkingen vormgeven

Er zijn veel verschillende manieren waarop je de receptieruimte kunt aankleden:

- **Deelarrangement.** Verschillende kleine bloemstukjes, samen geplaatst om één geheel te vormen. Na afloop van het feest kunnen de gasten elk een deel van het bloemstuk meenemen.
- **Kandelaar.** Een hoge kandelaarvorm met lange kaarsen, met in het midden een schaal bloemen.
- **Vissenkom of globe.** Ronde glazen bakken met gestapelde bloemen vormen een vrij laag bloemstuk voor op tafel.
- **Tuin.** Een overdaad aan bloemen en groen, zoals grote rozen en klimop, zodat het lijkt alsof er een tuintje op tafel groeit. De takken dienen voor het verstoppen van de bak (als die niet veel voorstelt) of geven die een accent (als het een mooie mand is).
- **Ikebana.** Japanse stijl waarbij elk element met veel zorg wordt uitgezocht en geplaatst.
- **Pavé.** Bloemen die bijna helemaal van de steel worden ontdaan en die in lage, rondlopende vormen worden gerangschikt. Zeer geschikt voor tafels.
- **Stilleven.** Dit arrangement kan bloemen, kleurrijk fruit en groente zoals artisjokken, asperges, bessen, sterappels, druiven, groene

appels, kumquats, noten of andere seizoensgebonden producten bevatten.

- **Vormen.** Een rond of vierkant frame van ijzerdraad met klimop, of een schuimbol met mos en bloemkoppen, fruit, linten enzovoort.

**Figuur 8.2:** De dagen van het standaardbloemstuk zijn voorbij

Bloemstukken rondom de band of de dansvloer zijn meestal zonde van het geld, aangezien je ze toch moet verwijderen wanneer de muziek begint.

Breng de bloemist en de bakker met elkaar in contact wanneer je op je bruidstaart marsepeinen bloemen wilt die passen bij je boeket, of wanneer er echte bloemen op moeten komen.

# Alternatieve arrangementen

Een van de grootste kostenposten van een bloemist is het arbeidsloon. Als je de tijd ervoor hebt en flink wat hulp, kun je ook gaan doe-het-zelven. Of vraag je bloemist om wat eenvoudigere ideeën die minder tijdrovend zijn.

De volgende strategieën helpen je bij het creëren van een opvallende look met minder bloemen:

- Gebruik andere elementen dan bloemen om je bloemstukken te maken: glazen schalen met groene appels en klimop, plateauschalen met druiven, pompoentjes en dennenappels. Niet alle tafels hoeven een gelijksoortig stuk te hebben.
- Appels, limoenen of citroenen in glazen bakken met water en een paar bloemen.
- Tafelkleden met lopers in een contrasterende kleur of andere stof.
- Zet geen bloemen op tafel, maar bloeiende planten.
- Of gebruik alleen groen en bloemblaadjes.
- Hol appels en peren uit en zet er een waxinelichtje in. Smeer de afgesneden delen wel even in met citroensap, anders worden ze bruin.
- Vul terracottapotten met nat steekschuim en mos en steek er enkele bloemen met sterke stelen in (gerbera's, rozen, zonnebloemen, calla's).
- Maak servetringen van linten, stukjes kant of raffia en steek er een takje rozemarijn of lavendel tussen.

Zet in plaats van bloemen wat geurkaarsen met takjes rozemarijn of lavendel in de toiletruimte.

# Boeketbehoud

Als je je bruidsboeket wilt bewaren, kun je het volgende doen:

- **Aan de lucht drogen.** Hang het boeket ondersteboven in een geventileerde, donkere ruimte, en scheid de bloemen per soort.
- **Vriesdrogen.** Dit wordt door een vakman gedaan. De kleuren blijven mooier dan bij gewoon drogen. Het boeket wordt vervolgens in een glazen stolp gestopt.
- **Geforceerd drogen.** Dit is niet moeilijk, maar het kost wel tijd. Je dompelt het boeket helemaal onder in silicagel, wat je bij de meeste hobbywinkels kunt kopen, en je wacht.
- **Potpourri.** Droog de bloemen en verwijder de blaadjes. Meng die vervolgens met geurolie, kruiden en specerijen. Stop deze in een luchtdichte pot en schud die gedurende zes weken elke dag een keer.

Als je veel bloemen hebt, kun je overwegen die aan een bejaardentehuis te geven. Bel vóór het huwelijk met een bejaardentehuis en vraag of ze belang hebben bij wat kleine bloemstukken. Vraag je bloemist om deze na de receptie te bezorgen. Je kunt ook je bloemist vragen of hij een assistent kan sturen die na afloop van het feest de gasten elk een boeket meegeeft dat ter plaatse gemaakt wordt van de verschillende bloemstukken.

# Ze spelen ons liedje

De muziek tijdens een bruiloft zet de toon voor de gehele dag. De muziek die je kiest en de manier waarop deze ten gehore worden gebracht, moeten passen bij de rest van de ceremonie.

Er worden zo vaak bepaalde klassieke stukken gedraaid tijdens trouwerijen, dat ze nauwelijks meer origineel zijn. Dat betekent niet automatisch dat je die dus moet vermijden. Het is wel van belang dat je musici uitkiest die het stuk zó spelen, dat het speciaal voor jullie geschreven lijkt te zijn. Luister eens naar wat klassieke huwelijks-cd's, zoals *The Wedding Album* of *Music for Weddings*. Vind je dat niets, probeer dan wat andere klassieke stukken van Händel, Marcello of Quantz.

Vraag, voordat je een bepaald muziekstuk kiest, of het kan worden uitgevoerd door een solo-organist, of vraag de band die je inhuurt of zij het kunnen spelen. Sommige stukken kunnen alleen door een compleet orkest worden uitgevoerd, of er zijn bijzondere instrumenten voor nodig.

Doorgaans raden we mensen die in de kerk trouwen aan om bij de kerk een lijst van suggesties op te vragen. Ga er niet van uit dat de stukken die jij kiest, zomaar kunnen worden uitgevoerd. Klassiekers zoals de *Huwelijksmars* van Wagner of Mendelssohn zijn bijvoorbeeld niet echt religieuze stukken, en de kerk kan er om die reden bezwaar tegen maken. Een synagoge kan bezwaar maken tegen deze stukken omdat Mendelssohn zich heeft bekeerd tot het christendom en Wagner een berucht antisemiet was.

# Muziek in vijf delen

In het algemeen zijn er vijf soorten muziek tijdens een huwelijksceremonie:

- **Prelude.** Deze muziek speelt een kwartier tot een halfuur voor de ceremonie, om de gasten te verwelkomen en voor achtergrondmuziek te zorgen terwijl ze hun plaats zoeken. Houd dat in gedachten tijdens het bepalen van je keuze. Wil je een feestelijke, elegante of religieuze sfeer?

Een prelude kan een vernieuwende keus zijn: een trio a-capellazangers, een operettezanger, of een kwartet dat klassieke versies van Beatles-nummers speelt. Sommige stellen geven de voorkeur aan het afspelen van een cd met jazzmuziek om de romantische sfeer te bepalen.

- **Processie.** Deze muziek bepaalt het tempo voor degenen die naar het altaar lopen. De muziek moet ritmisch genoeg zijn om op te lopen (op een natuurlijke manier). Vaak zit er in de muziek een pauze en vervolgens een fanfare wanneer de bruid binnenkomt.

  Zeer ambitieuze lieden plannen de muziek zó, dat er voor elk deel van de processie een eigen stukje muziek is. Dit vergt echter wel behoorlijk wat choreografie.

- **Ceremonie.** Je kunt ervoor kiezen om op een bepaald moment tijdens de ceremonie muziek te laten spelen of een solozanger te laten zingen, misschien voor een voordracht of tijdens het aansteken van kaarsen. (In een religieuze ceremonie zal de geestelijke aangeven welke momenten geschikt zijn voor een muzikale onderbreking en welke niet.)

  Zorg dat de muziek een eventuele voordracht niet overstemt.

- **Recessie.** Deze muziek, aan het einde van de ceremonie, moet krachtig en vreugdevol zijn. Deze muziek is meestal harder en sneller dan de processiemuziek. Je kunt bijvoorbeeld een groep gospelzangers laten optreden, een eigen favoriet nummer laten spelen of een doedelzakspeler uitnodigen. Alles mag, als het maar vrolijk en feestelijk is en je gasten vol goede moed de deur uitgaan.

- **Postlude.** De muziek blijft in een lekker tempo en feestelijk spelen tot alle gasten vertrokken zijn.

## Een solozanger, een koor of iets ertussenin

Het uitzoeken van de muziek voor jullie ceremonie is een kwestie van passen en meten. Je kiest de muziekstukken, de momenten waarop ze gespeeld worden en de artiesten die de stukken uit gaan voeren. Hoewel sommige dingen gewoon niet werken (een gitarist die een stuk voor een trompet speelt), zijn veel muziekstukken geschikt voor veel soorten ensembles.

Denk bij het uitkiezen van muziekstukken aan het aantal musici dat je nodig zult hebben en de apparatuur die zij nodig hebben. Hier volgt een aantal mogelijkheden:

- **A-capella groep.** Meestal drie of vier vocalisten die zingen zonder muzikale begeleiding. Kan heel leuk zijn.
- **Solozanger.** Eén zanger met of zonder muzikale begeleiding.
- **Koor.** Ten minste zes zangers met muzikale begeleiding.
- **Piano.** Een solist of deel van een muzikaal gezelschap. Kan een keyboard zijn, een vleugel of een gewone piano.
- **Orgel.** Dit instrument vormt een integraal onderdeel van de muziek in kerken en tempels. Sommige orgels zijn zó groot, dat ze klinken als een orkest.
- **Klassieke ensembles.** Omvatten eindeloos veel mogelijkheden met verschillende instrumenten.
- **Klein orkest.** Zes of meer instrumenten, bijvoorbeeld een dubbel vioolkwartet of een snarensectie, orgel en fluit.
- **Jazz ensemble.** Een trio of kwartet met gitaar, bas en drums.
- **Opgenomen muziek.** Een bandje of cd dat je afspeelt op een stereo-installatie.

Klassieke ensembles zijn populair bij bruiloften. Als je geld wilt besparen vraag dan of de band die je voor de receptie hebt ingehuurd ook tijdens de ceremonie kan spelen.

**Tabel 8.1 Klassieke ensembles**

| *Type* | *Instrumenten* |
|---|---|
| Duet | Fluit en viool; viool en cello; twee violen; harp en fluit; fluit en gitaar |
| Trio | Harp, fluit en cello; viool, fluit en keyboard; twee violen en een fluit |
| Snaarkwartet | Vier violen; twee violen en twee viola's; twee violen, een viola en een cello |
| Blaaskwartet | Fluit, klarinet, hobo en fagot |
| Koperkwartet | Twee trompetten, trombone en tuba |
| Kwintet | Snaarkwartet en piano; snaarkwartet en harp |

Als jullie de ceremonie buiten willen houden, eisen klassieke musici – vooral harpisten – een zekere bescherming tegen het weer. Aangezien deze instrumenten zo verschrikkelijk duur zijn, zal zelfs een wolk drie straten verderop ervoor zorgen dat de muzikant zijn kostbare instrument veilig in de koffer laat zitten.

# Muzikanten kiezen

Als je gebedshuis zorgt voor de musici tijdens de ceremonie, heb je geen contract nodig. Vraag wel om een overzicht van de tijden en kosten. Als je zelf een solist, kwartet of ander muzikaal gezelschap inhuurt, zorg dan dat alle details op papier staan.

Overleg met de geestelijke welke muziek is toegestaan. Als je ergens buiten een gebedshuis trouwt, heb je natuurlijk veel meer vrijheid bij het opstellen van je muzikale programma. Hoe dan ook, hier volgen wat vragen die je kunt stellen aan musici.

- Hebben ze een voorbeeldbandje of -cd voor je?
- Spelen de musici op dat voorbeeldbandje ook tijdens de ceremonie?
- Hebben de musici al eerder op die locatie gewerkt? Zo niet, kan de leider dan vooraf een gesprek hebben met degene die op die locatie de leiding heeft?
- Hebben zij suggesties voor verschillende delen van de ceremonie?
- Als je een bepaald muziekstuk wilt horen, is dat dan voor hen uitvoerbaar? Moet het stuk worden aangepast? Hoe lang duurt dat en wat kost het?
- Als je nog een solist of groep inhuurt voor de ceremonie, kan de band dan met hen oefenen?
- Hoeveel uren optreden zijn inbegrepen in de genoemde prijs? Als alles wat langer duurt, kunnen ze dan blijven?
- Wat dragen de musici?
- Wat is de minimumtijd die ze berekenen?
- Hebben ze speciale verzoeken? Stoelen zonder leuningen, verlichting, een tent indien de ceremonie buiten plaatsvindt?

# Deel IV

# Een ravissante receptie

*'Ze vechten behoorlijk om je boeket daar beneden, maar volgens mij heeft Judith hem. Nu heeft de haai hem… nu Judith weer… nu de haai … nu Judith…'*

## In dit deel...

Geleiden we je door het ingewikkelde proces van het plannen van een gedenkwaardig feest. Of je nu drankjes en taart serveert voor tweehonderd man of een formeel diner houdt, een huwelijksfeest is een mooi evenement. We laten je zien hoe je waar voor je geld krijgt bij het eten, de muziek en de aankleding, en hoe je al deze ingrediënten samenkneedt tot een memorabele gebeurtenis.

# Hoofdstuk 9

# Voetjes van de vloer

***In dit hoofdstuk:***

- Een afspeellijst voor de receptie opstellen
- Audities met de band
- Werken met een dj

Overlopend van de emoties schrijden jullie arm in arm naar de dansvloer voor jullie eerste dans als man en vrouw. Hoorde je daar nu de bandleider jullie namen verkeerd uitspreken? Maar je bent te druk met aftellen voor die foxtrot waar jullie al weken op hebben geoefend, en de band begint te spelen. Het klinkt een beetje als tante Marietje die 's morgens bij de wastafel staat te gorgelen.

De tranen (maar zeker niet van geluk) stromen over je wangen. Je hoopt dat je zo meteen gillend wakker wordt, net als je de afgelopen weken al vaker hebt gedaan.

Wat we bedoelen te zeggen, is dat muziek een belangrijk onderdeel is van je ceremonie, maar dat die ook de toon en ambiance van je receptie bepaalt. De gasten zullen niet meer precies weten wat ze gegeten hebben, maar ze weten nog wel of ze de hele avond hebben gedanst of onder de tafel hebben gezeten met broodjes in hun oren.

## De toon zetten

Zorg voor verschillende soorten muziek tijdens de avond om de boel levendig te houden.

### De cocktailreceptie

Wanneer de gasten voor de borrel arriveren, moet de muziek al spelen. Vooral als er nog niet veel gasten zijn, is muziek een fijne welkomstmat. Afhankelijk van het aantal gasten dat je verwacht, zou je minimaal twee muzikanten moeten hebben. Niemand hoort een fluit- of gitaarsolo tijdens het enthousiaste geklets wanneer mensen elkaar begroeten. Als je meer dan 125 gasten verwacht, zijn ten minste drie muzikanten beter.

Je kunt een deal maken met de band dat een aantal van hen tijdens de ceremonie en/of het cocktailuurtje speelt. Dat kan financieel gunstig zijn wanneer alles op een locatie gebeurt, maar het kan logistieke en/of muzikale problemen opleveren. Als een muzikant de hele dag op dezelfde instrumenten speelt, klinkt alle muziek hetzelfde. Bovendien zullen de muzikanten met hun instrumenten heen en weer moeten reizen. Dus moeten ze zich haasten om de gasten voor te zijn en zijn ze buiten adem als de borrel begint. Datzelfde gedoe herhaalt zich dan weer als de receptie begint.

Als je klassieke muziek speelt tijdens de ceremonie en je budget kan het aan, overweeg dan eens iets anders voor de cocktailreceptie. Zelfs al is het maar jazz van een cd, het geeft de sfeer toch even een duwtje in de rug van ernstig naar feestelijk. Hier volgen wat opties:

- **Twee of drie stukken van de band.** Meestal een of twee elektrische gitaren, een keyboard en een trompet of sax. (Deze instrumenten zijn ook het gemakkelijkst te vervoeren.) Denk aan jazz lounge (Miles Davis, Herb Alpert, Sinatra, Tony Bennett, George Gershwin, Fats Waller).
- **Piano en zang.** Dit werkt het beste met een kleine vleugel en is een goede manier om het ijs te breken. Denk aan een cabaretachtig optreden zoals van Billy Holiday of Sarah Vaughn. Houd wel de akoestiek in de gaten, zodat mensen elkaar nog kunnen verstaan.
- **Iets ongebruikelijks.** Wat ontzettend leuk kan zijn tijdens een cocktailreceptie is doo-wop of een a-capellagroep bij de ingang.

Wees niet te zuinig bij het kiezen van een band of een discjockey – zij maken er een sprankelend feest van!

## Gasten arriveren voor de receptie

Na de borrel worden de gasten begeleid naar de receptieruimte. De diskjockey of band moet al spelen wanneer de mensen binnenkomen. De muziek moet een goed tempo hebben en herkenbaar zijn; veel gasten willen misschien alvast een dansje wagen, en de muziek moet hen daartoe uitnodigen.

Hier volgen wat nummers die prima werken:

- The Glenn Miller Orchestra: In the Mood
- Tony Bennet: Anything Goes
- Nat King Cole: Just One of Those Things of Our Love is Here to Stay

### Etnische muziek

Ga er niet van uit dat een band of dj een volledig repertoire aan etnische muziek heeft. Ze kunnen misschien wel een sirtaki uit de hoge hoed toveren, maar als je op zoek bent naar Indiase muziek bijvoorbeeld, moet je dat tijdig met de band opnemen.

# De openingsdans

De timing van de openingsdans verschilt. Sommige mensen doen de openingsdans het liefst zo vroeg mogelijk, anderen wachten tot na het hoofdgerecht.

Sommige stellen dansen de openingsdans het liefst op de muziek van de originele artiest, en geven de band dus even pauze. Dat betekent wel dat iemand moet opletten en het stereoinstallatie moet bedienen.

Hoewel er talloze nummers zijn waaruit je kunt kiezen voor een openingsdans, is het aan te raden een nummer te kiezen dat voor jullie iets betekent en waarop jullie kunnen dansen.

Als je echt niet kunt dansen, neem dan van tevoren een paar danslessen.

Sommige nummers klinken erg romantisch en lijken perfect voor een openingsdans, maar luister zorgvuldig naar de songteksten. 'I will always love you' van Whitney Houston bijvoorbeeld, gaat over een stel dat uit elkaar gaat.

# Het vervolg

Het tweede nummer na de openingsdans is meestal bestemd voor de dansen met ouders en schoonouders. Je kunt er ook voor kiezen iedereen gezellig op de dansvloer uit te (laten) nodigen.

# Dansen met ouders

Het kan gebeuren dat de ouders voorkeur hebben voor een bepaald nummer waarop ze met hun zoon of dochter willen dansen. Kies iets wat betekenis voor je heeft en wat niet al te sentimenteel is. Je kunt bijvoorbeeld met je vader een tango instuderen en die tot grote verrassing van iedereen met veel flair opvoeren. Hier volgen nog wat ideeën:

- Bette Midler: Wind beneath my wings
- Bob Carlisle: Butterfly kisses
- Catie Curtis: Dad's yard
- James Taylor: You've got a friend
- Temptations: My girl
- Warren Zevon/Shawn Colvin: Tenderness on the block

## Verzoeknummers

Misschien heb je vrienden die goed kunnen zingen of een instrument bespelen en die graag een nummer met de band willen opvoeren. De band moet dit van tevoren weten, maar ook de muziek hebben. Het is ook een goed idee om ze samen een keertje te laten oefenen.

Sommige stellen hebben liever niet dat er verzoeknummers worden gespeeld zonder dat dit met hen is afgestemd. Als je echt bezorgd bent dat mensen belachelijke nummers gaan aanvragen, kun je dit de band vertellen. Het is echter wel minder spontaan. Een getalenteerd musicus voelt de sfeer en de gasten aan en stemt zijn muzikale keuzes daarop af. Maar wie weet wordt die spontaan uitgevoerde vogeltjesdans later een van je liefste herinneringen aan je trouwdag.

Voor we het vergeten: je afspeellijst is belangrijk, maar je niet-afspeellijst ook. Geef de band een lijstje nummers waarvan je haren rechtop gaan staan, die je doen denken aan een oude liefde of een periode waarin je niet gelukkig was.

Je kunt je partner ook verrassen met een optreden of nummer dat speciaal voor jullie is geschreven. Zoek op internet bijvoorbeeld naar `speciaal geschreven lied`.

## Achtergrondmuziek

Zelfs als er tussen de gangen van het diner door wordt gedanst, is een muzikale omlijsting ook op andere momenten leuk. Langzame deuntjes, instrumentale muziek of een cd werken het beste.

Stel zelf een compilatie-cd samen met jullie favoriete nummers.

## Dansen tot het ochtendgloren

Later op de avond wordt er meestal het meest gedanst. Dan mag de muziek ook wat harder (als de locatie hiervoor een vergunning heeft).

Hou er rekening mee dat de meeste locaties om één uur 's nachts de deuren dichtdoen, vooral in de binnenstad in grote steden.

# Een band boeken

Getalenteerde musici zijn net als populaire locaties: ze zijn snel volgeboekt. Een van de eerste dingen op je takenlijstje is het zoeken naar een geschikte band en het boeken ervan. Vermijd zo veel mogelijk een band of dj via een boekingskantoor te boeken. Je bent goedkoper uit als je de band of dj rechtstreeks boekt.

Denk eerst goed na voor je gaat zoeken naar een band. Wie zijn je gasten? Zijn ze allemaal van ongeveer dezelfde leeftijd of komen er meerdere generaties? Waar luisteren jullie zelf graag naar? Vraag vrienden en familie waar ze graag op dansen. Denk er wel aan dat je het niet iedereen naar de zin kunt maken.

Wanneer je een band inhuurt, kun je gaan voor een specialiteit of een beetje van alles. Een band met een zeer uiteenlopend repertoire, van jazz tot smartlappen, kan niet overal even sterk in zijn. Als je geen standaardband wilt, kun je er een inhuren die eigenlijk bijna nooit op huwelijksfeesten optreedt. Dat kan een goed idee zijn, zolang je maar duidelijk bent over welke tradities je wél in ere wilt houden.

Wanneer er gedanst wordt, zal een band uit minimaal vier man bestaan. Als er bepaalde instrumenten worden gebruikt in een muziekstuk dat je mooi vindt, overleg dan met de band of dat instrument werkelijk noodzakelijk is. Meer is niet altijd beter.

Ontbijt- of lunchrecepties zijn meestal wat rustiger en ook wordt er niet vaak gedanst. Daardoor heb je wellicht niet een hele band nodig, al is een achtergrondmuziekje altijd wel feestelijk.

## Waar vind je de bands

Hier volgen een paar tips voor je speurtocht naar de perfecte band:

- **Concertpromotors.** Bel het kantoor van de promotor. Vaak zijn de bands die op grotere festivals spelen ook in te huren voor kleinere evenementen.
- **Vrienden.** Zijn ze de laatste tijd op bruiloften geweest waar de muziek geweldig was? Wat voor muziek was dat? Wat voor soort feest?
- **Hotels.** Vraag het de banketmanager van het dichtstbijzijnde grote hotel. Beter nog, vraag het de maître d' hotel. Een hotel heeft

meestal geen financieel belang bij bepaalde bands, maar ze weten wel welke bands je zeker niet moet hebben.

- **Internet.** Zoek naar `musici` of `bands` en `bruiloften`.
- **Agenten.** Dit is de meest gangbare manier om een band te vinden.
- **Kunstacademie.** Bel de academie en laat een oproepje op het prikbord hangen.
- **Muziekproducenten.** Kijk op je cd's en bel een aantal studio's (wees niet teleurgesteld wanneer U2 niet al te snel op je aanvraag reageert).
- **Muziektijdschriften.** Lees recensies voor nationale en internationale muziekgezelschappen.
- **Nachtclubs.** Bel de boeker voor aanbevelingen en manieren om contact op te nemen met de agent van een band.
- **Telefoonboek.** Kijk onder bands, muziek en bruiloften in de Gouden Gids.
- **Leveranciers.** Je fotograaf, cateraar en andere leveranciers die op locatie werken, weten vaak ook welke bands goed zijn.

Wanneer je op zoek gaat naar een band, kun je op een bepaald moment teveel gehoord hebben. Las af en toe een paar dagen pauze in, anders huur je misschien de eerstvolgende band in die je ziet omdat je ze allemaal niet meer uit elkaar kunt houden.

## Audities met de band

In boeken over trouwen wordt bijna altijd gezegd dat je een band zelf moet horen voor je ze boekt. Houd echter in gedachten dat een bandleider die jou uitnodigt op andermans bruiloft zodat je kunt horen hoe goed ze zijn, er geen moeite mee zal hebben om met datzelfde doel wildvreemden op júllie bruiloft uit te nodigen. Als een bandleider je uitnodigt om te komen luisteren tijdens de bruiloft van iemand anders, zorg dan dat je heel zeker weet dat het bruidspaar het goed vindt. En als je gaat, blijf dan een beetje op de achtergrond.

Vaak is de enige manier om een band te beluisteren via hun eigen opnames. Vraag wanneer die opnames gemaakt zijn en onder welke omstandigheden. Als de opname tijdens een evenement is gemaakt, kan de geluidskwaliteit daaronder lijden. Een studio-opname klinkt mooi, maar lijkt misschien helemaal niet meer op hoe de band live klinkt. Een videoopname kan zijn nagezongen door iemand met een betere stem maar met een minder fraai uiterlijk dan degene die in de band speelt. Voor een leek is moeilijk te bepalen of er met een opname is gerommeld. Ga af op de reputatie van de band en je eigen gevoel.

Veel moderne bands gebruiken samples – digitale opnames van bepaalde instrumenten die via een keyboard worden afgespeeld – om hun eigen geluid aan te vullen. Je kunt op een bandje niet horen of dat zo is, dus vraag het na zodat je niet wordt verrast door een trompetsolo terwijl er geen trompettist te zien is. Als je geen problemen hebt met een fantoomorkest of als een engelenkoor je wel aanstaat, dan kun je heel wat geld besparen door één man met een keyboard in te huren.

Bij het evalueren van een band kun je de volgende vragen stellen:

- Staat er in het contract dat de bandleden die je op de video ziet of op het bandje hoort ook tijdens jullie bruiloft zullen optreden? Vraag altijd om een foto van de band bij de tapes.
- Wie is de contactpersoon?
- Is de opname live of in een studio gemaakt? Is het geluid technisch verbeterd?
- Hoeveel muzikanten spelen er op de geluidsopname? Hoeveel zangers? Hoeveel instrumenten?
- Gebruikt de band technische foefjes zoals samples?
- Wanneer is de opname gemaakt? (Misschien is de samenstelling van de band inmiddels drastisch gewijzigd.)
- Brengen ze hun eigen geluidsinstallatie mee? Hoeveel ruimte hebben ze nodig?
- Wie zet de instrumenten op en wanneer komen ze?
- Hebben ze behoefte aan een podium?
- Wordt er in sets gewerkt, of spelen ze aan één stuk door?
- Hoeveel sets worden er gespeeld en hoe lang zijn de pauzes?
- Laten ze achtergrondmuziek horen tijdens de pauzes?
- Kun je je eigen muziek aanleveren?
- Wat dragen de bandleden? Kost het extra als ze in pak moeten komen?
- Wat wordt er berekend voor overuren? Wanneer gaan de overuren in?
- Heeft de band nog een ander optreden voor of na dat bij jullie?
- Kunnen ze nummers spelen die jij graag wilt, buiten hun eigen repertoire?

- Als je een origineel stuk hebt dat je graag wilt laten opvoeren, kunnen ze dat dan instuderen en hoe lang hebben ze daarvoor nodig? Wat kost dat?
- Wat zijn de annuleringsvoorwaarden?

Een band speelt vaak in vier sets van 45 minuten, met steeds 15 minuten pauze.

Als je een band hebt gevonden die je zeker wilt boeken, maar waar je nog even een paar nachtjes over wilt slapen, vraag dan om een optie. Als iemand anders hen wil boeken, bellen ze eerst jou om te vragen of het nog doorgaat.

Persoonlijk hebben wij het niet zo op medleys – van die samenraapsels van andere nummers. Als jullie daar ook zo over denken, zeg dat dan tegen de bandleider.

## De muziek afstemmen

Geef de bandleider een kopie van je schema voor de trouwdag (zie hoofdstuk 6) en loop er samen met hem/haar doorheen. Wat je vooral wilt afstemmen:

- **Eerste dans.** De titel van het nummer, wanneer de band het moet spelen, op welk tempo, en hoe jullie worden geïntroduceerd.
- **Introducties.** Als de bandleider je familie op de dansvloer roept, zorg dan dat hij alle namen goed kan uitspreken, en dat hij weet wie wie is.
- **Pauzes.** Wanneer en waar.
- **Etiquette.** Laat het de bandleider weten als je liever niet hebt dat er wordt gegeten, gedronken of gerookt op het podium.
- **Opstelling.** Vraag hoe hun opstelling eruitziet en of de naam van de band erop staat. Het podium moet er niet uitzien als een kleedkamer, dus zorg voor een veilige plaats waar ze hun spullen kunnen opbergen.

Boek een extra paskamer of een vrije ruimte zodat de band zich gerust kan verkleden.

Dit is dan misschien jullie eerste bruiloft, maar voor de band is het de honderdste. Een goede vriend van ons, een getalenteerd muzikant die inmiddels niet meer op bruiloften speelt, vertelde ons dat hij en zijn bandleden zich vaak zó verveelden dat ze een tijdschrift op hun muziekstandaard zetten. Hier zijn wat manier om zelfs de meest verveelde bruiloftsmuzikanten te laten opleven:

- **Geef ze te eten.** Muzikanten werken op vreemde uren en hebben dus nogal een ander dagpatroon. Je hoeft de band niet het viergangendiner voor te zetten dat je gasten krijgen, maar een uitgedroogde boterham met pindakaas is wel heel zuinig. Zet ze een goede maaltijd voor aan een fatsoenlijke tafel met iets te drinken erbij, en ze zullen zeker hun uiterste best voor je doen.
- **Wees flexibel.** Vraag de band wat ze zelf graag spelen en laat ze dat, indien mogelijk, dan ook doen. Schrijf niet tot op de milliseconde elk nummer voor. Vertrouw erop dat het vaklieden zijn die het feest aan de gang kunnen houden.
- **Stel je voor.** Ga samen vroeg op de avond bij de band langs. Vertel ze hoe blij je bent dat ze er zijn. Alleen dat gebaar al kan ze wakker schudden.
- **Zorg voor speciale apparatuur.** Als de bandleider of manager bepaalde verzoeken heeft zoals een podium met twee niveaus, extra microfoons of speciale verlichting, zorg daar dan voor. Als dat onmogelijk is, laat ze dat dan tijdig weten.

## Opstelling

Op locaties met een vaste dansvloer is de plaats van de band meestal duidelijk. Als je je feest bijvoorbeeld in een tent houdt, moeten jullie zelf gaan bepalen waar de dansvloer komt. Wij stellen voor dat je zorgt dat alle tafels even ver van de band en de dansvloer af staan. Als je de band helemaal aan het uiteinde plaatst, moeten je gasten brood meenemen voor onderweg wanneer ze een dansje willen maken. Zet geen tafels tussen de band en de dansvloer, want dit kan leiden tot gehoorbeschadigingen bij je gasten. Bovendien kan de band dan niet meer direct contact maken met de mensen op de dansvloer. Zet de band ook niet in het midden van de ruimte, aangezien er dan mensen zijn die de hele avond naar de rug van de drummer zitten te kijken.

Waar moet je aan denken bij het opstellen van de band:

- Wanneer komen ze?
- Waar zitten de stopcontacten?
- Hoeveel stroomvoorzieningen hebben ze nodig?
- Hebben ze een podium nodig?
- Wat voor stoelen hebben ze nodig?
- Is er speciale verlichting nodig voor het lezen van muziek?
- Laat in het contract schriftelijk vastleggen wanneer de band komt opstellen.

Je wilt liever niet dat de band met hun instrumenten loopt te zeulen tussen je gasten door. Als het betaalbaar is, vraag ze dan wat eerder te beginnen met het opstellen. Alle apparatuur moet liefst al op het podium staan voordat je gasten arriveren.

### Soundcheck

Volume is een subjectief begrip. Hoe jonger de gasten, hoe meer decibellen. Een flink volume is prima wanneer iedereen op de dansvloer staat. Maar wanneer er gegeten wordt, moet de muziek zacht genoeg staan zodat iedereen elkaar kan verstaan. Er zijn altijd mensen die zelfs een harp al oorverdovend vinden, dus zit er niets anders op dan hen zo ver mogelijk van de luidsprekers vandaan te plaatsen. Bepaal vooraf wie het volume regelt. Het is voor een band erg irritant wanneer de een roept dat het geluid harder moet, en de ander dat ze wat rustiger aan moeten doen.

Pas het volume zo aan dat je gasten niet de hele avond in gebarentaal met elkaar moeten communiceren.

### Houd de tijd bij

Meestal huur je een band in voor vijf uur, exclusief de overuren. Ga ervan uit dat een band meestal pas op het laatste moment arriveert. Doe je dat niet, dan zul je zien dat ze hun soundcheck moeten doen terwijl je gasten staan te wachten.

Soms moet je een band van tevoren betalen en zijn de overuren ook al in rekening gebracht. Stem met de bandleider vooraf af wie er bepaalt of ze langer doorspelen of niet. Je wilt liever niet dat je moeder tegen ze roept: ‘O, ga nog even door, we hebben zo’n lol!’

## Laat de dj maar draaien

Vroeger was een diskjockey op een huwelijksfeest een beetje een goedkope oplossing, net als friet met kroketten voor het diner. Tegenwoordig wordt dat niet meer zo gezien. Het is immers de beste manier om precies het soort muziek en de variatie te krijgen die je wilt.

Hoewel je misschien voor 25 euro je buurman met zijn draagbare stereo kunt inhuren, raden we dat af. Huur een professionele diskjockey in – eentje die vaak op bruiloften draait en niet alleen op kinderfeestjes. Anders heb je kans dat hij lichtgevende jojo’s gaat uitdelen of iedereen om de paar nummers oproept tot een polonaise of de vogeltjesdans.

## Let's Dance

Denk er bij het samenstellen van een afspeellijst voor de band of een diskjockey aan dat je ongeveer vijftig of zestig nummers nodig hebt voor een receptie van vier uur. Hier volgt een zeer subjectieve lijst van nummers die geschikt zijn om tot de late uurtjes op te dansen. Er zijn natuurlijk tienduizenden nummers waar je uit kunt kiezen, maar we beperken ons tot deze selectie omdat deze de tand des tijds (ten minste al een tijdje) heeft doorstaan:

- **Al Green:** Livin' For You; I'm Still in Love with You; How Can You Mend a Broken Heart?
- **B52s:** Rock Lobster; Love Shack
- **Blondie:** The Tide Is High
- **Bob Marley:** Jamming; One Love/ People Get Ready
- **Bruce Springsteen:** Cover Me; Fire; Dancing in the Dark; Pink Cadillac
- **Buster Poindexter:** Hot, Hot, Hot
- **C+C Music Factory:** Gonna Make You Sweat
- **Culture Club:** Do You Really Want to Hurt Me?; Karma Chameleon
- **Cyndi Lauper:** True Colors; She Bop; Girls Just Want to Have Fun
- **David Bowie:** Let's Dance; Fame
- **Dire Straits:** Money for Nothing
- **Donna Summer:** She Works Hard for the Money
- **Fine Young Cannibals:** She Drives Me Crazy
- **Garth Brooks:** Friends in Low Places
- **Gloria Estefan:** Conga
- **Human League:** Don't You Want Me?
- **Jazzy Jeff & the Fresh Prince:** Boom! Shake the Room!
- **John Mellencamp:** R.O.C.K. in the U.S.A.
- **Kool & the Gang:** Celebration
- **Lauryn Hill:** That Thing
- **Lipps, Inc.:** Funkytown
- **Madonna:** Vogue; Like a Virgin; Papa Don't Preach; Material Girl
- **Meatloaf:** Paradise by the Dashboard Light
- **Michael Jackson:** Thriller; Wanna Be Startin Somethin; Billie Jean; Don't Stop 'til You Get Enough
- **Pointer Sisters:** Jump; Slow Hand
- **Prince:** 1999; Little Red Corvette; Let's Go Crazy; Purple Rain
- **Randy Travis:** Forever and Ever Amen
- **Rolling Stones:** Honky Tonk Woman; Brown Sugar; Jumpin' Jack Flash; Wild Horses
- **Sister Sledge:** We Are Family
- **Steely Dan:** Reelin' In the Years
- **Stevie Wonder:** Boogie on Reggae Woman; Living For the City; Made to Love Her; Signed, Sealed, Delivered; Brand New Day (met Sting); Superstition; Higher Ground
- **Talking Heads:** Burning Down the House; Take Me to the River
- **The Kinks:** Lola; You Really Got Me
- **The Police:** Every Breath You Take; Wrapped Around Your Finger
- **Rick James:** Super Freak
- **Snap:** Rhythm Is a Dancer
- **Tina Turner:** What's Love Got to Do with It?; Proud Mary
- **UB40:** Red, Red, Wine
- **Will Smith:** Miami; Gettin' Jiggy Wit It

Een diskjockey is slechts zo goed als het assortiment cd's dat hij meebrengt. Een professionele dj heeft ongelooflijk veel muziek, maar als je bepaalde nummers wilt horen, kun je hem vragen die mee te brengen. Of geef hem een eigen opname.

Als je budget het kan dragen, is het leuk een dj af te wisselen met een liveband. Dan kan de band het repertoire spelen waar ze goed in zijn, en kan de dj zorgen voor de afwisseling. Livemuzikanten hebben toch vaak een bepaald contact met de gasten dat een dj niet heeft.

Naast de voor de hand liggende vragen over de muziek zelf, stel je een diskjockey dezelfde vragen als alle andere leveranciers. Het kan zijn dat je de diskjockey via een agent moet boeken en dat de agent zelf als tussenpersoon optreedt. Probeer toch de man zelf te spreken te krijgen. Als je weet dat het bedrijf alleen met professionals werkt, vraag dan om referenties voor degene die ze naar jullie feest willen sturen. Sta erop om de diskjockey zelf in ieder geval een keer telefonisch te spreken voor het huwelijk. Wat je moet nagaan:

- Of de dj of agent de elektriciteitsvoorzieningen en akoestiek op de locatie gaat controleren, vooral als ze er nog niet eerder hebben gewerkt.
- Hoe de apparatuur eruitziet en of de dj zijn eigen lichtinstallatie meebrengt.
- De grootte van de luidsprekers en of die gecamoufleerd kunnen worden (maar dat is meestal niet het geval, zie hoofdstuk 13).
- Of de dj speciale verlichting of andere effecten zoals luchtbellen of rook wil gaan gebruiken.

# Hoofdstuk 10

# Wat staat er op het menu?

***In dit hoofdstuk:***

- Een cateraar uitzoeken
- Verschillende soorten voedsel
- Memorabele menu's maken
- Alternatieven voor een uitgebreid diner

De ceremonie was prachtig. Er ging niets mis en iedereen was tot tranen geroerd. Nu roepen je gasten 'ooh' en 'aah' bij het binnenlopen van de receptiezaal, die prachtig is verlicht met kaarsen en geurt naar een tropische tuin. Er verschijnt een cordon obers in pandjesjassen. Honderdvijftig mensen grijpen tegelijkertijd een exotisch uitziende hors d'oeuvre van glimmende zilveren dienbladen en stoppen die in hun mond. En zoeken vervolgens in paniek naar een servetje zodat ze het weer kunnen uitspugen.

Hoe kun je dit voorkomen? Helaas kun je niet met een magisch toverstokje de blokjes fabriekskaas veranderen in brie, maar voor het samenstellen van een creatieve en smakelijke maaltijd hoef je niet te kunnen toveren. Je hebt enkel wat tijd, vastberadenheid en vertrouwen in je eigen smaakpapillen nodig.

## De perfecte cateraar

Als je ergens ver van huis trouwt (zie hoofdstuk 4), zul je een cateraar moeten zoeken. Het lijkt logisch dat je vrienden om aanbevelingen vraagt, maar smaken verschillen enorm. Denk eens aan de volgende bronnen voor tips:

- **Restaurantkoks.** Vraag de kok bij je favoriete restaurant of ze weleens catering doen – of misschien weten zij een heel goede cateraar in de buurt.
- **Vakorganisaties.** Wanneer je ver van huis trouwt en echt niet weet waar je moet beginnen, raadpleeg dan een vakorganisatie ter plaatse.

- **Leveranciers.** De beste aanbevelingen komen vaak van andere leveranciers – bands, bloemisten, organisatoren van feesten – die eerder met deze cateraar hebben gewerkt en weten wat er achter de keukendeuren gebeurt.
- **Hotelschool.** Vraag of ze een oproepje op het prikbord willen hangen.

Vraag cateraars om een informatiepakket met voorbeeldmenu's. Als het pakket vol zit met aanbevelingsbrieven, kijk dan of ze recent zijn. Schroom niet om die referenties te bellen, maar schrijf wel eerst even op wat je wilt vragen. Wees zo specifiek mogelijk over de sfeer van de receptie en vraag wat er allemaal tot hun werkterrein behoort.

Wanneer je mensen spreekt over hun ervaring met een bepaalde cateraar, kun je bijvoorbeeld vragen:

- Heeft de cateraar alles geleverd/gepresteerd wat hij beloofd had?
- Was er voldoende van alles?
- Was het personeel vriendelijk en attent?
- Was er voldoende bar- en bedienend personeel? Moesten de gasten vaak wachten?
- Was het eten lekker en mooi om te zien?
- Wat waren de nadelen, als die er waren?

Maak, voor je je keuze bepaalt, een persoonlijke afspraak met de cateraar, liefst bij hem. Hierdoor krijg je een goed idee van hun werkethiek. Zijn ze kortaf? Ongeorganiseerd? Schoon? Ruikt het lekker in de keuken? Hebben ze de nodige vergunningen? Is de keuken onlangs nog geïnspecteerd? Klikt het met degene die met jullie gaat samenwerken? In figuur 10.1 staan nog wat belangrijke vragen die je kunt stellen.

## Klikt het met de kok?

Zorg dat je weet wie uiteindelijk het eten gaat bereiden. Het heeft niet veel zin om gezellig een maaltijd te proeven die door de chefkok is gemaakt, terwijl op jullie receptie de keukenhulp gaat staan kokkerellen.

Als het mogelijk is, maak dan een afspraak met de kok en vraag na wat voor jullie groep gasten een goed uitvoerbaar menu is. Hoewel koks vaak de reputatie hebben dat ze bullebakken zijn, zijn het ook mensen. Ze voelen zich gevleid wanneer iemand om hun mening vraagt, en dat kan behoorlijk van invloed zijn op wat er straks op tafel verschijnt. Als er herhaaldelijk wordt aangeraden om een basismenu te hanteren, volg hun raad dan op en houd het eenvoudig.

## *Checklist voor gesprek met cateraar*

- ❒ Welke ideeën heeft de cateraar zelf over de gekozen locatie?
- ❒ Heeft de cateraar eerder op deze locatie gewerkt? Zo niet, gaat hij er dan eerst kijken voor hij een offerte maakt?
- ❒ Welke menu's zijn geschikt voor de keukenfaciliteiten op die locatie?
- ❒ Zijn er voorbeeldmenu's beschikbaar? Zijn er foto's?
- ❒ Heeft de cateraar een lijst van referenties?
- ❒ Wat zijn de specialiteiten van het huis?
- ❒ Hoe flexibel kan de cateraar zijn bij het plannen van een menu?
- ❒ Kun je voorproeven? Wat kost dat?
- ❒ Hoe wordt de prijs van menu's samengesteld?
- ❒ Zit er een bruidstaart bij de prijs inbegrepen? Kunnen ze die maken? Wat kost dat?
- ❒ Welke kosten worden er berekend voor personeel? Wat wordt er berekend voor eventuele overuren?
- ❒ Hoeveel mensen denken ze dat er nodig zijn voor jullie feest?
- ❒ Hoe wordt er omgegaan met de huur van artikelen? Moet je daarvoor een specifiek bedrijf gebruiken? Wat zijn de opties voor glaswerk, tafelzilver en linnen?
- ❒ Welke eigen materialen van de cateraar zijn inclusief (borden, schalen, keukenapparatuur)?
- ❒ Krijg je aparte rekeningen voor het eten, de personeelskosten en de huurtarieven?
- ❒ Hoe gaat hij om met de drankjes?
- ❒ Wanneer je je eigen drank kunt aanleveren, welke leveranciers raden zij dan aan? Kunnen ze je een idee geven van hoeveel je nodig hebt?
- ❒ Wat berekenen ze voor extra's zoals ijs en fruit?
- ❒ Wat schat de cateraar dat je kwijt zult zijn voor alles?

**Figuur 10.1:** Stel de juiste vragen wanneer je een potentiële cateraar bezoekt

## Voorproefjes

Wij zijn van mening dat je recht hebt op een proefmaaltijd nadat je een cateraar geboekt hebt. Zorg er wel voor dat dit in het contract staat. Plan de proefmaaltijd lang genoeg voor de bruiloft, zodat er eventueel nog een tweede proefmaaltijd kan volgen. Maar pas wel op dat de seizoensgroenten kloppen.

Als je de receptie houdt in een restaurant of andere horecalocatie, wordt de maaltijd misschien in een separate keuken of op een heel andere locatie gemaakt. Het eten dat in het restaurant zelf wordt geserveerd, lijkt dus misschien in het geheel niet op wat je straks krijgt voorgeschoteld.

Vanwege de arbeidskosten en de ingrediënten zul je doorgaans geen proeverij krijgen van de hors d'oeuvres. Wat je wel kunt doen, is vragen of ze binnenkort een evenement hebben waarvoor ze dan een extra portie kunnen maken. Daarvoor betaal je natuurlijk. Als dat niet het geval is, vraag dan om een overzicht van de ingrediënten.

In dit stadium moet je een aantal zaken in gedachten houden:

- **Vraag om twee of drie opties voor elke gang.** Misschien denk je dat je filet mignon wilt, maar verander je van gedachten wanneer je de specialiteit van de chef proeft. In principe moet een keuken een maaltijd voor vier tot zes personen perfect op tafel kunnen zetten. Als dat al niet het geval is, wordt een maaltijd voor een grote groep helemaal niets.

- **Vraag of ze de maaltijd precies zo willen presenteren als op jullie receptie.** Als je kiest voor een moot zalm op een prachtig gedecoreerd bord, moet niet tijdens de receptie blijken dat er een ober langskomt met een grote terrine en een schep.

- **Proef het eten samen met de wijn.** Breng de wijn mee die je wilt schenken of vraag de cateraar om een aantal verschillende soorten die passen bij de gerechten.

- **Pak de proeverij professioneel aan.** Stop jezelf niet vol met alles en lik je bord niet schoon. Bewaar nog wat ruimte voor het dessert.

- **Stel vragen en maak aantekeningen.** Kan deze saus ook bij dat gerecht worden geserveerd? Kan dit met koffie-ijs in plaats van vanille? Maak aantekeningen, tekeningetjes en wees gedetailleerd op het belachelijke af. De kok heeft meer aan zijn hoofd dan alleen jullie receptie, en details die jullie belangrijk vinden kunnen gemakkelijk worden vergeten. Maak naderhand een overzicht van jullie wensen en de gemaakte afspraken en geef dat aan de cateraar.

Proeven doe je evenzeer met je ogen als met je mond. Wees heel specifiek over hoe je wilt dat alles eruitziet.

Vraag je cateraar om een paar doggybags met iets van elke gang, die je mee naar huis kunt nemen na de receptie. Je zult zien dat jullie om drie uur 's nachts nog wakker zijn en dan wel iets lusten. Dit is ook het moment om te regelen dat eventuele kliekjes naar een gaarkeuken of iets dergelijks gaan.

# Een pracht van een feestmaal

Net als bij alle andere dingen geldt: hoe meer aandacht je schenkt aan het diner, hoe beter de resultaten. De beste manier om je menu te bepalen, is een idee te hebben van wat je wilt serveren.

Begin bij de voorbeeldmenu's van het restaurant of de cateraar. Hierin verwerken ze hun specialiteiten. Vraag naar de sterke en zwakke punten van de keuken en bereid je als volgt voor:

- **Stem smaken af.** Wat zijn jullie eigen favoriete restaurants? Favoriete voedsel? Wat vinden je familie en vrienden lekker? Wat zouden ze misschien te exotisch vinden? Eten de meeste gasten vlees en/of vis, zijn er vegetariërs in het gezelschap?
- **Pas een recept aan.** Blader door kookboeken en tijdschriften voor ideeën. Houd echter in gedachten dat handgemaakte pasta carbonara te arbeidsintensief is voor een groot gezelschap. Koks staan meestal wel open voor eigen recepten van hun klanten, zolang ze maar van een betrouwbare bron komen zoals een kookboek.
- **Vraag het je vrienden.** Als je vrienden hebt die altijd op de hoogte zijn van nieuwe, goede restaurants of die zelf in de horeca werken, vraag hen dan om hun mening.

Bied je gasten een keuze tussen vlees, vis en vegetarisch aan, of serveer die drie als hoofdgerecht gedurende een viergangendiner.

De keuze van de maaltijd heeft veel invloed op je huwelijksdag. Een lunch kan even formeel zijn als een diner, maar een diner (misschien wel vanwege het drankgebruik) is meestal wat feestelijker. Je kunt een buffet opdienen, en dat kan zo formeel of informeel zijn als je wilt. Dat geldt ook voor een cocktailreceptie met statafels en stoelen. Het aantal gangen hangt af van je budget en de timing. Hoe meer gangen, hoe langer de receptie, natuurlijk. Een buffet kost het minste tijd.

# Knabbels

Bij veel bruiloften wordt er een cocktailreceptie gehouden, gevolgd door een diner. Zo'n cocktailreceptie geeft mensen niet alleen de gelegenheid om even te bekomen van alle emoties na de ceremonie, maar is ook een goed moment waarop jullie eventueel trouwfoto's kunnen laten maken.

Kies eerst de hoofdmaaltijd uit, en dan pas de hors d'oeuvres, zodat je je gasten niet eerst zalmrolletjes voorzet en vervolgens een moot zalm tijdens het diner.

## Hapjes

Wanneer er obers met hapjes rondgaan, moeten dat ook hapjes zijn. Dus één hap. Je gasten moeten geen bestek nodig hebben, al is een prikkertje prima.

Laat de obers de hapjes om de dertig minuten uitserveren.

Hapjes worden meestal per stuk berekend of horen bij het diner. Vraag de cateraar of kok hoe vaak er wordt rondgegaan met hapjes. Drie keer per uur is meestal voldoende.

## Hapjesbuffet

Je kunt ook kiezen voor een of twee tafels waar mensen zelf hun hapjes kunnen gaan halen. Zo voorkom je dat je gasten de obers bespringen zodra die de keuken uitkomen, en de buffetten worden automatisch verzamelplaatsen waar iedereen elkaar ziet.

Het gaat er niet om je gasten zo veel mogelijk voor te zetten, maar om een menu samen te stellen dat zo veel mogelijk mensen aanspreekt, dat lekker is en dat je gasten de energie geeft om te feesten.

Garnalen zijn altijd populair, dus daarvan heb je er nooit genoeg. Ga uit van zo'n drie (grote) garnalen per persoon. Kleine garnalen op een toastje of een slablaadje doen het ook altijd goed.

# Buffetten

Gelukkig is het ouderwetse buffet met van alles wat op een lange tafel, en de bijbehorende ellenlange rij, steeds minder populair. Met verschillende buffettafels kun je verschillende soorten voedsel op een creatieve manier presenteren. Bij de ene tafel halen je gasten vlees, bij de andere fruit en kaas, groente of verschillende salades.

Je receptie wordt een stuk korter wanneer je een buffet hebt, omdat er geen wachttijd tussen de verschillende gangen zit. Je kunt ook variëren:

het voorgerecht wordt aan tafel geserveerd, de rest mogen de gasten zelf uitzoeken bij de verschillende buffettafels.

Laat mensen aan twee kanten van het buffet lopen, het scheelt je een hoop tijd en verwarring.

Een buffet is geen manier om kosten te besparen, maar is minstens even duur als een diner dat aan tafel wordt geserveerd. Buffetten kunnen zelfs méér kosten als je bijzondere dingen wilt serveren. Bovendien zijn er bij een buffet meer borden nodig, omdat mensen hun vuile bord op tafel laten staan en een nieuwe pakken als ze naar een ander buffet lopen (houd dat in gedachten wanneer je serviesgoed huurt). Ga uit van zo'n drie borden per persoon. En dan heb je nog personeel nodig om de buffetten bij te houden (aan te vullen) en de borden op te halen.

Zorg dat het eten zelf het grootste deel van de aankleding is. Kies verschillende kleuren, vormen en temperaturen waarop het eten wordt geserveerd. Alleen een rij zilveren dekschalen, doet veel denken aan een kantine of instelling. Laat verschillende schalen en kommen neerzetten. Vraag de cateraar wie de buffetten aankleedt. Hebben ze zelf verschillende schalen en dergelijke? Zijn er attributen beschikbaar, zoals een visnet voor bij de vistafel?

# Spelen met je eten

Buffettafels kunnen zowel leuk als mooi zijn. Het eten zelf is de decoratie. Het ziet er allemaal mooier uit als er op verschillende hoogten of met verschillende schalen wordt gewerkt. Probeer eens wat van de volgende ideeën:

- Koop een stuk stof en drapeer dat rond schalen.
- Gebruik een schildering als achtergrond, creatieve bordjes of attributen.
- Zet de gerechten op verschillende hoogten door schalen met plateaus of speciaal gemaakte verhogingen.
- Maak heuvels en dalen met verhogingen, kratjes en dozen onder het tafelkleed.
- Zet schalen een beetje schuin door er een ander bord onder te schuiven.
- Versier tafels met fruit en groenten zoals artisjokken, druiven of sterappels.
- Maak fraaie stapels van citroenen, vijgen of noten.
- Plaats bloemdecoraties of bloemstukken.

- Decoreer de gerechten met eetbare bloemen: bloemen van de begonia of het vlijtig liesje of met rozenblaadjes.
- Stapel een ronde tafel vol met gedroogd fruit, noten, olijven of andere dingen die de gasten kunnen pakken zonder dat alles omvalt. Vraag iemand om een oogje op de tafel te houden zodat het er aantrekkelijk uit blijft zien.
- Geef sommige gerechten een speciaal tintje; laat ze klaarmaken of flamberen terwijl de gast wacht. Pasta, vlees, gegrilde kip en toetjes zijn hiervoor zeer geschikt.
- Geef buffettafels een thema, zoals een sushitafel als Japanse tuin met een fonteintje en bonsaiboompjes.

## Serveren in stijl

Zorg dat de cateraar weet hoe en wanneer het eten moet worden geserveerd en hoe de tafels moeten worden gedekt. Je hebt veel tijd (en geld) besteed aan het aanzicht van de tafels. Persoonlijk worden we niet blij wanneer de voorgerechten al op tafel staan als de gasten binnenlopen. Je gaat je dan afvragen hoe lang het er al staat.

Er zijn in het algemeen drie soorten bediening:

- **Franse bediening.** De ober verwarmt de borden en garneert ze op een zijtafeltje of karretje dat een guéridon genoemd wordt. Als het goed wordt aangepakt, is dit heel indrukwekkend. Het kost echter ook veel tijd en ruimte.
- **Russische bediening.** Obers serveren de gasten vanaf een zilveren dienblad. Wordt vaak verward met Franse bediening.
- **Plate-service of à la carte.** Obers dragen de maaltijd op borden binnen. Het mooiste is het, wanneer alle gasten precies tegelijkertijd hun maaltijd krijgen opgediend, maar aangezien daar wat choreografie bij komt kijken, duurt het meestal langer dan de Franse of Russische bediening.

Franse en Russische bediening is alleen aan te raden wanneer je met een kleiner gezelschap bent.

Probeer te voorkomen dat gasten met speciale wensen (koosjer, vegetarisch enzovoort) niet worden gestraft en hun hoofdgerecht pas veel later krijgen dan de rest. Geef de bediening zo vroeg mogelijk een lijst van degenen met speciale wensen en waar ze zitten. (Hierbij is een tafelindeling handig, zie hoofdstuk 13.)

Koosjer voedsel moet voldoen aan de strikte eisen van de joodse wet. De ingrediënten en de gebruikte apparatuur mogen niet in contact komen met verboden voedsel of materiaal, zoals varkensvlees en schaaldieren. In tegenstelling tot wat veel mensen denken, hoeft koosjer voedsel niet per se door een rabbijn te worden gezegend. Een dier dat bestemd is voor consumptie moet volgens bepaalde regels geslacht zijn, en vlees- en zuivelproducten mogen niet door elkaar worden gebruikt of bewaard. Het ziet er misschien niet zo elegant uit, maar een koosjere maaltijd hoort ingepakt op tafel te worden gezet – zo weet de gast zeker dat het voedsel verder niet is aangeraakt.

Een minder slimme manier om geld te besparen, is door minder obers in te huren. De verhouding tussen obers en gasten varieert van twee obers voor tien gasten (of één tafel) bij een formeel diner tot één ober per 25 gasten voor een eenvoudige maaltijd.

Als je geld wilt besparen, doe dat dan niet hier. Je gasten zullen het je niet in dank afnemen als ze een kwartier moeten zwaaien voor er een ober komt.

Wil je thuis een receptie houden, laat dan iemand van de catering langskomen. Hij bekijkt de ruimte en ziet snel genoeg wat de beste aanpak is. Hij vertelt je ook welke meubels verschoven moeten worden en wat er eventueel moet worden bijgehuurd.

# Memorabele menu's

Wat voor soort maaltijd je de gasten op je huwelijksdag ook voorzet, houd in gedachten dat het symbool staat voor een soort groot verbond. Dat betekent niet dat de rekening ook groots hoeft te zijn, maar investeer wel wat tijd en creativiteit in het plannen ervan. Om je wat inspiratie te geven, hebben we hierna enkele voorbeeldmenu's samengesteld uit onze eigen favorieten.

## Diner aan tafel

Als je een lunch of diner aan tafel serveert, moet de eerste gang licht en eenvoudig zijn – een koude soep in de lente of zomer, een salade of andere groente –, of een zalm- of rundercarpaccio zodat je gasten nog ruimte hebben voor het hoofdgerecht. Wil je je gasten graag een keus bieden uit verschillende voorgerechten, houd dan rekening met extra kosten.

In figuur 10.2 zie je een menu voor een driegangendiner. Bij elke gang is een eigen wijn uitgezocht.

Aangezien ze vrij goedkoop te maken zijn, zijn stoofschotels een goed onderdeel voor een maaltijd. Bovendien spreken stoofschotels veel mensen aan. De kosten blijven binnen de perken, zelfs al schept men drie keer op.

Voorgerecht

Gnocchi à la Romana met verse tomatensaus

Pinot Blanc

Hoofdgerecht

Gebraden runderreepjes met bordelaisesaus

of

Baarsfilet met tomaten en kappertjes

Seizoensgroenten waaronder gegrilde asperges, gegratineerde portobello's, gestoomde haricots verts en geroosterde knoflookbintjes

Barolo 2000 of Saint-véran 2003

Dessert

Chocoladesoufflé met crème fraiche

Veuve Cliquot, NV

Bruidstaart

Koffieservies met truffels, petitfours, profiterolles, verse bessen en zabaglione en natuurlijk bruidstaart

**Figuur 10.2:** Bij een diner aan tafel kun je je gasten de keus geven uit verschillende hoofdgerechten

De 'proeverij van pasteitjes uit het Midden-Oosten' in figuur 10.3 bestaat uit een kleine pistache-baklava (pistachenoten tussen twee lagen dun filodeeg), pistache-ma'amoul (gehakte pistachenoten in een fijn koekjesdeeg), een nestje van cashews (hele noten in fijn knafeh-deeg) en Baraz'e (een dun koekje besprenkeld met geroosterde sesamzaadjes).

Wanneer je exotische gerechtjes wilt serveren die een lange bereidingstijd hebben, zou je deze apart kunnen bestellen bij een speciaalzaak en laten bezorgen.

Hors d'oevres

Chèvrekaas met geroosterde paprika, olijfolie en tijm, geserveerd met pitachips

Kikkererwten- en waterkerspuree geserveerd met pitachips

Diner

Lamstajine

Auberginetajine

met couscous en verschillende bijgerechten zoals rozijnen, amandelen en garam marsala

Jonge groenten met citroenvinaigrette

Komkommersalade

Verschillende broodsoorten

Dessert

Proeverij van pasteitjes uit het Midden-Oosten

Chocoladetruffels

Gewone en cafeïnevrije Colombiaanse koffie

Bruidstaart

**Figuur 10.3:** Breek het ijs door maaltijden voor elke tafel in schalen te laten serveren

# Zonder eten naar bed

Hoewel een volledig diner het populairste is, bestaan er talloze andere mogelijkheden zoals een lange cocktailreceptie, een high tea of een bruiloftsontbijt of -lunch. Dit zijn weliswaar goedkopere opties, maar ook deze vereisen aandacht en creativiteit.

## De cocktailreceptie

In sommige gevallen is het een goede keus om alleen hapjes en drankjes te serveren in plaats van een volledige maaltijd:

## Een verfijnde indruk

Hier volgen wat tips om de maaltijd nog wat meer flair te geven:

- Een assortiment broodsoorten bij elke gang (kaasstengels bij soep, donker brood bij rundvlees en een zonnebloempittenbroodje bij kaas en salade).
- Obers die aan tafel komen met vers geraspte kaas of peper.
- Een schaaltje olijfolie met kruiden om brood in te dippen.
- Boter in krullen of andere vormen.
- Schijfjes citroen in een kan ijswater.
- Een keus uit water met of zonder bubbels.
- Takjes verse kruiden, zoals rozemarijn of tijm, als garnering.
- Verschillende kleuren suiker.
- Een cappuccino-/espressobar.
- Hors d'oeuvres in mandjes, kleurige glazen schalen of op dienbladen met kanten onderlegger.
- Een etagère per tafel met mooie bonbons, vers fruit en koekjes bij de koffie.
- Kleine attributen op schalen met hors d'oeuvres zoals miniboeketjes, een bruid en bruidegom van suiker.

- In de ruimte waar jullie verliefd op zijn geworden kunnen maar eenderde van de gasten een zitplaats krijgen.
- Je receptie is een feest dat pas enkele dagen of weken na de ceremonie plaatsvindt.
- Jullie zijn al wat ouder of eerder getrouwd geweest en voelen je niet op je gemak bij een traditionele trouwreceptie.
- Er komen honderden gasten die je niet allemaal een diner kunt aanbieden.
- Je wilt gewoon iets anders.

We hebben vooraanstaande cateraars gevraagd naar hun populairste hapjes, en hier volgen enkele van hun aanbevelingen:

- Rundvleessaté
- Kaas/hamsoesjes
- Kokosnootgarnalen met Thaise saus
- Krabpasteitjes met rémouladesaus
- Knapperige loempia's met varkensvlees of garnalen

- Gegrilde eendenlever op een brioche met vijgenboter
- Toastjes met ham, gruyère en honing
- Minihamburgers compleet met sesambroodje
- Miniatuur beef Wellington
- Gegrilde sandwiches met cheddarkaas
- Gefrituurde portobello's
- Geroosterde of gefrituurde inktvis met cocktailsaus
- Kipsticks met sesamzaadjes en honingmosterdsaus
- Filodeeg met spinazie en kaas
- Gestoomde groente- of garnalennoedels met hoisin-saus
- Zoete aardappelpannekoekjes met prei en crème fraiche
- Taartjes met wilde champignons
- Groentensamosa

Daarnaast kun je nog wat koude hapjes serveren, zoals:

- Caponata (auberginemoes) op toast
- Reepjes (cheddar)kaas
- Kip-curry op papadums
- Andijvieblaadjes met een puree van rode paprika en roomkaas
- Gegrilde garnalen op daikontoast
- Nieuwe aardappelen gevuld met zure room en kaviaar
- Oesters met een beetje wasabi, geserveerd op een porseleinen lepel
- Zalmkaviaar
- Zalmtartaar op roggebrood
- Garnalensalade op maïsbroodjes
- Gerookte zalm
- Toastjes met beenham en honingmosterdsaus
- Sushirolletjes met en zonder vlees

De optimale lengte van een cocktailreceptie is tweeënhalf tot drie uur; korter is te gehaast, langer wordt vervelend. Als je de receptie toch een uur langer wilt laten duren, zorg dan voor voldoende te eten en te drinken. Je zou ook kunnen kiezen voor een dessertbuffet, dat meteen dienst kan doen als decoratie.

Houd bij een cocktailreceptie van twee tot drie uur rekening met zo'n tien warme en tien koude hapjes, naast een eventuele buffettafel (zie het onderdeel Hapjesbuffet eerder in dit hoofdstuk).

Zorg dat je gasten niet meer nodig hebben dan ten hoogste een vork, aangezien er maar een beperkt aantal zitplaatsen zijn. Als je hapjes laat rondgaan, wissel ze dan af. Aangezien je geen maaltijd serveert, moet je wel zorgen dat er voldoende hapjes zijn zodat je gasten er niet vandoor gaan om iets te eten te halen. Zorg ook dat de ruimte is ingedeeld voor een cocktailreceptie, dus met niet al te grote tafels, een aantal statafels en maximaal voor eenderde van de gasten een zitplaats.

Maak duidelijk op je uitnodiging dat de receptie geen diner is. Bijvoorbeeld door te zeggen: 'Graag nodigen we jullie uit voor een hapje en een drankje om ons huwelijk te vieren.' Daarmee geef je meteen aan dat men niet is uitgenodigd voor het diner. Zie hoofdstuk 5 voor meer informatie over uitnodigingen.

Het is niet elegant om een eindtijd van de cocktailreceptie op de uitnodiging te zetten (van 15.00 tot 18.00 uur bijvoorbeeld). Het is niet vanzelfsprekend wanneer je taart, dessert of koffie begint te serveren en de muziek wat zachter zet, het voor de gasten een teken is om langzamerhand richting huis te gaan.

## Koffie voor twee(honderd)

Een koffie-uurtje ofwel tegenwoordig high tea genoemd in plaats van een volledig diner is populair om dezelfde reden als een cocktailreceptie dat is, vooral als je overdag trouwt of er kinderen bij wilt hebben. Je serveert bijvoorbeeld thee en koffie, petitfours en scones. Heb je een groot gezelschap, dan zou je ook wat van de hapjes kunnen serveren die genoemd staan bij de cocktailreceptie, of een champagnetoast houden. Het lijkt misschien een van de eenvoudigste recepties die je kunt bedenken, maar je kunt het geheel opleuken met aparte smaken thee en koffie in bijzondere potten.

## Andere mogelijkheden: ontbijt, brunch of lunch

Een huwelijksontbijt, iets wat veel in Engeland wordt gedaan, wordt meestal gehouden na een ceremonie 's morgens en is eigenlijk een lunch. Om het nog ingewikkelder te maken, is een lunchreceptie meestal een licht diner dat halverwege de middag wordt geserveerd. Bij een brunch of lunch is een eventuele cocktailreceptie vaak korter en minder uitgebreid.

Een brunch is een typisch Amerikaans compromis en is waarschijnlijk een van de minst kostbare maaltijden. Na een ceremonie 's morgens of rond het middaguur, kan een typisch buffet bestaan uit bagels, roomkaas, gerookte zalm, mini-quiches, fruitsalade, verschillende vruchtensappen, thee en koffie. Aan afzonderlijke tafels kunnen omeletten, wafels of pannenkoekjes worden gehaald.

In figuur 10.4 zie je een heerlijk menu voor een brunch, dat veel mensen zal aanspreken. Je kunt dit zowel in buffetvorm als aan tafel laten serveren en het kan zowel formeel als informeel zijn.

Gerookte Noord-Atlantische zalm

Verse gerookte zalm met bagels en roomkaas, tomaten, rode ui, kappertjes en citroen

Roomkaas

Groente en mierikswortel

Belgische wafels

Met verse seizoensbessen, aardbeien, verse slagroom, zoete roomboter en siroop

Broodjes

Een heerlijke selectie van huisgemaakte minimuffins, scones, croissants en broodjes, boter en verschillende jamsoorten

Voorgesneden seizoensfruit

Meloen, ananas, citrusvruchten, aardbeien, kiwi en druiven

Koffie (normaal en décafé)

Verschillende kruidentheeën

Verschillende vruchtensappen

Sinaasappel, bosbessen, grapefruit en tomaat

Mineraalwater

**Figuur 10.4:** Een brunchreceptie kun je zo formeel of informeel maken als je wilt

# Hoofdstuk 11

# Daar drinken we op

***In dit hoofdstuk:***

- Prijsstructuren doorzien
- Je eigen bar
- Wijn, bier en champagne serveren
- Regel de toespraken

Volgens de bijbel verrichtte Jezus zijn eerste wonder bij een bruiloft in Kana, een dorp in het oude Galilea, door water in wijn te veranderen. Hoewel wonderen prachtig zijn, moet je ze met mate gebruiken. Gelukkig kun je je gasten ook van drankjes voorzien met wat gezond verstand, planning en goede smaak.

Dit hoofdstuk gaat over alcohol en hoe je dat serveert. We gaan hier niet voorschrijven óf je wel wijn, bier en sterke drank moet serveren, maar we vertellen je wel hóé je dat op een intelligente manier doet. Wil je liever geen alcohol serveren, om welke reden dan ook, kies dan voor een ontbijtreceptie, waarbij mensen geen alcohol verwachten.

## De bar

Tot onze stomme verbazing hebben we in veel boeken over trouwen gelezen dat je gasten hun eigen drankjes laten betalen een goede manier is om kosten te besparen. Dan kun je ze net zo goed hun eigen eten mee laten brengen. Je hebt je vrienden en familie toch uitgenodigd om samen met jullie een huwelijk te vieren? Precies.

### Barcodes

Voor we verdergaan, moet je even wat weten over wat er aan de bar wordt gezegd. En dan bedoelen we geen versiertrucs.

- **Standaardglazen.** Cateraars gebruiken vaak glazen op een steel die geschikt zijn voor zowel cocktails als wijn (al worden mousserende wijnen en Champagne doorgaans in een flûte geserveerd). Als je waarde hecht aan je glasservies en je budget kan het hebben, kun je een assortiment glazen huren die bedoeld zijn voor elke drank (kleine glazen voor rode wijn, grotere voor witte wijn, whiskyglazen, cognacglazen, champagneglazen).

- **Mixdrank.** Algemene dranken voor mixen (bijvoorbeeld een screwdriver).
- **Merkdrank.** Een specifiek merk waarom wordt gevraagd, zoals een screwdriver met half Stoli, half Absolut.
- **Premium of superpremium.** Dranken met hogere prijzen, waaronder single-malt whisky, oude cognac of likeuren.
- **Huiswijn.** Wat het etablissement serveert zonder extra kosten. Afhankelijk van het huis kan dit een prima wijntje zijn of chateau migraine.
- **Champagne.** Met een hoofdletter dus. Champagne is de mousserende wijn die wordt gemaakt in de Champagnestreek in Frankrijk. Champagne wordt al zo'n driehonderd jaar op dezelfde manier gemaakt. Niet alle mousserende wijn mag dus Champagne genoemd worden.

Vraag bij de proefmaaltijd ook of je de huiswijn mag proeven. Dit is een van de meest bestelde drankjes tijdens een receptie. Als de huiswijn bocht is, vraag dan om een betere.

## Prijzen

Restaurants, feestzalen, clubs en andere horecalocaties hebben meestal een drankvergunning. Je kunt afspreken dat er alleen mixdranken worden geschonken, dus geen specifieke merken. Als je ervoor kiest geen cognac of likeur te schenken en een gast vraagt na het eten om een cognacje, zal de ober daar beleefd op antwoorden: 'Het spijt me, daarvoor heeft uw gastheer geen voorziening getroffen.'

Je kan kiezen tussen nationale en internationale bar. Kies je voor de nationale bar, kan dit tot tien euro minder kosten per persoon.

Het verschil tussen nationale en internationale bar is de variëteit aan dranken die uitgeschonken wordt, zoals aperitieven en digestieven; cognac, whisky, armagnac en cocktails.

Wijn en sterke drank worden meestal op een van de volgende drie manieren berekend:

- **Per consumptie.** Er wordt per fles of per glas betaald, en dan alleen voor hetgeen er wordt geconsumeerd. Sommige locaties brengen een geopende fles geheel in rekening. Dit gaat bijvoorbeeld altijd op voor wijn of champagne. Frisdrank, vruchtensap en water worden meestal ook per consumptie berekend.

Dit is een goede optie als je denkt dat je gasten niet veel drinken. Laat de bediening weten dat halflege glazen niet mogen worden weggehaald, en laat ze jou (of je ceremoniemeester) halverwege de receptie even de stand van zaken doorgeven. Dit heeft twee voordelen: je kunt dan eventueel nog iets doen aan de hoeveelheid drank die wordt geschonken, en de bediening weet dat iemand hen in de gaten houdt.

- **Cocktailreceptie inclusief, vervolgens per consumptie.** Wat de gasten drinken tijdens de cocktailreceptie, zit in de prijs per persoon die al is overeengekomen (zelfs al drinken je gasten als vissen). Alles wat ná die tijd wordt gedronken, wordt per glas in rekening gebracht. Dit is een goede optie als je niet weet hoeveel je gasten gaan drinken. Het eerste uur van een receptie wordt altijd het meeste gedronken. Als je tijdens de maaltijd wijn serveert, zullen je gasten na het eten niet zo gauw overschakelen op cocktails, en dat houdt de drankrekening ook binnen de perken.
- **Alles inclusief.** De totaalprijs van de maaltijd en de drank. Hoewel het aandeel van de drank hierin aanzienlijk lijkt, is dit een goede optie wanneer je gasten veel drinken. Bovendien hoef je zelf niet in de gaten te houden hoeveel er gedronken wordt. Een eventuele toast met Champagne kost waarschijnlijk extra.

Houd in gedachte dat het zo goed als onmogelijk is om de drankconsumptie in de gaten te houden. Kies daarom voor ‘alles inclusief’, dan voorkom je onverwachte verrassingen.

Loop door je gastenlijst en kijk hoeveel van je gasten nog te jong zijn om te drinken. Is dat aantal de moeite waard, overleg dan met de locatie. Wellicht kan de prijs per persoon voor een cocktailreceptie dan omlaag.

## Opties voor bijzondere locaties

Als je trouwt op een bijzondere locatie, dus geen horecagelegenheid, kun je je eigen drank inkopen. Je hebt dan niets te maken met vastgestelde prijsstructuren en kunt dan schenken wat je wilt.

Ook bij het inkopen van drank valt voordeel te behalen, als je bijvoorbeeld eens deze mogelijkheden onderzoekt:

- **Groothandels.** Hier zijn vaak goede aanbiedingen te vinden, al moet je wel per krat of doos inkopen.
- **Wijncatalogi.** Hierin worden vaak lagere prijzen aangeboden, of wijnen die moeilijker te vinden zijn.
- **Slijterijen.** Kijk uit naar aanbiedingen of acties en vraag om kwantumkorting. Volg wel hun tips voor het bewaren van de

wijn op, zodat je niet blijft zitten met een paar kratten sladressing.

- **Plaatselijke wijnhuizen.** Hier kun je vaak zelfs de wijn proeven voordat je hem laat versturen.

In figuur 11.1 zie je een aantal overwegingen waar je rekening mee moet houden wanneer je drank schenkt op je feest.

## *Checklist barvoorzieningen*

- ❐ Brengt de cateraar een servicetarief in rekening bovenop de normale kosten?
- ❐ Kun je zelf wijn of champagne aanleveren? Brengen ze dan extra kosten in rekening?
- ❐ Neemt de drankenleverancier ongeopende flessen terug?
- ❐ Wil je mixdrankjes of cocktails serveren? Welke ingrediënten en materialen heb je daarvoor nodig? Zijn daarvan al zaken aanwezig?
- ❐ Welke niet-alcoholische dranken zijn er? (Bijvoorbeeld vruchtensappen, alcoholvrije sangria, alcoholvrij bier.)
- ❐ Welke merken zijn aanwezig in de bar? Wat is het prijsverschil tussen de standaardmerken en de duurdere?
- ❐ Kun je je eigen dranken al voor de receptie laten bezorgen?
- ❐ Als je je eigen drank verzorgt, wat gebeurt er dan met de overgebleven flessen? Wie haalt ze na de bruiloft op?
- ❐ Ga je ook de muzikanten en fotograaf drank schenken? Hoe regel je dit met de barman?

**Figuur 11.1:** Bepaal je drankenstrategie samen met de cateraar

Tips voor het bevoorraden van een bar:

- Koop ongeveer tien procent meer dan je denkt nodig te hebben.
- Koop bij een slijterij die ongeopende flessen terugneemt. Laat de cateraar dus niet alvast twintig flessen wijn openmaken. Laat ze ook niet alvast alle witte wijn en champagne in ijs zetten, want dan laten de etiketten los en kun je ze niet meer terugbrengen. Wanneer je een diner serveert, kun je wel alvast een stel flessen laten openmaken, anders duurt het te lang.

- Overleg met de barman of er ingrediënten en accessoires zijn voor Bloody Mary's, pina colada's, margarita's en andere bijzondere dranken die je wilt serveren.
- Bied ook niet-alcoholische dranken aan die toch feestelijk zijn, zodat de niet-drinkers niet het gevoel krijgen een ondergeschoven kindje te zijn. Enkele mogelijkheden: ijsthee met munt, verse appelcider en roze limonade. Mensen die niet drinken, zijn meestal ook niet zo geïnteresseerd in nepcocktails zoals Virgin Mary's.
- Zorg dat witte wijn en champagne gekoeld worden bezorgd, want meestal is er ter plaatse niet voldoende ruimte om alles goed en op tijd te koelen.
- Voorkom dat restanten verdwijnen en vraag iemand om met de cateraar te overleggen over het ophalen ervan.

## IJspret

Let als je ijs gebruikt op het volgende:

- Hoewel je een fles in ongeveer twintig minuten kunt koelen door water en zout bij het ijs te doen, laten hierdoor wel de etiketten los. In normaal ijs duurt het koelen van een fles ongeveer twee uur.
- Met gemalen ijs koelt een fles sneller dan met ijsblokjes.

# Dranklogistiek

Ben je al op het punt van slapeloze nachten en zorgen om elk detail aanbeland, dan hebben we hier een leuk projectje voor twee uur 's morgens: maak een lijst voor het bevoorraden van de bar.

Het berekenen van de hoeveelheid drank die je nodig hebt is geen exacte wetenschap. Er komen verschillende factoren bij kijken: de sociale gewoonten van je gasten, je budget, de tijd van het jaar en de tijd van de dag. Bij een bruiloft in de zomer zul je bijvoorbeeld meer bier, wodka en gin moeten inslaan dan bij een bruiloft in de winter, wanneer mensen meer rode wijn en whisky drinken.

De verhouding gasten/liters drank is niet noodzakelijk proportioneel. Als je verschillende bars hebt, moet je daarmee rekening houden bij het bestellen van drank. Bij 250 gasten en vijf bars, heb je vijf flessen bourbon nodig in plaats van vier, zodat elke bar dezelfde inventaris heeft.

Dit zijn richtlijnen voor gemiddelde consumptie:

- Uit een literfles alcohol gaan ongeveer 20 tot 22 drankjes.
- Bij een cocktailreceptie van een uur gevolgd door een maaltijd, kun je uitgaan van twee drankjes per persoon tijdens de borrel en twee tot tweeënhalf glas wijn tijdens het eten.
- Ga bij een cocktailreceptie van twee uur uit van drie drankjes per persoon.
- Ga bij een diner van vier uur uit van drie of vier drankjes per persoon.
- Uit een fles wijn gaan ongeveer vijf glazen.
- Uit een literfles frisdrank gaan vijf tot zeven glazen, afhankelijk van de grootte van het glas en of men er ijs in wil.
- Uit een standaardfles champagne van 750 ml gaan zes ruime glazen. Per krat zijn dat ongeveer 75 glazen.

In figuur 11.2 zie je een typische bestelling voor een open bar van vier uur inclusief een borreluurtje voor honderd gasten. Dit zijn schattingen, dus je kunt beter wat extra bestellen en dat later weer terugbrengen.

Als je receptie een uitgebreide cocktailreceptie is en geen formeel diner, moet je de formules voor de aantallen iets aanpassen. Ga bij een drie uur durende receptie met honderd gasten uit van één drankje per persoon per uur, of ongeveer anderhalve krat drank in totaal.

Geloof het of niet: professionele obers melden zich op je feestlocatie rustig zonder kurkentrekker. Zorg voor een stuk of zes gewone kurkentrekkers en een paar op de bar gemonteerde kurkentrekkers voor bepaalde flessen wijn.

## *Checklist bar*

| | |
|---|---|
| ❐ Whisky | 4 liter |
| ❐ Wodka | 6 liter |
| ❐ Gin | 5 liter |
| ❐ Rum | 2 liter |
| ❐ Bourbon | 1-2 liter |
| ❐ Malt whisky | 1-2 liter |

| | | |
|---|---|---|
| ❐ | Tequila | 1 liter |
| ❐ | Campari/vermouth | 2-3 liter |
| ❐ | Bier | 2 of 3 kratten |
| ❐ | Alcoholvrij bier | 2 kratten |
| ❐ | Witte wijn tijdens cocktailreceptie | 1,5 krat |
| ❐ | Rode wijn tijdens cocktailreceptie | 6 flessen |
| ❐ | Champagne tijdens cocktailreceptie | 1,5 krat |
| ❐ | Cola | 14 liter |
| ❐ | Cola light | 12 liter |
| ❐ | Tonic | 17 liter |
| ❐ | Tonic light | 7 liter |
| ❐ | Ginger ale | 7 liter |
| ❐ | Club soda | 9 liter |
| ❐ | Vruchtensappen | 8 pakken van elk |

**Figuur 11.2:** Een typische drankbestelling voor honderd gasten, voor een open bar van vier uur inclusief borreluurtje

# Voorkom opstoppingen

We kunnen niet genoeg benadrukken hoe belangrijk de doorstroom is voor een succesvolle dag. Gasten worden diep ongelukkig als ze lang bij de bar moeten wachten op hun eerste drankje. Een eenvoudige en feestelijke oplossing is bedienden bij aanvang van de receptie te laten rondgaan met wijn, frisdrank of een ander feestelijk uitziend glas. De meeste mensen vinden dit een leuk gebaar, en je voorkomt een run op de bar.

Als je al voor de ceremonie begint met drank te schenken, zorg dan wel dat je gasten op tijd naar hun stoel worden gedirigeerd en dat er voldoende obers in de buurt zijn om hun glazen aan te nemen.

Sommige mensen vinden het niet gepast om voor de ceremonie al drank te schenken, maar wij vinden dat je dat zelf moet bepalen.

### Een doe-het-zelfbar uitrusten

Voor het geval je zelf een eigen bar opstelt of je cateraar gek wilt maken met de kleinste details, volgt hier een lijst van andere noodzakelijke attributen:

- Kannen (vier per 75 gasten)
- Flessenopeners
- Champagnekoelers
- Onderzetters
- Kurkentrekkers
- Trechters
- Schaaltjes voor citroen en dergelijke
- Glazen (ten minste twee per persoon, maar liever drie)
- IJsemmers (een voor de Champagne, de rest voor ijs)
- IJstangen
- IJsbakken (voor koelen van wijn en Champagne)
- Grote kannen voor mixen
- Pers voor citroen/limoen
- Lange lepels
- Maatbekers
- Mixglazen
- Servetten
- Plastic kleed (voor de vloer achter de bar)
- Dienbladen
- Shakers/zeven
- Sponzen
- Afvalzakken
- Afvalbakken

Bij een cocktailreceptie gevolgd door een diner heb je ongeveer 1 barman per 50 of 75 gasten nodig. Helaas kun je er niet van uitgaan dat dit ook door je horecalocatie zo wordt geregeld. Vooral als je per consumptie betaald, zorgt een locatie voor veel barpersoneel. Als je een all-inclusiveprijs hebt afgesproken, heb je de kans dat het makkelijker is in de woestijn een oase te vinden dan een drankje op jouw feest.

Zelfs al delen obers drankjes uit om de run op de bar te voorkomen, dan nog heb je bij aanvang van de receptie meer barpersoneel nodig dan later.

## Het aanzien van de bar

Geef aan hoe je wilt dat de bar eruitziet. Vraag hoe een en ander wordt aangekleed, want een barkeeper vergeet nog weleens dat zijn werkruimte in júllie receptieruimte staat.

Dit zijn een paar vragen die de moeite van het stellen waard zijn:

- Schenkt het barpersoneel drankjes uit de fles (en schatten ze dus de hoeveelheid) of gebruiken ze maatbekertjes (standaardhorecamaten)?

- Zijn eventuele maatbekertjes van zilver of van plastic?
- Wat voor ijsemmers gaan ze gebruiken? Vaak worden enorme plastic bakken neergezet. Vraag in dat geval of ze er een kleed omheen wikkelen. Champagne hoort in ijsemmers bewaard te worden.
- Waarmee scheppen ze het ijs? Met een ijsschep, hopen wij. Druk barpersoneel gebruikt nogal eens een glas, waardoor je smakelijke glassplinters in je drankje krijgt. We hebben het maar niet over barpersoneel dat het ijs met hun handen schept, en we hopen dat jij het daar ook niet over hoeft te hebben.

Denk ook aan het volgende:

- Als er op de bar enorme groothandelsflessen staan, ziet dat eruit alsof je een weeshuis verwacht. Flessen van 750 ml zien er mooier uit. Als je verschillende bijzondere dranken zoals margarita's schenkt, laat dat dan duidelijk aangeven zodat mensen ze ook bestellen.
- Schrijf iets op over de wijnen die je hebt gekozen en geef dat aan de barkeepers, zodat ze eventuele vragen van gasten intelligent kunnen beantwoorden. Je zal je verslikken in je Gevrey Chambertin uit 1988 als je de barman hoort zeggen: 'Even kijken, ja, we hebben wit en we hebben rood.'
- Grote bloemstukken op de bar worden vroeg of laat omvergegooid. Een klein bloemstukje is meer dan voldoende. Hetzelfde geldt overigens voor kandelaars en vrijstaande kaarsen; je kunt erop wachten dat er een mouw in brand vliegt.

Je had er misschien nog niet aan gedacht, maar laat het barpersoneel de fooienpot weghalen. Een eventuele fooi verzorgen jullie zelf achteraf.

# Specialiteitenbars

Hoewel er speciaal getraind personeel voor nodig is, kan een specialiteitenbar een leuke attractie zijn op een bruiloft. Om ze goed tot hun recht te laten komen, zijn voor speciale dranken bijzondere attributen nodig:

- Serveer deze dranken aan een speciale bar of laat ze rondbrengen door obers.
- Zorg dat elke specialiteitenbar de juiste attributen heeft. Een martinibar moet martiniglazen, bijpassende shakers en verschillende garneringen zoals olijven en uitjes hebben.
- Kies drankjes die er leuk uitzien en goed smaken. Geef de glazen een randje van suiker of zout en laat er bijzondere garneringen in plaatsen zoals een pepermuntstokje of een aardbei op steel.

Dit zijn enkele feestelijke ideeën voor een specialiteitenbar:

- **Cappuccino- en espressobar.** De koffiebars schieten overal als paddestoelen uit de grond, en huwelijksfeesten zijn daarop geen uitzondering. Er zijn honderd en één smaken koffie, dus je vult er gemakkelijk een specialiteitenbar mee.
- **Dessertbar.** Een selectie van likeuren, oude cognac, armagnac, aperitieven en digestieven (zie voor serveertips de kadertekst 'Luxueuze likeuren' in dit hoofdstuk). Je kunt je gasten deze dranken aan tafel laten bestellen, maar een ober met een wagentje waarop de selectie staat, voegt wel een pracht van een finale toe. Overigens kan deze laatste optie je wel op kosten jagen, omdat mensen die normaal geen drankje na het eten nemen, zich laten overhalen door de mooie presentatie.
- **Wodkabar.** Nu er zoveel verschillende soorten wodka verkrijgbaar zijn, is een wodkabar ook een optie. Wodka hoort goed gekoeld in koude glazen te worden geschonken. Wodka is lekker als drankje zonder meer, maar ook bij een buffet met kaviaar of gerookte vis.
- **Wijnbar.** Het aanbieden van een reeks interessante wijnen werkt vooral goed op een cocktailreceptie. De wijnen hoeven niet altijd duur of zeldzaam te zijn. Zet bij elke wijn een kaartje met een korte omschrijving. Zes verschillende wijnen – een paar rode en een paar witte – zijn voldoende, zolang ze maar van verschillende druivensoorten zijn gemaakt (bijvoorbeeld een Cabernet Sauvignon, een Pinot Noir, een Chardonnay, een Sauvignon Blanc, een Merlot en een Sauterne). Denk ook eens aan wijn uit Australië, Chili en Zuid-Afrika. Serveer voor een extra effect elke wijn in het juiste glas.

Een kostenbesparende optie is om de bar alleen bier, wijn en één andere dranksoort te laten serveren. Sommige dranken kunnen van tevoren worden gemixt, voor andere heb je handig barpersoneel nodig. Een paar voorbeelden:

- **Colada's** met een prikker met mango, kiwi en ananas.
- **Cosmopolitans** gemaakt van wodka, triple sec, limoen- en cranberrysap – of de kledingvriendelijke witte cosmo, gemaakt van kleurloos cranberrysap en meestal geserveerd in een martiniglas.
- **Margarita's** in V-vormige glazen met een randje zout en een schijfje verse limoen.
- **Mojito's** met rum, suiker, veel verse munt en limoensap.
- **Sangria** van rode wijn en een beetje brandewijn, gegarneerd met schijfjes fruit en geschonken uit een mooie kan.
- **Sidecars** van brandewijn, Cointreau, vers citroensap en een sinaasappelschil.

### Luxueuze likeuren

Een mooi besluit van de receptie is het serveren van mooie likeuren of cognac. Laat deze indien mogelijk serveren in mooie brede glazen op voet. Enkele mogelijkheden:

- **B&B:** Benedictine en brandewijn
- **Cognac:** Uit de Cognacstreek in Frankrijk, merken zoals Hennesy en Courvoisier
- **Cointreau of Grand Marnier:** Likeur met sinaasappelsmaak
- **Zoete likeuren:** Crème de Cacao (chocolade), Crème de Menthe (mint) of een likeurtje met perzik, abrikozen, peren, pepermunt of bananensmaak
- **Koffielikeur:** Kahlua uit Mexico of Tia Maria uit Jamaica
- **Sambuca:** Dropsmaak, vaak geserveerd met een paar koffiebonen in het glas
- **Bijzonder:** Chocolademartini's en Irish Coffee

# Wijn, bier en Champagne kiezen

Veel mensen denken dat het serveren van uitsluitend wijn en bier minder kost en dat hun gasten niet zo gauw dronken zullen worden. Vergeet dat maar. Niet elke horecalocatie rekent veel minder wanneer er alleen huiswijn en bier wordt geschonken. Een betere wijn kan zelfs duurder zijn dan sterke drank. Het idee dat je van wijn en bier minder snel dronken wordt, is belachelijk. Neem maar van ons aan dat je er prima heel snel dronken van kunt worden.

Eerder in dit hoofdstuk hadden we het over de prijzen en hoeveelheden van bier, wijn en Champagne. Nu gaan we in op de subjectieve kunst van het kiezen van de juiste flessen.

## Wijn bij het eten

Voor veel mensen hoort een goed glas wijn bij een goede maaltijd. De prijzen voor wijn en Champagne zijn in hotels en horecagelegenheden doorgaans vrij hoog, dus dit is een van de onderdelen waarop je flink kunt besparen door je wijn zelf te kopen.

Een van de leukste onderdelen van het plannen van een bruiloft, is het kiezen van de wijn. Als je zelf de wijn gaat inkopen, koop dan verschillende soorten in de gewenste prijsklasse en probeer die thuis bij de maaltijd uit. Geeft de horecalocatie je een lijst van beschikbare wijnen, koop er dan zelf een aantal van om te proberen. Op sommige locaties valt het proeven van de wijn onder de proefmaaltijd. Het leuke van wijn proeven, is dat je in het openbaar mag spugen (zie hoofdstuk 10 over het regelen van een proeverij).

Bestel voldoende rode wijn voor bij de maaltijd wanneer:

- Je vlees serveert of vis in een rodewijnsaus.
- De wijn nu eenmaal ontzettend lekker is.
- Je midden in de winter trouwt.

Als je alleen witte wijn schenkt tijdens het eten, is een halve fles per persoon meestal ruim voldoende. Als je alleen witte wijn bij de eerste gang schenkt, gevolgd door rood of een keus aan rood of wit, heb je eenderde van een fles witte wijn per persoon nodig.

Moet je de beste wijn het eerst schenken of het laatst? De een vindt dat de eerste indruk belangrijk is, en dat gasten later op de avond toch minder proeven van wat ze drinken. De ander zegt dat je smaakpapillen eerst moeten opwarmen en dat het goede spul dus later geschonken moet worden. Je kunt dit probleem omzeilen door je gasten de keus te geven uit verschillende wijnen.

## Don't worry, bier happy

Bier en bruiloften horen al bij elkaar sinds de oudheid. Eigenlijk is het woord bruid afgeleid van het Germaanse *bruths* en het oud-Engelse *bryd*, wat weer afstamt van het woord *bru*, wat koken of brouwen betekent. In de vijftiende eeuw werden er enorme hoeveelheden bier geconsumeerd op een bruiloft – hoe sterker hoe beter: voor een robuust huwelijk. De moeder van de bruid ging voor de kerk zitten en verkocht haar zelfgebrouwen bier aan voorbijgangers. De opbrengst was bestemd voor de bruidsschat.

Serveer het 'vloeibare brood' in glazen en niet in blikjes. Zorg ook voor light bier en sla daar voldoende van in, vooral op een warme zomerdag.

Wanneer je een bijzondere bierbar wilt opstellen, kun je een selectie bieden van bijzondere bieren, bieren uit andere landen of van elk continent (behalve Antarctica, dan). Wat helemaal inslaat als een bom, is om een kleine brouwerij te vragen een speciaal bier te brouwen voor jullie bruiloft, compleet met bijzondere etiketten.

## Bubbels

Champagne of een goede, mousserende wijn is bijna onontbeerlijk voor een huwelijksfeest. Je kunt de Champagne de hele avond serveren, alleen tijdens het cocktailuurtje, op verzoek, tijdens het eten of bij de bruidstaart.

Champagnes zijn er met en zonder jaartal. Een Champagne zonder jaartal (non-vintage of multi-vintage) bestaat uit druiven van drie of meer oogsten. Een Champagne met jaartal (millésimé) wordt alleen gemaakt van de druiven van dat jaar. Reken voor die laatste soort op een hogere prijs. Champagne wordt ingedeeld op zoetheid, en de termen op het etiket behoeven wat uitleg:

- **Extra-Brut, Brut Integral of Brut Zero** betekent zeer droog (nul procent suiker).
- **Brut** is nog steeds erg droog (1 procent suiker) maar wordt door de meeste mensen lekker gevonden.
- **Extra-sec** is zoeter dan Brut; een compromis tussen zoet en droog.
- **Demi-sec of Dry** is zoet, maar niet zo zoet als ... (zie volgende punt).
- **Doux** is zéér zoet. Eigenlijk is deze Champagne alleen geschikt voor bij het dessert.

Het is leuk om een speciale cocktail voor jullie bruiloft te laten samenstellen. Kennissen van ons die gingen trouwen in een rozentuin, hadden bijvoorbeeld een bijzondere rosé Champagne met rozenblaadjes en een aardbei in elk glas. De gasten kregen hun glazen aangereikt vanaf dienbladen met groene bladeren en rozen.

Rosé Champagne heeft onterecht nogal een slechte naam. Mensen denken dat de barkeeper het maakt door rode wijn te mengen met een koolzuurdrankje. Maar eigenlijk wordt rosé Champagne gemaakt door in het begin van het proces Pinot Noir toe te voegen aan een mengsel van witte wijn, of door de velletjes van de duiven tijdens het gisten te laten zitten. Rosé's geven een bruiloft een echt romantisch tintje. In tegenstelling tot andere mousserende wijnen, is een rosé Champagne eerder brut dan demi-sec.

Als je wel graag Champagne wilt schenken maar je zorgen maakt over de kosten, denk dan eens aan een Asti, een Crémant uit Frankrijk, een Bella Vista uit Italië, of een mousserende dessertwijn bij de bruidstaart.

Uit één krat (12 flessen) Champagne haal je ongeveer 70 tot 75 glazen, dus voor alleen een toast heb je één krat per 75 gasten nodig. Voor het cocktailuurtje heb je ongeveer anderhalve krat per 100 gasten nodig. In sommige champagneflûtes gaat minder dan je zou denken, waardoor je ongeveer 80 glazen uit een krat haalt.

Laat Champagne nadat die bezorgd is (en dus een hotsende rit) een paar uur rusten voordat je de flessen opent. Verwijder de ijzerdraadjes om de kurk pas wanneer je de fles gaat openen, behalve als je het leuk vindt als de kurken er spontaan afvliegen. Gebruik nooit een kurkentrekker, want daarmee komt het koolzuur veel te plotseling en krachtig vrij. De juiste manier om een fles Champagne te openen is door de kurk zachtjes uit de flessenhals te duwen, zonder knal. Als je het niet erg vindt als er wat van de inhoud verloren gaat en je wilt een mooie knal, geef dan een harde ruk aan de kurk. Richt in ieder geval niet op omstanders, jezelf of andere levende wezens, want zo'n kurk kan hard aankomen.

# Proost!

Vroeger was het toasten op een huwelijk onderworpen aan vaste regels. Eerst toastte de getuige, dan de bruidegom die zijn ouders en schoonouders bedankte. Vervolgens kon de bruid een toast doen, gevolgd door haar ouders (eerst de moeder), de ouders van de bruidegom en als laatste eventueel de andere gasten. Tegenwoordig laten stellen de eer van de eerste toast vaak over aan de vader of moeder van de bruid. Een welkomsttoast is meestal kort, waarna er later op de avond een iets langere toespraak kan worden gehouden.

Wanneer je de eerste toast houdt, hangt af van het soort receptie. Als je een maaltijd serveert, wacht dan tot iedereen zit en een drankje heeft. Je hoeft niet per se Champagne te schenken voor een eerste toast. Bij een staande receptie kun je beginnen met toasten wanneer iedereen is voorzien van een drankje.

Toasten stroomlijn je als volgt:

- **Stel een ceremoniemeester aan.** Zoek iemand die slim en verstandig is en die in staat is om mensen van hun praatstoel te trekken. Het kan ook geen kwaad als diegene een behoorlijk stemvolume heeft, zodat je zeker weet dat iedereen het hoort. Je kunt ook zelf opstaan en iedereen die een toast wil uitbrengen, aankondigen.

- **Kies de sprekers zorgvuldig uit.** We raden je zelfs aan een beetje vals te spelen. Met andere woorden: iemand kan geweldig goed spreken voor een publiek maar is eigenlijk niet een heel naast familielid. Een stiefkind of zwager vragen een toast uit te brengen, kan de toekomstige banden extra versterken.

- **Geef de sprekers de tijd.** Van tevoren, dan. Zodat ze zich kunnen voorbereiden en hun toespraakje amusant kunnen maken.

- **Houd het kort.** Een toast die langer dan drie of vier minuten duurt, is een redevoering en hoort niet op een bruiloftsfeest.

- **Zet zelf de toon.** Laat mensen geen grappen of anekdotes vertellen die voor niemand behalve jullie te begrijpen zijn.

- **Leen woorden van een ander.** Ben je zelf niet zo goed in speechen, zoek dan op internet naar een toast die je aanspreekt en die bij je past. Oefen die zodat je je op je gemak voelt. Je hebt al genoeg andere dingen om je zenuwachtig over te maken.

- **Geef de spreker een microfoon.** Het kan zo gênant zijn als de vader van de bruid een emotionele toast uitbrengt en zijn tranen droogt terwijl de andere gasten elkaar aanstoten en vragen: 'Wat zei hij nou?'
- **Bepaal een maximum aantal sprekers.** Al bestaat je hele familie uit redenaars, meer dan acht toasts is toch wat veel. Familie en vrienden kunnen zich er nog wel mee vermaken, maar aan de andere tafels zullen mensen in slaap vallen.

Een draadloze microfoon is een pracht van een uitvinding. De meeste mensen voelen zich meer op hun gemak als ze iets in hun handen hebben. Laat degene die de spreker introduceert hem de microfoon overhandigen en snel uitleggen hoe hij werkt. De spreker moet altijd een glas water binnen handbereik hebben.

Volgens de officiële regels moet tijdens een toast iedereen gaan staan, behalve degene die de toast in ontvangst neemt. Op bruiloften kan veel getoast worden, wat zou betekenen dat al je gasten telkens moeten opspringen zodra iemand een microfoon ter hand neemt. Wij vinden dat belachelijk. Volgens de traditie is op jezelf drinken *not done*, net als voor jezelf applaudisseren. Je hoort dus geen slok te nemen als iemand op je proost. De uitzondering hierop is de Champagne-toast tijdens het aansnijden van de bruidstaart, maar volgens ons vindt niemand het erg als je het ook op andere momenten doet.

# Hoofdstuk 12

# Dé taart

***In dit hoofdstuk:***

- Je droomtaart
- De taart uitstallen
- In de taart en de kosten snijden

Sinds de oudheid worden taarten geassocieerd met overgangsrituelen, en is de bruidstaart een krachtig symbool. De bruidstaart is de belichaming van huwelijksthema's: vruchtbaarheid, samengaan en de hoop op een gelukkig leven. Het is een belangrijk onderdeel van de eerste maaltijd als man en vrouw, en veel gasten zien uit naar het aansnijden van de bruidstaart.

Tot niet zo lang geleden zagen alle bruidstaarten er hetzelfde uit en moest je onmiddellijk naar een tandarts als je er een hap van durfde te nemen. Dat is niet meer het geval.

De moderne bruidstaart is een decoratief hoogstandje dat er prachtig uitziet en fantastisch smaakt. Het uitzoeken ervan verdient dus evenveel aandacht als andere belangrijke onderdelen van je huwelijksdag.

Er zijn tegenwoordig talloze ontwerpen voor taarten verkrijgbaar, vooral nu kunstenaars die eigenlijk met andere materialen werkten, zich nu ook op eetbare kunststukken richten. Een bruidstaart hoeft niet langer rond te zijn en uit drie lagen te bestaan. Sommige bakkers creëren kunstwerken die in een galerie niet zouden misstaan.

## Laat de bakker maar schuiven

Een prachtige bruidstaart kan schrikbarend duur zijn, maar er zijn goedkopere en toch aantrekkelijke alternatieven.

### Een bakker zoeken

Als je tante Marietje een banketbakker van wereldformaat is en aanbiedt om haar meesterwerk voor je te maken, dan ben je klaar. Maar als dat niet zo is, zul je op zoek moeten gaan naar een taart. Of eigenlijk naar een bakker. Je kunt daarbij eigenlijk dezelfde methoden hanteren als bij het zoeken naar een goede cateraar (zie hoofdstuk 10). Op internet vind je door het intypen van `bruidstaart` in een zoekmachine al honderden voorbeelden.

Valt je keuze op een andere bakker dan die waarmee de feestlocatie vaste afspraken mee heeft, reken er dan op dat er per persoon extra aansnijdkosten in rekening gebracht worden. Dit kan behoorlijk duur worden.

Je hoeft je bruidstaart niet per se bij de cateraar te bestellen, zeker niet als je een kunstwerk in gedachten hebt dat hij gewoon niet kan maken. Als de taart al is inbegrepen in de kosten van het diner, krijg je meestal geen korting als je de taart zelf meebrengt.

Probeer een idee te krijgen van de sterke en zwakke punten van een bakkerij. Als je een bakkerij kiest omdat je vaker bij haar bestelt, kijk dan eens naar haar portfolio. Een bakkerij die zichzelf niet aanprijst als specialist in bruidstaarten, kan best in staat zijn een prachtige creatie voor je te maken.

Wacht niet te lang met het bestellen van een bruidstaart. Als je in de buurt geen bakkerij kunt vinden die je dit project toevertrouwt, kun je de taart ook vanuit een andere plaats laten bezorgen. Veel bakkers en banketbakkers die je vindt in tijdschriften, versturen hun taarten door het hele land, compleet met instructies over het bewaren en plaatsen ervan. Sommige banketbakkers hebben eigen internetsites waarop ze hun mooiste werken laten zien.

Je kunt ook een eenvoudige basistaart bij een bakker bestellen en die zelf versieren met echte bloemen, suikerbloemen, pastilles en andere decoraties. Zo presenteer je voor een informele bruiloft toch een geheel eigen creatie. Een andere optie is om niet de taart, maar de taarttafel prachtig te versieren. Drapeer er een mooi kleed overheen, leg daarop bloemen of bloemblaadjes, of zet de taart op een antieke schaal (zie de paragraaf 'Taart in de etalage: gelieve niet te kwijlen' verderop in dit hoofdstuk).

Verzamel foto's uit tijdschriften voor je een bakker bezoekt. Foto's van je locatie, je jurk of de bloemen zijn ook handig. Bestel telkens wanneer je uit eten gaat een stuk taart na de maaltijd zodat je verschillende smaken hebt geproefd. (We begrijpen dat dit niet zal meevallen, maar probeer je er toch maar doorheen te slaan.)

## In laagjes, graag

Een gelaagde taart kan gestapeld of gescheiden zijn. De lagen van een gestapelde taart worden op elkaar gezet, en bij een gescheiden taart worden de lagen van elkaar gescheiden door decoratieve elementen zoals Griekse zuilen. Een gescheiden taart van drie lagen is dus hoger dan een gestapelde taart van drie lagen.

Aan het fragiele uiterlijk van een gescheiden taart zie je niet wat voor constructie er nodig is om de taart overeind te houden. De verschillende lagen moeten behoorlijk worden versterkt, omdat een taart best zwaar kan zijn. Als je bakker eigenlijk geen ervaring heeft met dit soort gelaagde taarten, kan het gebeuren dat de bovenste laag van je taart plotseling de onderste laag wordt.

Nog iets om over te brainstormen: wat moet er bovenop de taart? Vroeger was het makkelijk, want daarvoor was er de plastic bruid en bruidegom. Maar tegenwoordig kan alles. Met een foto kan een marsepeinartiest figuurtjes maken van jullie tijdens het skiën of in een cabrio. Bruiden en bruidegoms zijn er tegenwoordig ook met een tintje, en bovendien zijn combinaties van bruid/bruid en bruidegom/bruidegom ook mogelijk. Daarnaast zijn er honderd en één verschillende objecten die als klapstuk bovenop een taart kunnen worden geplaatst om hem een geheel eigen tintje te geven.

Plaats een kleinere versie van je bruidsboeket bovenop de taart.

Een traditionele bakker staat erop dat alles op een bruidstaart eetbaar moet zijn. Daarom houden sommige puriteinen ook niet van echte bloemen op een taart. Maar een kransje van echte bloemen bovenop de taart is niet duur, mooi om te zien en gemakkelijk te verwijderen. Gebruik wel bloemen zonder pesticiden. Andere opties zijn eetbare viooltjes of rozenblaadjes, eetbare bloemen zoals Indische kers. Goedkoper dan handgemaakte bloemen, zijn de kant-en-klare bloemen van glazuur of suikerwerk die bij bakkersgroothandels verkrijgbaar zijn.

## Confectieselectie

Het soort taart en de vulling worden alleen maar beperkt door je eigen fantasie en de vakkundigheid van de bakker. Tegenwoordig ligt de nadruk op de smaak: een worteltjestaart met roomkaas, een hazelnootschuimtaart met pure chocolade of een pindataart met witte chocoladeglazuur.

Als je naast de bruidstaart nog een ander dessert wilt serveren, stem de smaken dan op elkaar af. Verse bessen met slagroom passen prima bij een bruidstaart met een luchtige citroenvulling. Een chocoladebombe is te overdadig bij een bruidstaart met chocolademousse. Houd ook rekening met het seizoen; zware taarten met veel chocolade zijn geschikter wanneer het buiten koud is, en in lente en zomer zijn bessen- of citrussmaken erg gewild.

## Feitjes over glazuur en vulling

Wanneer je de textuur, vorm en smaak van je taart bepaalt, is een beetje verstand van glazuur en vullingen geen overbodige luxe. Het maakt in ieder geval je communicatie met de bakker eenvoudiger.

- **Botercrème.** Wordt gebruikt om te glazuren en te vullen en bestaat uit echte boter, suiker en eieren. De kleur is ivoor tot lichtgeel, afhankelijk van het aantal eieren, de kleur van de boter en of er eiwit wordt gebruikt. Wordt ook gebruikt voor het maken van realistisch uitziende bloemen. Kan goed worden gemengd met likeur of andere smaakstoffen.
- **Pastilles.** Decoratieve balletjes van goud en zilver, gemaakt van gekristalliseerde suiker.
- **Bladgoud en -zilver.** Kan in kleine hoeveelheden prachtig staan op een geglazuurde taart. Een taart voorzien van eetbaar goud en zilver is een arbeidsintensieve en dus dure klus, maar het staat prachtig op gekleurde bloemen, bladeren en voor een art deco-uitstraling.
- **Fondant.** Een soort glazuur die ofwel vloeibaar over kleine taartjes en petitfours wordt gegoten, of wordt uitgerold met een deegroller en om de taart gedrapeerd. De gladde, fluwelige structuur vormt een perfecte ondergrond voor decoraties. Het koelen van fondant is niet alleen overbodig, maar ook onverstandig; er komen dan kleine 'zweetdruppeltjes' op te liggen.
- **Marsepein.** Gemalen amandelpasta die net als fondant kan worden uitgerold en over de taart gedrapeerd of als basis voor de vulling tussen de lagen kan worden gebruikt. Kan ook met de hand worden gevormd tot zeer realistische decoraties.
- **Couverturechocolade.** Lijkt een beetje op een pasta, al wordt het niet keihard. De melk- of pure chocolade kan worden uitgerold als fondant om een hele taart mee te bedekken, of een taart met chocoladebloemen of andere grappige effecten te creëren.
- **Pastillage, suikerdeeg of gompasta.** Wordt gebruikt voor het handmatig vormen van prachtige en natuurlijk uitziende bloemen compleet met stempel en meeldraden. Hoewel ze volgens zeggen eetbaar zijn, raden we je niet aan dat te doen, behalve als je diamanten tanden hebt.
- **Getrokken suiker.** Suikerstroop die tot linten of bloemen wordt gevormd.
- **Garneerglazuur.** Eiwit geslagen met poedersuiker en citroensap en vervolgens gevormd tot decoratieve elementen – kant, tralies of rozenknopjes. Heel zoet. Hardt snel uit.
- **Gesponnen suiker.** Draden van gecaramelliseerde suiker worden over een taart of dessert gedrapeerd om een magische, gouden sluier te vormen. Je kunt gesponnen suiker niet in de koelkast zetten en het blijft niet al te lang goed, dus is het niet geschikt op een taart die enkele uren tentoongesteld staat.
- **Slagroom.** De grote favoriet als vulling of deklaag. Moet gekoeld worden.

## Het formaat doet er wél toe

Voor de variatie kun je elke laag van de taart in een andere smaak laten maken. Eddie Murphy en zijn bruid Nicole Mitchell hadden een taart van anderhalve meter hoog met een gewicht van 180 kilo. Over de taart lag een waterval van honderden pastelkleurige suikerbloemen. De gele laag van de taart was gevuld met verse aardbeien, verse bananen en slagroom, de chocoladelaag was gevuld met een mokkamousse. Er was ook een laag worteltjestaart met roomkaasvulling en nog een gele laag met citroenmousse en verse bessen – de gasten mochten kiezen.

Aan het andere einde van het spectrum vinden we kleinere taarten – eenpersoonstaartjes dus – die je net zo schattig of elegant kunt maken als je wilt. Je ziet steeds vaker dat ze worden gemaakt met een chocoladelaag waarop met de computer een logo, monogram of ander ontwerp wordt aangebracht. Denk eens aan de volgende eenpersoonstaartjes:

- **Muffins.** Meerdere lagen van afzonderlijke muffins, elk afzonderlijk versierd, worden op afzonderlijke lagen geplaatst en geven zo een indruk van een lagentaart.
- **Meeneemtaartjes.** Elke gast krijgt een eenpersoonstaartje als dessert en/of in een doosje mee naar huis.
- **Tafeltaarten.** Elke tafel krijgt een eigen kleine bruidstaart, die ze zelf kunnen aansnijden voor het dessert. Je kunt op elke tafel een andere smaak taart zetten, zodat er ook wordt gedeeld tussen de tafels onderling.

## In de taart en de kosten snijden

Een taartpunt kan qua prijs variëren tussen de vier en de vijftien euro, al kunnen heel extravagante taarten nog wel meer kosten. Houd bij het bepalen van de grootte van de taart niet alleen rekening met het aantal gasten. Denk ook aan hoe de taart in de ruimte tot zijn recht komt, het aantal gangen van je diner (als je dat serveert), en of de taart het enige dessert is of niet.

Hoe kleiner je bruidstaart, hoe duurder (naar verhouding).

Als je een grote trouwreceptie wilt houden maar de kosten voor een enorme bruidstaart niet ziet zitten, kun je een kleinere bruidstaart bestellen en een reservetaart die in de keuken wordt voorgesneden en ook van daaruit wordt geserveerd. Vraag wel of het keukenpersoneel nette punten afsnijdt, zodat je foefje niet direct opvalt.

Voor een zeer grote ruimte maar een niet zo lange gastenlijst, kun je de taart een half keer zo groot bestellen, zodat het taartje niet wegvalt in de ruimte.

# Twee harten, twee taarten

Soms kiest een stel voor twee taarten – een voor hem en een voor haar. De bruidstaart is de hoofdtaart, en de taart van de bruidegom is een verrassing van de bruid voor haar bruidegom. De taart is meestal ludiek bedoeld en heeft een aparte vorm zoals een voetbal, een dokterstas of een reuzenhamburger.

Als je denkt over een bepaald ontwerp voor je bruidstaart maar je vindt dat eigenlijk toch net iets te uitbundig, dan zou je dat ontwerp voor de bruidegomstaart kunnen gebruiken.

De bruidegomstaart kan tegelijk met de bruidstaart worden geserveerd, of verpakt in doosjes die de gasten mee naar huis kunnen nemen, of deel uitmaken van een dessertbuffet.

# Taart in de etalage: gelieve niet te kwijlen

De bruidstaart wordt meestal al vanaf het begin van de receptie tentoongesteld, dus kies een glazuur en vulling die daar tegen kunnen. Richt ook een spotje op de taarttafel (zie hoofdstuk 13 voor tips over verlichting). Zet de taart uit de buurt van de dansvloer, zodat die niet bij de eerste uitbundige dans op het hoofd van je schoonmoeder landt. Houd de temperatuur in de gaten, zodat de taart er niet uitziet als een creatie van Salvador Dali als je hem wilt aansnijden.

De basis van de taart bepaalt de omtrek van de taarttafel. Op een enorme ronde tafel ziet zelfs de prachtigste taart er piepklein uit. Zorg dat de tafel stevig is en op wielen staat, of licht genoeg is zodat twee man hem met taart en al kunnen dragen. Wanneer je de tafel uitgebreid wilt versieren, bind er dan wat linten omheen (zoals om een cadeautje, zie figuur 12.1). Nadat het tafelkleed eroverheen is gelegd, kun je klimop, bloemen en dergelijke met veiligheidsspelden aan de linten onder het tafelkleed vastmaken. Gebruik meerdere lagen tafelkleed of tule om het tafelkleed meer volume te geven.

Vraag de bakkerij op wat voor soort schaal de taart wordt geleverd. Sommige bakkerijen zetten de taart op een zilveren schaal, anderen gebruiken eenvoudig een stuk bakkerskarton dat je dus moet camoufleren. Overigens wordt voor het gebruik van een schaal nog weleens een borgbedrag gevraagd, zodat de bakker zeker weet dat hij zijn schaal weer terugkrijgt. De borg kan wel oplopen tot meer dan honderd euro (dat is dus de moeite waard).

Figuur 12.1: Zorg dat je taarttafel stevig is en dat hij in verhouding is met de taart die er op moet komen te staan

*Knoop een stel linten rond de tafel zodat je bloemen, klimop of linten met veiligheidsspelden kunt vastzetten nadat het tafelkleed erop ligt*

Laat de taart ten minste twee uur voor de receptie bezorgen. Vaak wordt een gelaagde taart niet in één stuk geleverd, maar door de bezorger ter plaatse in elkaar gezet. Vraag dit overigens wel even na, zodat je niet zit met een doos taartonderdelen die op het laatste moment in de keuken van je locatie in elkaar moeten worden gezet.

# De taart aansnijden

Vroeger was het aansnijden van de bruidstaart zo'n anticlimax, dat pasgetrouwde stellen het moment gebruikten om hun frustratie en spanning van de dag op elkaar af te reageren; met taart in elkaars gezicht. Deze charmante traditie lijkt gelukkig achter ons te liggen, en het aansnijden van de taart is nu meer een sentimenteel moment.

Traditioneel symboliseert het eerste stukje bruidstaart de eerste echte maaltijd die jullie als man en vrouw delen. Het aansnijden van een taart werd vroeger ook gebruikt om aan te kondigen dat het feest voorbij was. Na de taart gingen de bruid en bruidegom zich omkleden en vertrokken ze op huwelijksreis.

Zet in je schema voor de huwelijksdag (zie hoofdstuk 6) met vette letters: 'Hele band moet klaar staan om te gaan spelen na het aansnijden van de taart.' Veel bands vinden dit moment namelijk prima geschikt om een pauze in te lassen. Maar het tegenovergestelde is waar: als er nu een stilte valt, lijkt het alsof het feest voorbij is.

De bruidegom legt zijn rechterhand over de rechterhand van de bruid. Zij houdt het mes vast, en samen snijden ze een stukje van de taart af.

Traditioneel geeft de bruidegom zijn bruid de eerste hap; een klein hapje dat makkelijk door te slikken is met een beetje champagne. Dan geeft zij hem een hapje. Eventueel kun je vervolgens je ouders en schoonouders het eerste stukje taart aanreiken.

Snijd de taart aan, eet er wat van, laat het bordje staan en richt je weer op andere zaken. Na de foto's kan de taart mee naar de keuken worden genomen om daar in porties te worden verdeeld.

Traditioneel werd de bovenste laag van de taart niet opgegeten maar een jaar lang door het nieuwe echtpaar bewaard. Dat zou geluk brengen. Na een jaar kon de taart worden weggegooid (iets anders zou je er ook niet meer mee willen doen). Wil je dit ook, neem dan voorzorgsmaatregelen. Laat de bovenste laag goed inpakken en in de vriezer bewaren, en vraag iemand om met gezwinde spoed het transport naar de vriezer bij jullie thuis te verzorgen.

# Hoofdstuk 13

# Het leven is een schouwtoneel

*In dit hoofdstuk:*

- De plattegrond uitwerken
- Hulp inhuren
- De ruimte aankleden: wanden, tafels en verlichting
- Een tent versieren
- Themahuwelijken
- Bedankjes

Jullie weten nauwelijks het verschil tussen een servet en een tafellaken, maar toch hebben jullie je overgeleverd aan het Vliegende Fuifnummer, een beroemd bruiloftsdecorateur. Een paar uur later weten jullie dat een tafelrok geen kledingstuk is, dat een dekschaal niet noodzakelijk op een boot thuishoort en dat een partystring geen ondergoed is; het is Decoriaans.

Rustig maar. Dit wordt leuk. Verdiep je in je locatie en de elementen daarvan die wel wat aankleding kunnen gebruiken. Verzamel ideeën en tips, leer de basisregels voor decoratie (zie hoofdstuk 4 voor meer tips over het beoordelen van een locatie) en verfijn je eigen visie. Dan kom je goed beslagen ten ijs voor je gaat praten met een ontwerper of verhuurbedrijf.

## Bezint eer ge begint

Het idee dat jullie hebben over de perfecte huwelijksdag is inmiddels vast al vele malen veranderd. Maar hou je vast: je hebt nog niets gezien. Denk ook hieraan:

- **Vraag een plattegrond** (zoals in figuur 13.1) van de receptieruimte waarop de plaats van de tafels (voor het geschatte aantal gasten), de dansvloer, bars, buffettafels, vaste elementen zoals pilaren, de keuken en andere elementen staan die invloed kunnen hebben op de indeling.

- **Probeer verschillende bloemisten uit.** Koop (of liever nog, bestel) in de periode voor jullie huwelijk telkens ergens anders bloemen, zodat je kunt beoordelen hoe en wat wordt geleverd. Kijk op www.fleurop.nl/be voor bloemisten die in Nederland en België bezorgen. Zie hoofdstuk 8 voor meer informatie over bloemen.
- **Verzamel stofmonsters, foto's, artikelen,** en andere dingen die je kunnen helpen beschrijven wat je in gedachten hebt. Het doorbladeren van tijdschriften is slechts het begin. Kijk ook in interieur- en kooktijdschriften, kunstboeken en naar klassieke films. Je weet nooit waar je je inspiratie vindt. Als je een etalage ziet die je bijzonder aanspreekt, vraag dan in de winkel wie de etalage heeft ontworpen en of hij/zij ook weleens andere evenementen decoreert.
- **Houd een lijstje 'Niet op *míjn* trouwdag' bij** waarop je bijvoorbeeld bloemen zet die je verschrikkelijk vindt, of kleuren die je wilt vermijden.
- **Vraag inbreng van de cateraar.** Probeer echter wel het verschil te zien tussen iemands mening en een feit. Hij of zij heeft misschien eerder op die locatie gewerkt en weet wat wel en niet werkt, maar schroom niet om zelf suggesties te doen of vragen te stellen.

Een van de valkuilen bij het plannen van een huwelijk is onvoldoende communicatie met de locatie over de aankleding. Geef al vroeg in het proces aan wat je zelf wilt. Denk bijvoorbeeld aan:

- Welke dingen kun je niet veranderen? Is het plafond bijvoorbeeld zó laag, dat het ophangen van ballonnen onmogelijk is, welke kleur hebben de beschikbare stoelen?
- Hoeveel tijd hebben ze nodig voor het inrichten en weer opruimen?
- Is er nog een ander evenement voor of na jullie feest?
- Zijn er beperkingen voor het ophangen van versiering? Sommige locaties hebben liever niet dat lampjes of slingers met nietpistolen aan de wand worden bevestigd.
- Zijn er beperkingen voor attributen, extra verlichting, kaarsen of draperieën?
- Hebben ze een lijst van aanbevolen en/of voorgeschreven bloemisten?
- Waar komen de bars, de buffettafels en de dansvloer?
- Wat zijn goede plekken voor de tafels?

- Kunnen elementen in de ruimte die je niet mooi vindt worden verwijderd? Denk hierbij aan opgezette dierenkoppen, een joekel van een jukebox of 'kunstwerken'.
- Werken eventuele fonteinen en open haarden?
- Als er opknapwerk beloofd is (schilderen, reinigen enzovoort) beloofd is, wanneer wordt dat dan uitgevoerd?
- Staan er nog meer werkzaamheden op stapel voor jullie huwelijk?
- Zijn er delen van de ruimte die niet mogen worden gedecoreerd?
- Wordt de ruimte omgebouwd tussen de ceremonie en de receptie? Hoe lang duurt dat? (Zie hoofdstuk 4 voor meer informatie over het ombouwen van ruimten.)
- Is er airconditioning, en heeft die voldoende capaciteit?

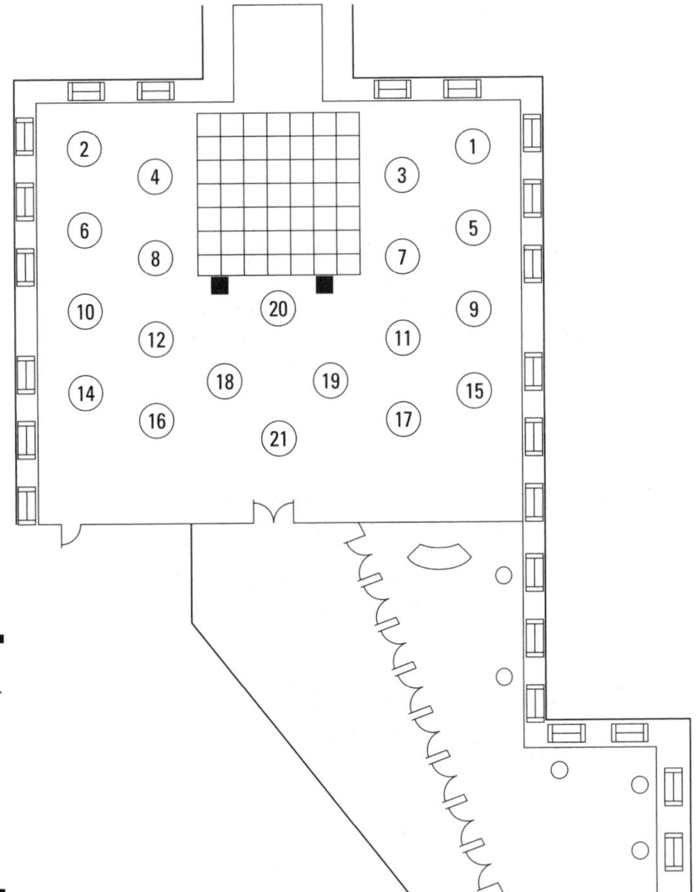


**Figuur 13.1:** Een eenvoudige plattegrond helpt bij het visualiseren en ontwerpen van je receptie

# Reis door de ruimte

Denk na bij elk element van de ruimte waar een beetje decoratie nuttig zou zijn. Hier geven we je wat ideeën en oplossingen voor dilemma's waar je voor kunt komen te staan.

## Komt u binnen

De eerste indruk is belangrijk, dus maak van de entree iets bijzonders met:

- Een bloemenboog.
- Een stel grote potten met bloesemtakken aan weerszijden van de deur.
- Een welkomstbord in de vorm van een sportmedaille, een middeleeuwse perkamentrol met gouden letters (vooral als de locatie zelf zo'n zwart bord met van die witte insteeklettertjes heeft).
- Obers die de gasten bij binnenkomst met drankjes opwachten.

### De oprit

Al voor de ingang kun je zorgen voor een feestelijke sfeer, en dat hoeft niet eens zoveel te kosten. Zet bijvoorbeeld een rijtje waxinelichtjes in zakjes (met een laagje zand onderin zodat ze niet wegwaaien) langs het pad. Tuinfakkels zorgen voor een opvallende entree, en ze zijn niet duur. Overdag kun je gebruikmaken van planten in potten, ballonnen of reclameachtige borden langs de oprit of het voetpad.

### De cadeautafel

Cadeaus stal je uit op tafel, maar wanneer gasten komen met een envelop (met geld), laat die dan op een veilige plaats bewaren.

Cadeaus en enveloppen hoor je overigens niet tijdens de receptie te openen. Dat doe je thuis, na het feest.

# Drie keer in de rondte: plafonds, vloeren en wanden

Bekijk het eens van een afstandje. Welke delen van de ruimte schreeuwen om hulp of moeten worden gecamoufleerd? Wat heeft potentieel en moet juist worden geaccentueerd? Kun je leven met die saaie plafondtegels, of zul je wat moeten schuiven met je budget om daar iets aan te doen? Heeft de ruimte een prachtig architectonisch element – een hoog plafond, een gebogen trap, een fontein? Je kunt de hele ruimte omturnen door de wanden, het plafond en de rest te bedekken met stof, maar als dat allemaal nodig is, waarom heb je die ruimte dan gekozen?

Niet alles weegt even zwaar. Een neutrale wand en zelfs een behangetje met een werkje vallen op een ander moment van de dag misschien helemaal niet op. Zijn de wanden opvallend versierd, laat dat dan zo. Wellicht vind je het knaloranje tapijt op de grond afschuwelijk, maar zie dat 's avonds bij de receptie, wanneer het licht gedimd is en er overal tafels staan, nauwelijks meer. Als je budget het toelaat, kun je echter met draperieën de hele ruimte transformeren.

Draperieën, tafellinnen en andere decoratiematerialen moeten brandveilig zijn. Zelfs tijdens de meest chique evenementen wil de inspectie nog weleens komen kijken, en dan loop je de kans dat alles direct moet worden verwijderd. Denk er ook aan dat het verboden is de bordjes voor nooduitgangen of de aanwezige brandblusapparatuur te verbloemen.

Grote planten zoals ficussen en palmbomen kunnen voor betrekkelijk weinig geld worden gehuurd bij een kwekerij, en doen prima dienst als decoratie-element. Soms worden ook grote, bloeiende planten verhuurd.

## Verlichting

Mensen realiseren zich vaak niet hoe bepalend de verlichting is voor de sfeer. Een paar gedimde lampen maken het verschil. De verlichting moet niet zo sterk gedimd zijn dat de obers een mijnwerkershelm nodig hebben, maar ook niet zo fel dat jurken met lovertjes spontaan in brand vliegen. Een spotje op strategische plaatsen kan iets prachtig doen uitkomen, en het dimmen van de verlichting voor de eerste dans zorgt voor een mystieke, spannende sfeer.

Bezoek de locatie ook op het tijdstip waarop je je receptie gaat houden. Zelfs voor een receptie in de middag, waarbij extra verlichting vaak zonde van het geld is, is het lichtniveau belangrijk. Vraag bijvoorbeeld:

- Komt er veel zonlicht binnen, zodat de zonwering omlaag moet?
- Is er zonwering?
- Is het licht op een ander moment van de dag beter?
- Hoe valt de zon binnen op bepaalde momenten van de dag?
- Zitten er dimmers op de verlichting?
- Mag/kun je zelf extra verlichting aanbrengen?

Het inhuren van een professionele lichtleverancier lijkt extravagant – en dat is het eigenlijk ook – maar met creatieve verlichting kan een ruimte spectaculair worden veranderd. Een mooi verlichte pot met takken lijkt niet alleen groter, maar zorgt voor een prachtig spel van schaduwen op de wand en lijkt daardoor meer op een bos. Denk maar eens aan restaurants en huizen waar je je prettig voelt. Goeie kans dat hem dat vooral in de verlichting zit.

Hier volgt een aantal lichttermen:

- **Omgevingslicht of diffuus licht.** De hoofdverlichting van de ruimte, van natuurlijke of kunstmatige bronnen. Dit licht moet zacht en flatterend zijn. Gebruik accentverlichting om bepaalde elementen meer aandacht te geven.
- **Partystrings of knipperlichtjes.** Slierten kleine lampjes, zoals kerstverlichting. Kunnen achter doorschijnende stoffen, langs trapleuningen of in planten worden gehangen voor een magisch effect. Ook niet duur maar wel leuk: slierten lampjes die als regen van het plafond omlaaghangen.
- **Gobo's.** Sjablonen die over een lamp worden geplaatst en waarmee vormen zoals de maan, sterren, sneeuwvlokken of muzieknoten op de muur, dansvloer of het plafond worden geprojecteerd.
- **Spotjes.** Smalle lichtstralen die je kunt richten op belangrijke elementen zoals de taart.
- **Up-lights en down-lights.** Ook wel 'lichtblikken' genoemd. Deze worden vaak geverfd zodat ze bij de rest van de decoratie passen, en worden gebruikt om licht omhoog van onder een boom of omlaag op een altaar te richten. Wat je tegenwoordig veel ziet, is dat up-lights met batterijvoeding onder een plexiglastafel worden gezet om een mooie gloed te creëren.
- **Filters.** Kleuren die over een groot oppervlak schijnen om een dansvloer of bar in een andere kleur te baden.
- **Intelli-beams.** Deze intelligente verlichting wordt bestuurd door een computer, zodat er ingewikkelde patronen en kleuren mee kunnen worden gecreëerd.

Je kunt de nadruk van een element wegnemen zonder dat het je een cent kost, door een paar tl-buizen in de toiletruimte te verwijderen of hier en daar wat peertjes uit te draaien. Heb je toch een beetje verlichting nodig, dan kun je bestaande peertjes ook vervangen door zogenaamde flamelampjes (die zijn wat oranjeachtig van kleur en geven een zacht licht).

## Attributen

Je kunt dingen die je zelf bezit in je ontwerp opnemen, zoals een mooie kan, zilveren schalen, kandelaars en vazen. Antiekwinkels willen ook nog weleens bepaalde niet al te dure artikelen verhuren. Attributen zijn bovendien een belangrijk onderdeel van themahuwelijken (zie elders in dit hoofdstuk).

# Cocktailreceptie

Het geheim van een levendig feestje is je gasten steeds te verrassen en vermaken. Probeer dus niet al te voorspelbaar te zijn, ook niet met de decoratie. Wanneer je een romantisch en formeel diner houdt, kan de receptieruimte ludiek of modern zijn.

Logistieke overwegingen:

- Zet bars en buffettafels verspreid door de ruimte, niet allemaal bij elkaar.
- Bars moeten zichtbaar zijn, maar niet in de buurt van de ingang staan. Dat zorgt voor opstoppingen.
- Zet geen bars of buffetten in de buurt van de dansvloer of de luidsprekers.
- Zet in een kleinere ruimte geen tafels met de lange kant tegen de muur.

## Cocktailtafels

Bij een cocktailreceptie gebruik je kleine tafels, die plaats bieden aan niet meer dan vier personen. Zorg dat ongeveer eenderde van je gasten kan zitten. Zo blijft de boel in beweging. Als je meer zitplaatsen regelt, maar toch niet voor iedereen, denkt men misschien dat je een rekenfoutje hebt gemaakt. Je kunt ook kiezen voor statafels. Het is leuk om zit- en statafels te combineren.

## Geleidekaartjes

Een geleidekaartje is niet hetzelfde als een plaatskaartje. Als je een diner serveert aan meerdere tafels, zien de gasten op het geleidekaartje aan welke tafel ze moeten gaan zitten. Op de tafel zelf staan de plaatskaartjes. Zet geleidekaartjes op een duidelijk zichtbare plaats, of hang ze op aan takken. Wijs ook iemand aan die een gastenlijst heeft met de tafelindeling, zodat iedereen hoe dan ook zijn plaats vindt.

Laat het gastenboek niet ergens bij de ingang liggen, maar laat het rondgaan tijdens de receptie. Je kunt een standaardgastenboek bij een fotowinkel kopen, maar er ook zelf één ontwerpen. Een leuk alternatief voor een traditioneel gastenboek met alleen namen en groeten, is een digitale of polaroidcamera gebruiken. De digitale foto's kun je eventueel meteen afdrukken, de gasten er iets bij laten schrijven en in hoesjes stoppen, en op de witte rand van een polaroid is net voldoende plaats voor een spontane groet of gelukwens. De polaroids stop je later, eventueel samen met ontvangen ansichtkaarten of briefjes in een map.

### Bars

Je kunt een buffettafel inrichten als bar, of misschien zijn er op de locatie verrijdbare bars aanwezig. Voorkom opstoppingen bij deuren door de bar voldoende ver in de ruimte te zetten zodat iedereen (ook obers met dienbladen) er gemakkelijk langs kan. Met een tafelrok verstop je de poten of het onderstel van bars en tafels (zie hoofdstuk 11 voor meer informatie over de bar).

Superspectaculair is een bar van ijs, gemaakt door een ijskunstenaar. Iets minder extravagant en kostbaar zijn ijssculpturen bovenop de bar, waarin tevens dranken kunnen worden gekoeld. Maak de sculpturen echter niet te groot; het barpersoneel heeft ook wat ruimte nodig om te werken.

## Dineropstelling

Zelfs al moet je meer tafels plaatsen dan er eigenlijk in een ruimte passen, probeer dan toch de looppaden een beetje redelijk te houden.

Stel buffettafels op zodat mensen er goed bij kunnen zonder dat ze op iemands stoel hoeven te gaan staan. Zie hoofdstuk 10 voor meer over de indeling van buffetten.

Geef een of twee obers een kopie van de tafelindeling en wijs ze aan om het verkeer te regelen. Anders loopt tante Marietje nog steeds naar haar tafel te zoeken wanneer jullie al op huwelijksreis zijn.

### Eettafels

Door tafels met verschillende vormen en grootten te gebruiken, lijkt een grote ruimte met veel tafels minder op een zorginstelling.

Bij ronde tafels is de beste oplossing om zo'n acht tot tien gasten per tafel te hebben. Het is echter bijna onmogelijk om aan elke tafel hetzelfde aantal gasten te plaatsen.

## Wijs mensen hun plaats

Plaatskaartjes zijn natuurlijk optioneel; misschien krijg je een groep gasten die elkaar allemaal aardig vinden en heb je ze helemaal niet nodig. Een tafelindeling kan handig zijn om te zorgen dat er niet dertig man aan één tafel gaat zitten, terwijl je twee oude schoolvrienden met hun tweeën aan een tafeltje ergens in een hoek terechtkomen.

In de volgende afbeelding zie je een voorbeeld van een tafelindeling. Gebruik een groot stuk karton en teken daar de verschillende, genummerde tafels op. Pak vervolgens een pakketje zelfklevende notitievelletjes en schrijf daar de namen van de gasten op. Deze kun je nu op je overzicht plakken en net zolang schuiven tot je tevreden bent. Je ouders willen bijvoorbeeld graag bij jullie in de buurt zitten, en twee tantes die ruzie hebben kun je een flink eind uit elkaar zetten.

Zorg dat je indeling ongeveer een week voor de bruiloft klaar is, zodat je er een officiële tafelindeling van kunt maken.

*Tafelindeling*

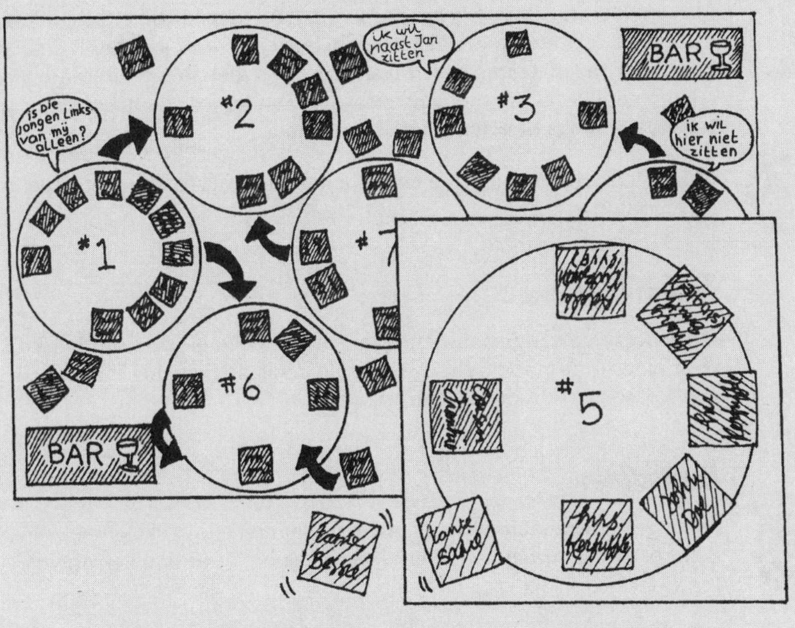


Houd het aantal gasten per tafel wel een beetje in balans. Zet niet twee tafels met zeven mensen, drie tafels van tien mensen en twee tafels met vier mensen neer. Degenen aan de kleinere tafels voelen zich dan achtergesteld.

## Hoofdtafel

De tafel waaraan jullie zelf zitten, wordt de hoofdtafel genoemd. De plaats van deze tafel is belangrijk, want iedereen wil jullie kunnen zien. Je kunt twee dingen doen:

- Zet beide ouders, grootouders of mensen met wie je een hechte band hebt bij jullie aan tafel. De overige gasten verspreid je strategisch over de ruimte, zodat aan elke tafel ten minste één vertegenwoordiger van jullie naaste familie zit.
- Geef de ouders hun eigen tafel met vrienden, en plaats de getuigen en hun aanhang aan je eigen tafel. Traditioneel zit de bruid rechts van haar man, en worden alle tafels ingedeeld volgens man-vrouw-man-vrouw enzovoort.

Als er tussen bepaalde mensen wrijving is, denk dan niet dat je dat kunt oplossen door ze juist bij elkaar te zetten. Dit is geen normaal diner, en je zult zelf constant worden afgeleid. Ben je dapper genoeg om strijdende familieleden bij elkaar te zetten en het ze zelf uit te laten vechten?

Als je niemand wilt voortrekken en niet kunt kiezen wie er bij jullie aan de hoofdtafel moet komen zitten, kun je kiezen voor een tafeltje voor twee voor jou en je partner. Wij zijn hier zelf niet zo'n voorstander van, maar eigenlijk zal het niet veel uitmaken omdat je tijdens het diner toch regelmatig langs de andere tafels zult gaan.

Laat iedereen aan een grote tafel plaatsnemen als je weinig gasten hebt uitgenodigd.

## Taarttafel

Plaats deze op een prominente plaats in de eetzaal (zie hoofdstuk 12 voor meer informatie over de taarttafel). Als de taart het aanzien meer dan waard is, richt er dan een spotje op.

## Dansvloer

Een ingebouwde dansvloer maakt het plannen een stuk gemakkelijker. Is die er niet en moet je er eentje laten leggen, huur dan een stevige houten vloer.

## Podium

Geef de band een eigen plek door een verhoogd podium te laten plaatsen. Vraag de band eerst hoe groot het podium moet zijn, en dek eventuele open ruimte tussen de vloer en het podium af.

Luidsprekers zijn moeilijk te camoufleren zonder dat dit het geluid beïnvloedt. Mengpanelen zijn groot en lelijk; daar doe je niets aan. Zet ze dus op een discrete tafel met een kleed dat past bij de rest van de aankleding.

## Stoelen

Hotels en restaurants besteden vaak veel geld aan hun stoelen, zodat die passen bij de inrichting van hun zalen. Als je stoelen moet bijhuren, kun je vaak kiezen uit honderden verschillende soorten. Vind je de stoelen die op de locatie aanwezig zijn afschuwelijk, huur dan een complete set andere stoelen. Een mooi lint of bloemen om de stoel van de bruid en de bruidegom voegt een beetje romantiek toe.

## Tafelaankleding

Met alleen een bloemstukje op een tafel ben je er niet. Het aanzien van de tafel, vooral als er meerdere in een ruimte staan, is heel sfeerbepalend. Pas nadat iedereen zit, hebben ze de tijd om de kleur van de servetten en de plaatsing van de wijnglazen te bewonderen.

Laat iemand voor het diner even langs de tafels lopen om te controleren of overal het juiste aantal stoelen en couverts staat, of de glazen schoon zijn, de kaarsen aangestoken enzovoort.

### Tafelkleden

Alles wat je maar kunt bedenken, kun je huren, en bij tafelkleden is dat niet anders. Het doorsnee, witte tafelkleed dat je veel in restaurants ziet, kan prima als onderkleed dienen. Elk tafelkleed kan er feestelijk uitzien als je een beetje creatief bent met een naaimachine. Deze ideeën zijn misschien niet uitvoerbaar bij alle tafels, maar bijvoorbeeld wel voor de taarttafel:

- een dikke satijnen rand om een vierkante tafel;
- sjabloonfiguren;
- gedrapeerde tafelkleden (zie figuur 13.2);
- franjes of kwastjes;
- een effen onderkleed met een transparant bovenkleed;
- een tafelkleed met opgelijmde bladeren;
- een mengeling van patronen, bijvoorbeeld een bloemetjeskleed over een gestreept onderkleed;
- bijzondere kleden zoals van antieke kant of oude sjaals;

- bovenkleden van organza of fluweel;
- damasten of brokaten tafellopers;
- elke tafel met een kleed in een iets andere tint, zodat je bijvoorbeeld een verloop van blauwtinten in de ruimte krijgt;
- vierkante kleden met op de hoeken een bloem, een kwastje of een ring vastgezet.

**Tabel 13.1: Welk formaat vierkant tafelkleed?**

| *Lengte rechthoekige tafel* | *Lengte vierkant bovenkleed (punt tot punt)* |
|---|---|
| 320 cm | 228 cm |
| 300 cm | 213 cm |
| 255 cm | 180 cm |
| 215 cm | 152 cm |
| 190 cm | 135 cm |
| 160 cm | 110 cm |

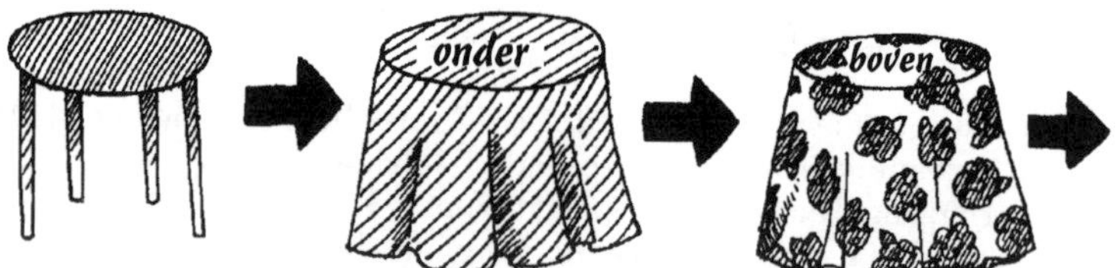


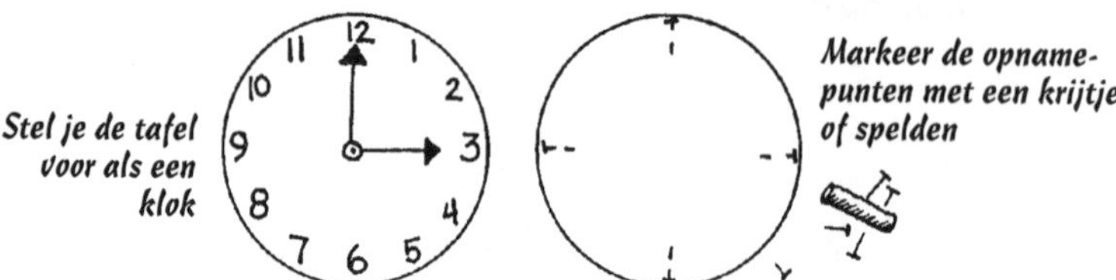


**Figuur 13.2:** Maak je eigen tafelkleeddrapering

Er is iets aan tafelpoten wat de aandacht afleidt van alle andere mooie dingen in een ruimte. Probeer dus altijd tafelkleden tot op de vloer te gebruiken. Tel voor rechthoekige kleden 152 cm op bij de breedte en lengte van een tafel, dan hangt het kleed tot op de vloer. Zie tabel 13.2 voor de berekening bij ronde tafels.

**Tabel 13.2: Welk formaat rond tafelkleed?**

| *Tafeldoorsnede* | *Rond kleed tot op de vloer* |
|---|---|
| 182 cm | 335 cm |
| 165 cm | 320 cm |
| 150 cm | 300 cm |
| 135 cm | 285 cm |
| 120 cm | 270 cm |
| 90 cm | 240 cm |

Om het geluid van schalen op een houten tafel wat te dempen, kun je een onderlaag tussen het linnen en de tafel leggen.

## Servetten

Servetten vormen een subtiel onderdeel van de aankleding. Je kunt ze op het bord leggen of ernaast. Wanneer er een laag bloemstuk op tafel staat, staan gevouwen servetten in glazen niet zo mooi.

Als je servetten huurt, zorg dan voor voldoende reserveservetten voor de obers en om vuile servetten te kunnen vervangen. Bij een cocktailreceptie heb je drie servetten per persoon nodig.

Het is goedkoper om zelf servetten op te rollen en samen te binden met een lintje of stukje raffia. In dat geval zul je de servetten een paar dagen van tevoren moeten ophalen. Zie figuur 13.3 en 13.4 voor wat creatieve servetideeën.

Gesteven linnen servetten voor een cocktailreceptie zien er mooi uit, maar zijn niet goedkoop. Neem in plaats daarvan papieren servetten met een mooi motiefje of bestel servetten met monogram.

Gebruik cocktailservetten, die zijn iets kleiner dan de gewone papieren servetten.

## Kaarsen

Kaarsen spreken aan en zijn populairder dan ooit. Daarom kun je ze tegenwoordig in de meest uiteenlopende kleuren en vormen kopen.

Hoge kaarsen kunnen gaan walmen en spetteren als het tocht in de ruimte. Als je niet zeker weet of en waar je kaarsen moet gebruiken, vraag dan na bij de locatie wat hun ervaringen zijn. Bedenk ook een strategie voor wanneer kaarsen opgebrand zijn. Laat iemand de kaarsen vervangen, of laat de ruimteverlichting wat helderder zetten. En gebruik nooit geurkaarsen op een dinertafel!

Figuur 13.3: Als je servetten op deze manier vouwt, kun je er gemakkelijk een plaatskaartje, soepstengel of bloem tussen steken

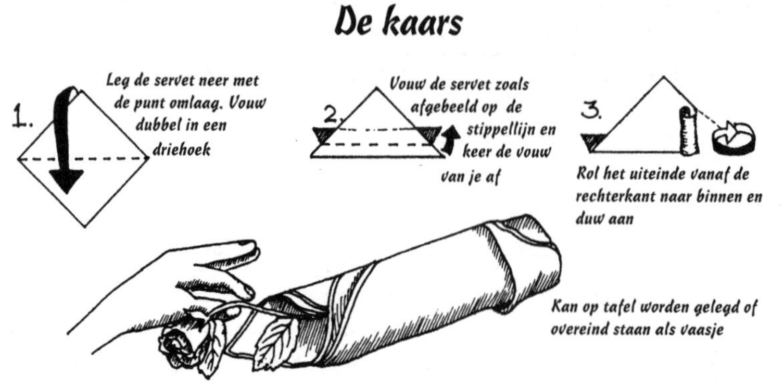

De kaars
1.
Leg de servet neer met de punt omlaag. Vouw dubbel in een driehoek
2.
Vouw de servet zoals afgebeeld op de stippellijn en keer de vouw van je af
3.
Rol het uiteinde vanaf de rechterkant naar binnen en duw aan
Kan op tafel worden gelegd of overeind staan als vaasje

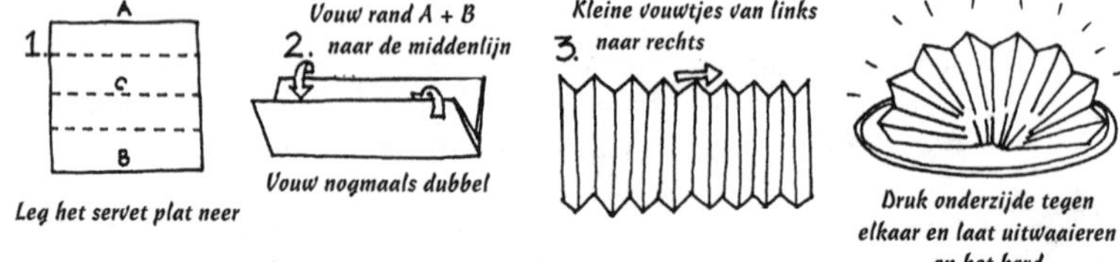

Figuur 13.4: Deze waaier heb je zó onder de knie

De waaier
1.
A
C
B
Leg het servet plat neer
2.
Vouw rand A + B naar de middenlijn
Vouw nogmaals dubbel
3.
Kleine vouwtjes van links naar rechts
Druk onderzijde tegen elkaar en laat uitwaaieren op het bord

Sommige locaties willen niet dat je gewone kaarsen gebruikt vanuit het oogpunt van brandgevaar. Gebruik in dat geval ‘stormlampen’ of waxinelichthoudertjes.

Dit zijn romantische kaarsideeën:

- dikke kaarsen van verschillende grootte bij elkaar;
- handgemaakte spiraalvormige kaarsen;
- drijfkaarsen in schalen met rozenblaadjes;
- hoge kaarsen in mooie kandelaars of grote bloemstukken;
- geurkaarsen in de toiletruimte (maar niet bij het eten);
- kaarsen op een spiegel;
- kaarsen in groepen tussen bloemenkransen;
- tafellampjes (met waxinelichtjes) met kraaltjes of zilveren kapjes.

## Servies, bestek, glazen enzovoort

Vaak kun je in hotels en restaurants niet kiezen welk servies en bestek je wilt. Vraag wat voor onderborden ze gebruiken. Als die afschuwelijk zijn, zeg ze dan het onderbord achterwege te laten en bij elke zitplaats een servet te leggen.

Wanneer je servies, bestek en glazen moet huren, heb je keus in overvloed. Niet duur zijn zwaar, wit porselein, licht tafelzilver en dikke glazen. Er zijn verschillende aantrekkelijkere opties te krijgen voor verschillende prijzen. Zoals je kunt zien in figuur 13.5 kan het huren van materialen voor een maaltijd met vijf gangen behoorlijk aantikken.

Dit zijn tafelattributen die zowel praktisch als mooi kunnen zijn:

- een eigen zout- en peperstel voor elke gast;
- botervormpjes op citroenblaadjes;
- zilveren tangetjes voor suikerklontjes;
- glazen met gekleurde stelen;
- metalen of met steentjes versierde servetringen;
- opleggertje voor mes, lepel of eetstokjes.

Als je vlees serveert, zorg dan voor scherpe messen. Normale bestekmessen hebben vaak geen kartelrandje, wat resulteert in driftige zaagbewegingen en wiebelende tafels.

## Tafelnummers

Zorg dat tafelnummers goed leesbaar zijn, maar maak ze ook niet overdreven groot. Denk eens aan de volgende manieren om standaard houdertjes voor tafelnummers te gebruiken:

- druk versierde lijstjes;
- een blad met een opgeschilderd tafelnummer dat uit het bloemstuk steekt;
- verschillende bloemen of attributen op de tafel waardoor je gasten kunt toewijzen aan de 'rozentafel' of de 'tangotafel' in plaats van tafel nummer 4.

Tafelnummers moeten bij aanvang van het diner van tafel worden verwijderd. Meestal staat een eettafel al vol genoeg, en bovendien heb je ze niet meer nodig als iedereen eenmaal zijn plaats heeft gevonden.

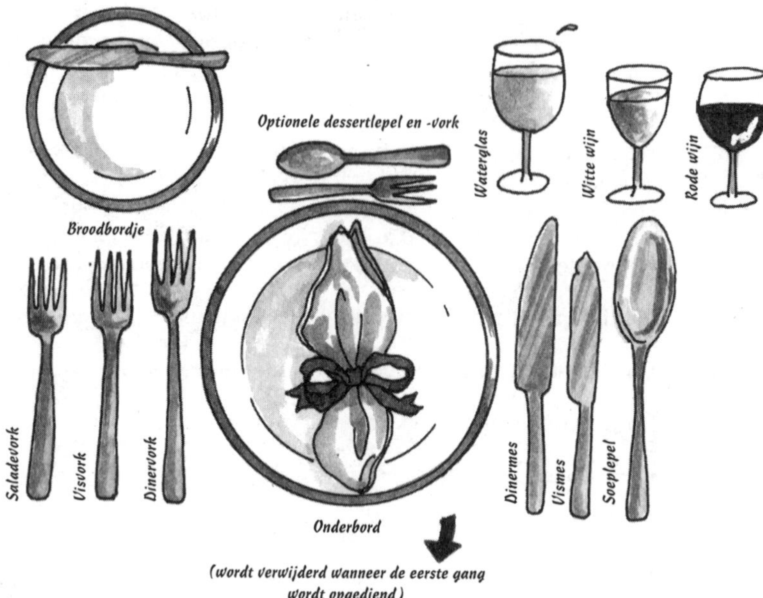


**Figuur 13.5:** Zorg dat iedereen de juiste borden, glazen en bestek heeft voor de maaltijd

Geef de tafels aan de ene kant een even nummer, en aan de andere kant een oneven nummer. Dit maakt het zoeken naar tafels, ook voor de obers die gasten begeleiden, een stuk eenvoudiger. Voor de grap (of omdat je echt bijgelovig bent) sla je tafelnummer 13 over.

## Plaatskaartjes

Met plaatskaartjes weet iedereen zijn plaats te vinden. Het indelen van tafelnummers is al moeilijk genoeg, maar de plaatsing van de gasten per tafel kan voor nog meer hoofdbrekens zorgen. Gasten waarderen het overigens vaak wel dat je hebt nagedacht over degene waar ze een paar uur naast moeten zitten.

Vroeger waren plaatskaartjes een must, in de jaren zestig en zeventig van de vorige eeuw raakten ze uit de mode, en nu zijn ze eigenlijk weer terug. Gelukkig hoeft het allemaal niet meer zo formeel. Voornamen en zelfs bijnamen op de plaatskaartjes zijn handige hulpjes zodat mensen weten hoe ze elkaar moeten aanspreken.

Schrijf namen aan beide kanten van de plaatskaartjes, zodat andere gasten ze ook kunnen lezen.

### Menu ontwerpen

Een mooi gedrukt of gekalligrafeerd menu is een mooi aandenken. Hier volgen wat tips voor een bijzonder menu:

- Zet jullie namen of een monogram, de huwelijksdatum en plaats bovenaan het menu.
- Zet de wijnsoort links van elke gang, maar alleen als die interessant genoeg (en dan bedoelen we niet dat hij duur moet zijn) is om te noemen.
- Gebruik kleurrijke termen.
- Gebruik het menu meteen als plaatskaartje door de naam van de gast bovenaan te zetten.

## Menu's

Een mooi menukaartje hoeft niet duur te zijn. Je kunt het zelf op de computer ontwerpen en laten drukken of bij een copyshop op mooi papier laten kopiëren. Veel kantoorboekhandels verkopen prachtig gedecoreerd papier dat speciaal is gemaakt voor laserprinters.

Als je je diner in een restaurant houdt waar men zelf het menu op een laserprinter afdrukt, zijn ze misschien bereid jullie trouwdagmenu ook af te drukken. Je kunt per persoon een menu neerleggen, maar twee tot vier per tafel is ook voldoende. Wanneer je verschillende buffettafels hebt, zijn menu's erg handig. Je voorkomt dat mensen na het diner roepen: 'Ach, ik heb helemaal niet gezien dat er erwtensoep stond!'

# Toiletten

Vooral vrouwen vinden een mandje met snuisterijen in de toiletruimte schitterend. Je kunt er van alles in gooien, van haarlak tot pepermuntjes tot extra panty's in allerlei maten. Als een toiletruimte saai is, neem dan zelf wat gastendoekjes, geurkaarsen en zeepjes mee om de boel wat op te leuken.

# Doorgangsruimten

Je hoeft gangen, entrees en tussenruimten niet vol te zetten met prachtige bloemen, maar zorg wel dat ze eruitzien alsof ze erbij horen. Voor een paar euro zet je er wat mooie kaarsen neer, bedek je een extra tafel met tule, of schuif je wat planten bij elkaar met een lap stof eromheen.

# Een 'intentse' ervaring

Het is droevig wanneer mensen een pracht van een tent huren, maar vervolgens geen geld meer over hebben om die te decoreren. Is het huren van de tent zó duur dat je er nog geen dennentak in kunt hangen, kies dan alsjeblieft een andere locatie.

Dit zijn belangrijke overwegingen bij het decoreren van een tent:

- **Stroken.** Hang brede stroken stof op om een deel van het plafond te camoufleren.
- **Stofbekleding.** Je kunt stofbekledingen voor wanden en plafonds huren bij de tentleverancier, maar die zijn vaak behoorlijk prijzig.
- **Vloer.** Vloerbedekking dempt schelle geluiden. Zie ook hoofdstuk 4 voor tentvloeren.
- **Verlichting.** Opties zijn bijvoorbeeld kroonluchters, partystrings, railsystemen, discobollen, koetslampen of grote Chinese lantaarns.
- **Buitenverlichting.** Om de nadruk te leggen op mooie vijvers of bomen en om gasten de weg te wijzen naar toiletten.
- **Palen.** Afhankelijk van de grootte van de tent, kunnen de palen wel 12 meter hoog zijn. Houd bij het indelen van een tent rekening met palen die het zicht belemmeren. Palen zijn van metaal en niet om aan te zien, dus zul je ze moeten bedekken. Je kunt ze verven, omwikkelen met bloemenslingers, papier of stof. Wikkel een goedkope stof om de paal en plak er bladeren op voor een grappig effect, of gebruik maïsbladeren bij een boerenbruiloft.
- **Vensters.** Tentvensters bestaan uit helder plastic, ondoorzichtig plastic of stof, afhankelijk van het seizoen.

Zorg ook in een tent voor voldoende brandveiligheid en blusmiddelen.

# Touwtrekken om thema's

Zelfs stellen die een themabruiloft een leuk idee vinden, gaan doorgaans niet voor een volledig doorgetrokken thema. Een circusthema, waarbij je maaltijd in de circusring wordt opgediend door clowns, is eigenlijk ook meer iets voor een kinderfeestje. Themabruiloften kunnen kostbaar en ingewikkeld zijn en verwarrend voor de gasten. Zijn jullie echter helemaal weg van *The Lion King*, maak er dan gerust je thema van; het is júllie bruiloft. Houd wel een beetje rekening met je gasten. Als je vader de hele avond in een harnas moet rondlopen (en dansen) is dat wel veel gevraagd.

Een thema kan bestaan uit zo ongeveer alles wat weerspiegelt wie jullie zijn, wat voor hobby's jullie hebben of waar jullie van houden. Zelfs op de meest romantische bruiloft is plaats voor thematische elementen. Je kunt bijvoorbeeld de herfst als thema nemen en de ruimte aankleden met herfstbladen en pompoenen. Niemand zal zich daar ongemakkelijk bij voelen. Als bedankje kun je dan iedereen bijvoorbeeld een potje boerenjam meegeven,. Trek echter de grens bij balen hooi en een hooivork midden op de dansvloer.

Als je het thema helemaal wilt doorvoeren, is de locatie het allerbelangrijkste. Kies een locatie die al past bij je thema, of kies je thema op basis van de locatie. Een tent is bijvoorbeeld een goede locatie voor een Marokkaans thema, en een zolderverdieping leent zich goed voor een artistiek thema. Doorgaans zijn de subtiele thema's echter het meest succesvol.

Hier geven we je wat ideeën voor aankleding, attributen, voedsel en entertainment voor een themabruiloft.

- **Country en western.** Serveer spareribs, kip, steak, koolsla, bonen en maïskolven. Na het eten laat je een westernband optreden en krijgen de mensen linedance-lessen. Pas je kleding aan en draag een grote cowboyhoed en laarzen (de bruid ook). Huur een stel hooiwagens. Trouw in een schuur.

  Cactussen voor op het buffet kun je trouwens gemakkelijk maken van een watermeloen waar je aan één kant een stuk afsnijdt. Zet ze in een terracottapot en steek er houten prikkers in.

- **Feestdagen.** Valentijnsdag, Kerst, Halloween en oud en nieuw kunnen de basis zijn voor een spectaculaire themabruiloft. De mogelijkheden voor decoratie zijn eindeloos. Zoals we in hoofdstuk 1 al vertelden, kleven hier echter ook nadelen aan. Sommige mensen brengen feestdagen liever door in hun eigen kring, en de kosten kunnen behoorlijk oplopen. Aan de andere kant zijn sommige ruimten al versierd, dus dat scheelt dan weer.

- **New Age.** Stuur een uitnodiging op dromerig, transparant papier en in zweverige bewoordingen – Vier samen met ons en moeder Natuur... Huur waarzeggers en handlezers in. Draai New Age-muziek op momenten tijdens de receptie (niet de hele avond, dan worden je gasten gek). Steek véél kaarsen aan, leg kleden met sterren over de tafels, geef je gasten als bedankje een fluwelen zakje met een kristal en een zin uit een boek zoals de I Ching.

- **Renaissance.** Sluiers en puntige hoofddeksels, katoenen tafellakens bedekt met fluwelen tafellopers in mooie kleuren. Geef oude boeken, bloempotten en manden met een spuitbus een gouden kleur. Zet wat fluitisten, mandoline- en harpspelers neer en probeer iemand te vinden die je gasten oude dansen kan leren.

- **Victoriaans.** Een volledig Victoriaans thema houdt in dat de bruidegom gekleed gaat in een pandjesjas, compleet met hoge hoed, handschoenen en wandelstok. De bruid zal speciaal een bijpassende jurk moeten laten maken, of er eentje zien te vinden op sites zoals eBay.

In de Victoriaanse tijd waren bloemen enorm populair en was de betekenis van elke bloem belangrijk. Geef elke tafel de naam van een bloem en zet er een bijpassend bloemstuk op. Rozen staan voor liefde, rozemarijn staat voor herinnering, klimop voor trouw. Maak een klein boekje waarin de betekenis van alle bloemen wordt uitgelegd.

Sommige bloemen geven een boodschap die je liever niet op je bruiloft wilt uitdragen. Ridderspoor staat bijvoorbeeld voor hooghartigheid, afrikaantjes staan voor de 'lagere driften', lavendel voor wantrouwen en duizendblad voor oorlog.

# Dank u voor uw komst

Het is leuk om je gasten iets mee te geven wanneer ze vertrekken, maar het kan moeilijk zijn om het perfecte weggevertje te vinden. Vooral bij de in de handel verkrijgbare bruiloftsbedankjes is de grens tussen schattig en kitsch erg dun. Laatst nog zagen we een advertentie voor 'het perfecte bedankje' in een trouwtijdschrift – een luchtverfrisser met een afdruk van de huwelijksuitnodiging erop. Als je niets kunt verzinnen of vinden wat je gasten ook echt zullen bewaren tot ze in de auto zitten, laat het dan zitten; het is niet echt nodig. Maar met een beetje creativiteit kun je misschien toch iets vinden. Enkele suggesties:

- De traditionele bruidssuikers, maar dan in een creatieve verpakking (bijvoorbeeld in een blikje met een label dat tegelijk dienst doet als plaatskaartje).
- Droomkussentjes, een indiaans concept, met een handgeschreven briefje waarin je het gebruik ervan uitlegt (onder je kussen leggen om fijne dromen te hebben).
- Bij een bruiloft met bloementhema een plant in een pot, met instructies voor de verzorging.
- Kruidenplantjes zoals basilicum of tijm in een potje, met een kaartje waarop jullie favoriete recept staat.
- Miniatuurbruidstaartjes, groot genoeg als dessert voor twee, in een doosje met lint.
- Doosjes van suikerwerk met een paar bonbons erin.
- Een blik met zelfgemaakte koekjes in trouwvormpjes (taarten, bloemen, ringen).

## Meer, meer, meer!

Een rook- of bellenblaasmachine is niet alleen maar geschikt voor tienerfeestjes. Wij zijn ook erg gecharmeerd van foto's. Je kunt een cabine neerzetten zodat mensen zelf leuke foto's kunnen maken, maar ook een fotograaf inhuren die foto's van stellen maakt (laat de foto's nog tijdens het feest ontwikkelen en geef ieder stel een lijstje met hun eigen foto mee als aandenken). Huur dansleraren in die je gasten de tango leren of een diskjockey die je gasten trakteert op reuzenzonnebrillen, ringen en kettingen met knipperlichtjes of knaloranje hoeden.

- Zelfgemaakte jam of chutney met handgeschreven etiket.
- Een ingelijste foto van het stel om mee naar huis te nemen (zie hoofdstuk 16).
- Een boekje met liefdesgedichten of citaten, met een bladwijzer waarop jullie huwelijksdatum staat.
- Een stel handbeschilderde champagneflûtes.
- Een speciaal gebrande cd met jullie feestmuziek.

Sommige bedankjes geef je per twee. Eén champagneglas is nutteloos, en droevig bovendien.

Als je de bedankjes niet op tafel wilt zetten, kun je ze het beste overhandigen wanneer je gasten vertrekken. Leg de bedankjes in een mooie mand.

Wanneer je feest pas in de vroege uurtjes van de ochtend eindigt, kun je je gasten op weg sturen met iets bijzonders – een tasje met de ochtendeditie van de krant, kleine belegde broodjes, een stuk goede kaas of croissantjes en een potje jam.

# Deel V

# Cadeaus, kloffie, plaatjes en op reis

*'O, geweldig. Nóg een brein!'*

## In dit deel...

Laat je niet bedotten door deze cryptische titel. Hier volgt alles wat je ooit wilde weten maar niet durfde te vragen over een paar belangrijke huwelijksaspecten. We beginnen met een van de leukste: de cadeaus en de huwelijkslijst. Wat je kloffie betreft, gaan we het hebben over de bruidsjurk, kleding voor de bruidegom en de ringen. Met plaatjes bedoelen we de foto's en video's van je bruiloft. En dan gaan we op reis; op een welverdiende huwelijksreis dus.

# Hoofdstuk 14

# Inhaligheid, verwachtingen en lijsten

***In dit hoofdstuk:***

- Opstellen van een huwelijkslijst
- Vragen om bijzondere cadeaus
- Bedankbriefjes versturen
- Wat te doen met ongewenste cadeaus

Volgens zeggen heeft ene Christofle, een fabrikant van zilver, in 1856 de huwelijkslijst uitgevonden. Hij dacht dat bruiloftsgasten wel prijs zouden stellen op een beetje begeleiding bij het uitkiezen van een geschenk voor het gelukkige paar – of hij was het gewoon zat dat bruidsparen telkens weer spullen kwamen omruilen. Inmiddels weten veel winkels dat de trouwmarkt zeer winstgevend is, en dat de huwelijkslijst een goede manier is om loyale klanten te werven. Sommige winkels is dan ook geen moeite te veel; ze dirigeren je door de gangpaden met een barcodescanner, zodat je elk artikel dat je hartje begeert met één klik op je lijst kunt zetten.

Ondanks al dit technische vernuft en de pret die je kunt hebben, is het kiezen van je huwelijkscadeaus niet zonder emotionele lading. Plotseling moet je shoppen voor ónze spullen. Jullie zullen je smaak op elkaar moeten afstemmen, en dat kan best tegenvallen. Geloof je ons niet? Ga op een zaterdagmiddag maar eens naar de serviesafdeling van een warenhuis. Drie tegen één dat je stellen zult zien die elkaar van pure frustratie in de haren vliegen omdat ze nu moeten kiezen met welk servies ze de rest van hun leven zullen moeten eten.

Ondanks deze dilemma's is de huwelijkslijst een briljant idee. Het wapent je tegen grappig bedoelde maar nutteloze modegrillen en goed bedoelde maar ongelooflijk oubollige artikelen.

# Winkelpret

Geef jezelf voldoende tijd om cadeaus uit te zoeken, en meld je zo snel mogelijk bij de huwelijksservice van een warenhuis. Zelfs als je van plan bent je huwelijkslijst op internet te zetten, is het een goed idee om alles eerst met eigen ogen te bekijken. Maak een afspraak met de huwelijksservice; zij kunnen je ook helpen met tips over hoeveel van alles je nodig hebt. Je kunt dit overigens het beste doordeweeks doen, aangezien het dan wat minder druk is in de meeste warenhuizen.

Neem verschillende artikelen in diverse prijsklassen in je lijst op. Wees realistisch. Als je het duurste servies uitkiest wat er is, krijg je misschien alleen één theekopje en een juskom. Als jullie eigenlijk niets nodig hebben behalve een nieuwe stereo-installatie, laat de lijst dan zitten en vraag om een envelop.

Probeer je in te houden bij het kiezen van allerhande gratis buit. Of jullie nu pas beginnen, twee huishoudens moeten samenvoegen of eindelijk van die krat afwillen die dienst doet als salontafel, een huwelijkslijst moet je methodisch aanpakken. Maak een zorgvuldige inventaris van wat er nog ontbreekt in jullie huis en ga met die lijst op zak cadeaus selecteren.

Maak een afspraak bij een warenhuis. Trek gemakkelijke schoenen aan. Vraag aan de huwelijksservice:

- Hoe wordt de lijst bijgehouden? Digitaal of in een boekje dat ergens achter een balie ligt? Gebruiken andere vestigingen van de winkel dezelfde lijst? Hoe gemakkelijk hebben ze toegang tot jullie lijst?
- Wat is het privacybeleid van de winkel? Kunnen jullie bepalen wie jullie lijst kan zien, of is deze voor iedereen te bekijken?
- Hoe worden jullie persoonlijke gegevens gebruikt? Worden die doorverkocht? Krijg je vervolgens ladingen folders en spam?
- Wordt er een specifieke medewerker aangewezen die jullie lijst in de gaten houdt?
- Hoe lang duurt het voor de lijst klaar is en mensen kunnen gaan bestellen?
- Is er een gratis telefoonnummer beschikbaar? Bel dit nummer op een aantal verschillende momenten van de dag en kijk hoe je gasten te woord worden gestaan en of men snel wordt doorverbonden.
- Hoe snel wordt de lijst bijgewerkt wanneer iemand iets besteld heeft? Het beste is natuurlijk direct, zodat er geen cadeaus dubbel worden besteld. Houdt de winkel dit in de gaten?

- Hoe kun je artikelen aan je lijst toevoegen?
- Hoe lang blijft de lijst actief na de huwelijksdatum? (Tot een jaar is goed, aangezien gasten volgens de etiquette een jaar de tijd hebben om een cadeau te sturen.)
- Worden de artikelen op de huwelijksdag afgeleverd?
- Zijn hieraan extra kosten verbonden of maakt het onderdeel uit van de service?
- Hoe gaat de winkel om met artikelen die je wilt ruilen?

Maak aantekeningen wanneer je bepaalde artikelen ziet die je zou willen hebben. Loop op een later tijdstip nog eens met deze lijst door de winkel voor je die lijst indient.

Heb je al een bepaald servies maar is het onvolledig, dan kun je ook enkel de ontbrekende delen op je lijst zetten. Heeft de winkel waar je een huwelijkslijst wilt neerleggen dit servies niet, kijk dan eens op www.replacements.com. Daar hebben ze ontelbare, separaat verkrijgbare delen van serviezen die ook internationaal worden verstuurd.

Vraag of de winkel je korting geeft wanneer je zelf de resterende artikelen op je huwelijkslijst koopt nadat de lijst is gesloten.

# Het warenhuis voorbij

Het is moeilijk om één winkel te vinden waar je alles kunt kopen wat jullie samen nog nodig hebben. Je kunt natuurlijk ook meerdere lijsten aanleggen, bijvoorbeeld een bij een woonwarenhuis en een bij een huishoudwinkel of bij een bouwmarkt voor tuinartikelen. Er zijn steeds meer winkels die een huwelijksservice aanbieden.

Dit zijn alternatieve cadeaus:

- **Liefdadigheid.** Hebben jullie echt álles al? Laat de gasten dit dan weten door op de uitnodiging te vermelden dat jullie liever hebben dat ze een bedrag overmaken naar een door jullie uitgekozen goed doel, en vermeld het gironummer.
- **Hobby.** Hebben jullie alles al of maakt het jullie niet uit of je servies compleet is? Denk dan eens aan sportartikelen, wijn of muziek. Informeer eens bij speciaalzaken of reisbureaus.
- **Doe-het-zelf.** Echt niet alleen voor mannen, want tot deze categorie behoren grasmaaiers, tuinsets, planten en al het andere dat je als nieuwe huisbezitter nodig zou kunnen hebben. Ga eens langs bij gereedschapszaken, grote bouwmarkten en tuincentra.

### Eenmaal is genoeg?

Als jij of je aanstaande al eens eerder getrouwd zijn geweest, of als jullie al jaren samenwonen, vind je de huwelijkslijst misschien niet nodig. Ga op je eigen instincten af. Mensen willen vaak toch iets geven en vinden een beetje begeleiding daarbij altijd handig. Overigens raden we je af een huwelijkslijst aan te leggen wanneer je vorige huwelijk van zeer korte duur was. Als je echtgenoten verslijt zoals andere mensen koffiefilters verslijten, zou je je kunnen registreren voor huwelijkstherapie.

- **Diensten.** Wat dacht je van de sauna, een beautycentrum, restaurants en dergelijke?
- **Reizen.** Neem contact op met het reisbureau waar jullie je huwelijksreis boeken en vraag of het mogelijk is gasten een deel van de reis of bepaalde excursies en activiteiten ter plaatse te laten meebetalen.

# Surfen naar cadeaus

Steeds vaker bieden winkels de huwelijkslijst online aan, en dat heeft vele voordelen:

- Je kunt je vanuit je eigen huis aanmelden (al willen sommige winkels dat je eerst een afspraak bij hen maakt).
- Gasten kunnen vanuit hun eigen woonplaats artikelen uitzoeken bij jullie favoriete winkel.
- Je kunt op elk gewenst moment vanaf je eigen computer de status van je lijst inzien of deze wijzigen.
- Je gasten kunnen foto's van de artikelen, beschikbaarheid en prijzen op hun scherm zien.

# Hinten en hopen

Nadat je een huwelijkslijst bij een winkel hebt neergelegd, moet je jezelf eraan herinneren dat je je enkel nog maar geregistreerd hebt – de spullen zijn nog niet van jullie. Probeer de verleiding te weerstaan iedereen steeds aan je huwelijkslijst te herinneren.

### Poen, poen, poen, poen

In sommige culturen is het gebruikelijk om geld te geven bij een bruiloft:

- Een Nigeriaans gebruik is het om de bruid tijdens de receptie te overladen met geld. Ze draagt een speciaal versierd geldbuideltje, waar de gasten hun enveloppen instoppen.
- De ouders van Japanse bruidegoms bieden de ouders van de bruid een som geld aan (ongeveer drie maanden salaris van de bruidegom) in een speciale envelop. De envelop, die de *shugi-bukero* wordt genoemd, wordt versierd met geknoopte gouden en zilveren draden die volgens de legende onmogelijk open te maken zijn. Het bedrag en de naam van de gever worden op de achterzijde genoteerd.
- Chinese bruiden bieden hun schoonouders een rituele theeceremonie aan en krijgen dan een rode geluksenvelop met geld, een *hung boa*.
- Bij een Poolse bruiloft speld je geld op de jurk van de bruid als je met haar wilt dansen.

# Wat we écht willen? Nou, het rijmt op speld ...

Er zijn mensen die het nog steeds niet gepast vinden om simpelweg om geld te vragen, maar het is nu eenmaal zo dat sommige stellen alles al hebben. Daarom is de 'kadotip: *' inmiddels heel gewoon geworden.

# Cadeaus bijhouden

Schrijf op welk cadeau je van wie krijgt. Doe dit liefst direct. Houd ook bij of je iemand een bedankbriefje hebt gestuurd.

Bewaar de paperassen die je bij de cadeaus krijgt. Dit is niet alleen nuttig bij wijze van garantie of ruilbon, maar ook wanneer de winkel per ongeluk twee keer hetzelfde cadeau opstuurt.

Het uitstallen van de cadeaus is in sommige culturen vast onderdeel van een huwelijksdag. Stel eventuele cadeaus op een aparte tafel op, maar laat geen enveloppen met geld rondslingeren. Laat die ergens veilig bewaren.

# Bedankbriefjes

Mensen kunnen je cadeaus sturen vanaf het moment dat jullie je verloving aankondigen, tot zelfs een jaar na jullie huwelijk. Zelfs al zijn jullie met hele andere dingen bezig, zorg wel dat jullie tijdig een bedankbriefje sturen.

Natuurlijk hoeft een bedankbriefje niet dezelfde dag de deur uit, maar het is wel zo netjes dat binnen een maand te doen. Houd rekening met wie het cadeau gegeven heeft; je neurotische tante Marietje wil vast erg graag weten of haar vaas ongeschonden is gearriveerd.

In een lief bedankbriefje zeg je iets over het cadeau en hoe mooi je het vindt. Je kunt ook iets zeggen over hoe fijn je het vond dat men op je trouwdag aanwezig was. Voorbeeld:

> Lieve tante Marietje en oom Hendrik,
>
> Heel hartelijk bedankt voor de prachtige handbeschilderde vaas die jullie hebben gestuurd. Hij staat al te pronken op onze schoorsteenmantel. We vonden het erg fijn dat jullie helemaal vanuit Boerenkoolstronkeradeel naar onze bruiloft zijn gekomen!
>
> Groeten,
>
> Krista en Ed

Wil je iemand een bedankbriefje sturen nadat je van hen geld hebt gekregen, noem dan niet het bedrag. Noem het 'jullie cadeau' of 'jullie gulle bijdrage'. Je kunt wél aangeven waarvoor je het geld wilt gaan gebruiken (het zal zeker van pas komen voor de inrichting van ons nieuwe huis).

Houd een bedankbriefje kort, aardig en eenvoudig. Stuurt iemand je al voor de bruiloft een cadeau, voel je dan niet verplicht diegene uit te nodigen als je dat eigenlijk niet van plan was.

We zijn er groot voorstander van om zo veel mogelijk acties uit te besteden, maar dit geldt niet voor bedankbriefjes. Die schrijf je zelf. Met de hand. Zo snel mogelijk.

Denk ook eens aan een bedankbriefje voor de kapper, cateraar, fotograaf, bloemist enzovoort. Leveranciers kunnen deze referenties weer voor hun toekomstige zaken gebruiken en stellen ze vaak erg op prijs.

## Monogrammen

Vroeger, voor de dagen van de huwelijkslijst, waren vrouwen jaren bezig met het borduren van kussens en lakens voor de bruidskist van hun dochters. Wanneer het meisje zich ging verloven, begon de pret pas echt. Op dat moment werd haar *trousseau* (Frans voor bundel, hetgeen het meisje meenam naar het huis van haar echtgenoot) aangevuld met kanten lingerie en voldoende nieuwe kleren voor het aankomende jaar. Met wat geluk zaten er ook wat pannen bij.

Tegenwoordig is een bruidskist nogal een ouderwets ding (hoewel: wie slaat een hele nieuwe garderobe af?) Als je hele uitzet al compleet is, zou je nog wel kunnen overwegen die van monogrammen te voorzien. Waar plaats je die?

- **Kristal.** Waar je wilt, maar meestal in het midden.
- **Bestek.** Op het uiteinde van het handvat of op de achterzijde.
- **Servetten.** Diagonaal in een hoek of op een rechte vouw.
- **Kussenslopen.** In het midden, vijf centimeter boven de zoom.
- **Lakens.** In het midden, zodat het monogram zichtbaar is wanneer de bovenkant van het laken omlaag gevouwen wordt.
- **Tafelkleden.** Bij een langwerpig tafelkleed in het midden van de lange kanten, op een vierkant tafelkleed in een hoek.
- **Handdoeken.** In het midden van een uiteinde, zodat het monogram zichtbaar is wanneer de handdoek in de lengte wordt opgevouwen en aan een handdoekenrek hangt.

Welke initialen moet je voor het monogram gebruiken? Vroeger gebruikten bruiden de initiaal van hun meisjesnaam op hun drukwerk, en een combinatie van hun meisjesnaam en de naam van hun echtgenoot op hun linnen (omdat dat in theorie naar hun dochters zou gaan). Lydia Scooter die met Michel Blip ging trouwen, kon dus LB of LBS (waarbij de B het grootst is). Andere artikelen werden voorzien van de initiaal van de naam van de echtgenoot. Eigenlijk kun je elke combinatie van initialen kiezen, door elkaar of naast elkaar of met een symbool wat jullie zelf hebben gekozen.

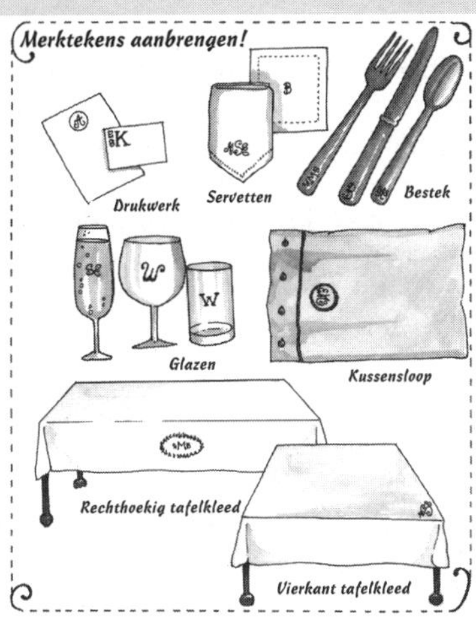

## Probleempresentjes

Sommige cadeaus komen nooit aan. Een paar weken nadat de winkel of een bekende heeft laten weten dat er een cadeau onderweg is, besef je dat er iets is misgegaan. Bel eerst naar de winkel. Stel dan de gever op de hoogte, want die vraagt zich inmiddels misschien af of je het cadeau afschuwelijk vond.

Komt een cadeau beschadigd aan, breng het dan terug naar de winkel (dit moet geen probleem zijn bij een goede winkel). Als de gever het cadeau zelf heeft verstuurd, controleer dan de verpakking. Als de afzender het cadeau verzekerd had, kan hij actie nemen.

## Retour aan gever: het huwelijk is afgelast

De enige keer dat je cadeaus teruggeeft aan de gever, is wanneer het huwelijk wordt afgelast. Je hoeft geen uitvoerige uitleg te geven. Schrijf eenvoudig iets als: 'Dankjewel voor je mooie cadeau, maar onder de omstandigheden kunnen we het helaas niet aannemen.'

Als je het cadeau al gebruikt hebt, zul je een vervangend, nieuw exemplaar moeten kopen om terug te sturen. Je kunt natuurlijk wachten tot jullie echt getrouwd zijn voordat je ontvangen cadeaus gaat gebruiken, maar dat riekt volgens ons een beetje naar bijgeloof. Als je huwelijk wordt afgelast, heb je wel wat anders aan je hoofd dan dat je al op de lakens van tante Door hebt geslapen.

## Cadeaubankieren

Cadeaus omruilen is één ding, maar alles inruilen voor één vette cheque zodat je iets kunt kopen wat zó duur is dat je er niet om durfde te vragen, is misbruik maken van de gulheid van je gasten. Dit smakeloze scenario noemen wij cadeaubankieren, en sommige winkels bieden die mogelijkheid. Je maakt een lijst op van zogenaamde cadeaus, en zodra iemand iets voor je bestelt, krijg je niet het cadeau maar wordt het bedrag bijgeschreven op je overzicht. Uiteindelijk heb je dan één groot bedrag dat je kunt uitgeven. Het zal je niet verrassen dat je dat bedrag meestal alleen bij die winkel kunt spenderen.

## Omruilen versus doorgeven

Soms krijg je, ondanks je huwelijkslijst, heel leuke cadeaus die je gewoon niet gebruikt. Omruilen is dan weleens te veel moeite. Je legt het cadeau in een la en geeft het bij gelegenheid gewoon weer aan iemand anders. Doorgeven, noemen we dat. Het lijkt onschuldig, maar dit soort cadeaus kan zorgen voor pijnlijke ongemakken. Je moet onthouden van wie je het gekregen had en of diegene misschien ooit zijn cadeau ziet staan bij die ander thuis (en had gezien dat het bij jou thuis niet stond).

Een cadeau omruilen is vrij van schuldgevoel. Je hoeft de gever niet te laten weten dat je het cadeau hebt geruild. Bedank de gever voor zijn cadeau – lieg als het moet een beetje – en laat het daarbij.

# Hoofdstuk 15

# Kledingvoorschriften

***In dit hoofdstuk:***

- Stijlen bruidsjurken
- Kleur bekennen
- Wat draag je er onder?
- Accessoires
- Last but not least: de bruidegom
- Trouwringen

Prinses, koningin, femme fatale of romantisch en onschuldig – de ontwerpers zijn eindeloos creatief bij het bedenken van de rollen die vrouwen willen spelen. Je kunt je eenvoudig in een van die fantasieën laten meeslepen, omdat een trouwjurk nu eenmaal een zeer symbolisch kledingstuk is. Het is misschien wel het duurste kledingstuk dat je ooit zult kopen, en het staat voor een nieuwe fase in je leven. Je jurk moet bestand zijn tegen de meest zorgvuldige inspectie van honderden ogen en zal talloze malen worden gefotografeerd. Het nadenken over, zoeken naar en uiteindelijk kopen van een jurk kan een grote bron van stress zijn, maar dat hóéft niet.

Houd in gedachten dat de jurk die je het gelukkigst zal maken, bij jou moet passen. Als je je normaal niet door de mode laat leiden, waarom zou je dat dan nu wél doen? De meeste trouwjurken zijn lang, min of meer wit en hier en daar versierd, maar als je iets heel anders wilt, kan dat natuurlijk ook. Een jurk kan behoorlijk veel geld kosten, maar als je slim winkelt, kun je een jurk vinden die je niet naar de rand van het faillissement drijft.

## Je stijl bepalen

Als je dit boek had gekocht in de hoop dat we je precies zouden vertellen welke jurk je moet dragen in een bepaald seizoen of bij een bepaalde mate van formaliteit, moeten we je teleurstellen. We stellen geen regels voor de lengte van je jurk voor een cocktailreceptie overdag of een diner 's avonds. Ben je van plan een chique diner te geven voor honderden gasten en heb je een volledig strijkorkest ingehuurd, dan kunnen we ons wel voorstellen dat je niet in een herenkostuum zult verschijnen.

De bruid krijgt doorgaans de meeste aandacht op een huwelijksfeest. Wanneer je op zoek gaat naar een jurk, denk dan aan drie aspecten van je huwelijksdag:

- **Wanneer.** Hiermee bedoelen we het seizoen en de tijd van de dag. Zware stoffen zoals brokaat, fluweel en satijn voelen het prettigst aan in de herfst en winter. Een lichte jurk met spaghettibandjes is prettiger wanneer het warm is. Een eenvoudig ensemble met een kralentopje of een zonnejurkje is geschikter voor een lunch dan een diner.
- **Waar.** Ga je trouwen in een kerk of synagoge, dan kunnen blote schouders respectloos of zelfs verboden zijn. Voor de lengte van je sleep of de hoogte van je hakken, houd je rekening met wat je de hele dag gaat doen en waar je moet lopen.
- **Prijs.** Hoeveel wil je uitgeven? Hoe groot is de kans dat je van gedachten verandert? Wees eerlijk over je budget in een bruidsboetiek, dat scheelt een hoop tijd. Bovendien loop je zo minder kans helemaal verliefd te worden op een jurk die je toch niet kunt betalen.

## Een silhouet kiezen

De dappere mensen die bruidskleding verkopen, zijn allemaal van mening dat je moet beginnen bij het gewenste silhouet; de vorm van de jurk:

- **A-lijn.** Loopt van boven naar beneden uit, vaak met een aansluitende taille. Dit silhouet ziet eruit als een letter A en wordt ook de prinsessenlijn genoemd. Dit silhouet staat bijna iedereen goed. Er zijn diverse variaties op de A-lijn, zoals je kunt zien in figuur 15.1 (jurk C, D, E en F).
- **Baljurk.** Een aansluitend lijfje met een volle rok tot op de vloer. De taille kan worden ingenomen rond je eigen taille, gevormd worden in een verlengde driehoek of lager op de heupen worden geplaatst. Dit is het klassieke silhouet van een sprookjestrouwjurk, en wanneer je de jurk ook nog eens voorziet van lovertjes, kant of kristallen, ben je net Assepoester. In figuur 15.1 zie je hiervan een voorbeeld (F). Dit silhouet staat vooral goed bij vrouwen met een slanke taille en flatteert een wat kleinere boezem.
- **Empire.** Het lijfje is kort en de taille eindigt net onder de buste om een verlengend effect te creëren (zie E in figuur 15.1). Met korte mouwen of zonder mouwen en verschillende halslijnen. Dit silhouet staat vooral goed bij vrouwen met vrij grote borsten en een niet al te slanke taille.
- **Zeemeermin.** Nauwsluitende jurk die beneden de knie theatraal uitloopt zoals de staart van een zeemeermin (zie G in figuur 15.1).

**Figuur 15.1:** Bruidsjurken verschillen enorm in silhouetten, halslijnen en mouwstijlen

## Winkelen

Voor een succesvolle en stressvrije zoektocht naar een jurk, helpt het als je een plan hebt:

- **Zorg dat je de termen kent.** Wanneer je weet dat je voor een halter niet naar de dichtstbijzijnde sportschool hoeft en dat je geen fishtale-jurk wilt wanneer je je feest op een grasveld geeft, voel je je beter op je gemak in de bruidsboetiek.
- **Neem foto's en monsters mee.** Ga naar een stoffenhal en koop wat monsters van stoffen die je mooi vindt (de tijd van gratis monsters is helaas in de meeste winkels voorbij). Knip foto's uit tijdschriften of download ze van internet, zodat men weet welke stijl of sfeer je voor je trouwjurk wilt. Houd het bij vier of vijf verschillende stijlen.
- **Laat je portemonnee thuis.** Weerhoud jezelf ervan om een jurk, zelfs al vind je die prachtig, meteen te bestellen. Pas hem ten minste nog één keer voordat je een beslissing neemt. Neem slechts één goede vriendin met je mee, want je raakt alleen maar verward als je drie verschillende meningen hoort (hier geldt dus: neem géén monsters mee).
- **Draag geschikt ondergoed.** Een panty, string, strapless beha of ander ondergoed dat prettig draagt en wat lijkt op hetgeen je onder je trouwjurk zou willen dragen. In een bruidsboetiek kun je erop wachten dat de verkoopster bij je in het pashokje duikt, dus zorg dat je je niet hoeft te schamen.
- **Maak aantekeningen en ga af op je eerste indruk.** Helemaal handig is het als je een foto kunt maken, maar dit stellen de meeste bruidsboetieks niet op prijs totdat je een bestelling hebt geplaatst.

In deze jurk komen je vormen goed uit, vooral als je wat langer bent. Sommige vrouwen vinden dit iets te onthullend, maar anderen vallen juist op het glanseffect als je je beweegt.

- **Strak.** Een nauwsluitende jurk die rechtdoor loopt tot aan de vloer. Doet meer denken aan een avondjurk dan aan een trouwjurk. Een dergelijke jurk is vooral onthullend als de stof diagonaal wordt gesneden. Knielen is zo goed als onmogelijk in deze jurk. Eigenlijk is dit de zeemeerminjurk zonder de uitlopende onderzijde.
- **Hemdjurk.** Lijkt op een lang uitlopend mouwloos hemdje, indien gewenst met een laag uitgesneden rug, en wordt meestal niet versierd. Dit silhouet staat erg elegant wanneer je lang en slank bent. Een voorbeeld zie je bij B in figuur 15.1.

## Halslijnen zijn een halszaak

De halslijn is na het silhouet het meest bepalende aan een trouwjurk.

- **Boothals.** Volgt de rechte lijn van je sleutelbeenderen, hoog aan voor- en achterzijde. Zie voor een voorbeeld E in figuur 15.1.
- **Halter.** Een of twee bandjes rond de hals of over de rug houden het lijfje omhoog. Zie G in figuur 15.1.
- **Rond.** Een eenvoudige ronding onderaan de hals, zoals een halsketting over de sleutelbeenderen.
- **Sleutelgat.** Een sleutelgat of druppelvormige opening bij de halslijn of aan de achterzijde van de jurk.
- **Asymmetrisch:** Een arm bloot en de andere met lange of korte mouw. Zeer theatraal.
- **Capuchon.** Een stofvouw zorgt voor een sjaalachtige kraag die het gezicht omlijst. Wordt vaak van de schouder gedragen. Kan flatterend werken bij een wat hoekige lichaamsvorm, maar kan ook streng overkomen wanneer de vouw niet laag genoeg is uitgesneden.
- **Sabrina.** Een bijna horizontale lijn van schouder naar schouder. Lijkt op een boothals, maar begint vijf centimeter vanaf elke schouder zodat de halsopening smaller is.
- **Diep.** Rond maar lager dan een gewone ronde hals, waarbij eventueel een stukje decolleté te zien kan zijn. Wanneer de jurk mouwloos is met diepe armgaten, lijkt deze halslijn op een haltertop.
- **Strapless.** De hals en schouders van de jurk worden bloot gelaten, meestal in combinatie met een aansluitende bustier of corsetlijfje. Een voorbeeld zie je bij F in figuur 15.1.
- **Hartvorm.** Open, ietwat onthullend. Loopt omlaag in een hartvormige punt midden op de buste. Zie D in figuur 15.1.
- **V-hals.** Een puntige halslijn waardoor de hals langer en slanker lijkt. C in figuur 15.1 heeft een diepe V-hals.
- **Halsband.** Een band hoog om de hals, meestal in een stof die contrasteert met de rest van het lijfje; vaak van kant. Legt de nadruk op een lange, slanke hals.

## Mouwen

De mouwlengte die mensen dragen, lijkt niet langer samen te hangen met het seizoen. Na talloze uren in de sportschool zal een bruid hoe dan ook een mouwloze jurk dragen. Vrouwen die hun armen niet mooi vinden of zich te bloot voelen zonder mouwen, kiezen voor lange mouwen of een mouw van een transparant materiaal, hoe warm het ook is. Denk er wel aan dat een nauwsluitende jurk met lange mouwen soms ongemakkelijk kan zitten. Hier volgen enkele veelvoorkomende mouwstijlen:

- **Ballon.** Wijde, bolle mouwen tot aan de pols. Een variatie hierop zijn de pofmouwen, de wat kortere versie die vaak van de schouder af wordt gedragen.
- **Bel.** Strak bovenaan en wijd uitlopend aan de onderzijde, zoals je kunt zien in figuur 15.1 bij A en C.
- **Kap.** Een korte, ingenaaide mouw die net over de schouders komt.
- **Vleermuis.** Wijde mouwen die al vanaf de jurk uitlopen. Kan prachtig staan bij de juiste jurk, bijvoorbeeld als die nauwsluitend is.
- **Aansluitend.** Lang en taps toelopend, soms uitlopend in een V-vorm bovenop de hand.
- **Juliët.** Een lange mouw met een korte pof op de schouder en de rest taps toelopend. Doet denken aan een jurk uit de tijd van Shakespeare.
- **Driekwart.** Eindigt net onder de elleboog en wordt afgewerkt met een zoom. Jaren vijftig-stijl.
- **T-shirt.** Zoals de naam al zegt: op de schouder wat aansluitender dan daaronder.

## Kijk achter je

Houd er rekening mee dat je gasten tijdens de ceremonie steeds naar je rug kijken. Sommige bruiden kiezen ervoor om alle versiering op de jurk aan de achterzijde aan te brengen en de voorkant eenvoudig te houden. (Natuurlijk zal een vrouw met een stevig achterste die niet benadrukken met een grote strik).

Heb je een mooie rug, dan kun je overwegen die te laten zien. Dit zijn een paar mogelijkheden:

- een jurk die zeer laag is uitgesneden zoals B in figuur 15.1;
- een halterlijn zoals G in figuur 15.1;
- een diepe ruglijn met zijden bloemen of met een inzet van fijne, bijna transparante stof;
- een strapless jurk zonder rugpand.

## Lengte van je jurk

De lengte van je jurk kies je voornamelijk op basis van het silhouet, je lengte en natuurlijk wat je prettig vindt.

- **Ballerina.** Meestal bij een volle rok, net boven de enkels.
- **Tot op de vloer.** De neus van je schoenen moet net zichtbaar zijn, en de achterkant moet niet te lang zijn zodat je er nog in kan dansen. Alle jurken in figuur 15.1 hebben deze lengte.
- **Hoog/laag.** De rok is aan de voorzijde korter, meestal tot midden op de scheenbenen, en aan de achterkant tot op de vloer.
- **Mini.** Boven de knie of nog hoger.
- **Onder de knie.** De zoom eindigt net onder de knie.
- **Kuit.** Eindigt onder aan de kuit of net boven de enkel.

## Wat ga je verslepen?

Een sleep aan een trouwjurk heeft een behoorlijke invloed. Door dit extra stuk stof loop je anders en voel je je bijna koninklijk. Hoe langer de sleep is, hoe meer versiering je kunt aanbrengen; linten, strikken, parels of lovertjes. Zelfs een geborduurd monogram kan op de juiste jurk prachtig staan.

Een sleep kan een paar centimeter lang zijn, een kleine meter (fishtail) of zelfs langer dan zeven meter.

Een sleep kan al vanaf de schouders beginnen, maar begint meestal bij de taille. Hij kan afneembaar zijn om 's avonds gemakkelijker te dansen. Is je sleep niet afneembaar, dan kan er door de bruidsboetiek met lusjes, bandjes of een polsbandje worden gezorgd dat je de sleep in ieder geval kunt opnemen.

Vaak wordt het opnemen van een sleep pas op het laatste moment bekeken, maar het is toch belangrijk. Als je een lange sleep hebt van een zware stof, is die erg lastig op te vouwen aan de achterkant van de jurk en zul je niet echt prettig kunnen zitten of dansen.

Wanneer je de jurk de laatste keer gaat passen, neem dan degene mee die je gaat helpen met je jurk. Zij kan dan in de winkel oefenen hoe de sleep moet worden opgenomen.

**Figuur 15.2:** Door de sleep op te nemen krijg je meer bewegingsvrijheid

# Kleur bekennen

Laat in de jaren 1800 werd wit dé standaardkleur voor een bruidsjurk. Maar niet alle wit is even wit. Een spierwitte, glanzende jurk staat bijna niemand. Eventuele onzuiverheden van je huid worden benadrukt en de glans van je haar en ogen vallen erbij in het niet. Daarom zijn er nu talloze variaties op wit verkrijgbaar, van champagne tot crème tot eierschaal. Maar wit is natuurlijk nog maar het begin. Een witte jurk kan worden afgezet met gele organza, een reeks zwartfluwelen linten of een contrasterende zoom. Wil je helemaal geen wit, dan kun je kiezen voor een goudkleurige of donkerrode fluwelen jurk, of eigenlijk alles wat je wilt. Het kan ook helpen te weten wat je absoluut níét wilt. Kijk maar eens op www.uglydress.com.

# Stoffen

Er zijn verschillende stoffen die populair zijn voor bruidsjurken, en hierna noemen we de meest voorkomende.

- **Charmeuse.** Lichtgewicht satijn dat mooi valt en minder glimt dan gewone satijn.

- **Chiffon.** Semi-transparante stof die mooi valt en kan worden gedrapeerd. Wordt niet alleen voor jurken gebruikt, maar ook voor sluiers, mouwen of lagen over een andere stof.
- **Organza.** Stijver dan chiffon. Wordt vaak gebruikt voor meerlaagse rokken.
- **Satijn.** Zwaardere stof die aan de ene kant glanst en aan de andere kant mat is. Duchesse-satijn, een mengsel van zijde en rayon, is lichter en goedkoper.
- **Shantung.** Heeft een korrelige structuur, een beetje als ruwe zijde met een combinatie van dikke en dunne draden.
- **Zijde.** Luxueuze, sterke stof gemaakt van de cocons van zijderupsen.
- **Taf.** Voelt een beetje als papier, kan een lichte glans hebben of mat zijn.

### De kers op de bruidsjurk

Versieringen op een jurk maken de jurk echt áf, maar ze werken het beste wanneer ze met mate worden toegepast (in plaats van met een schep). Denk aan pareltjes, kristallen, kanten zomen, linten en strikken, lovertjes of zijdebloemen.

## Inkopen doen

Het eerste wat je doet, is jurken passen in een bruidsboetiek. Wanneer je er eentje ziet die je mooi vindt, zal de verkoopster je maten opnemen en gewenste wijzigingen (andere halslijn) noteren. Vervolgens wordt de bestelling naar de fabrikant gestuurd. De jurk wordt door de fabrikant helemaal op maat gemaakt of in de bruidsboetiek verder op jouw lichaam afgestemd. Waar vind je de perfecte jurk?

- **Bruidsboetiek.** De meeste bruiden kopen hier hun jurk. Je hebt bruidsboetieks in alle soorten en maten, en de meeste verkopen ook alle denkbare accessoires. Meestal moet je bij een bruidsboetiek een afspraak maken.
- **Designers.** De meeste bekende designers maken ook trouwjurken. Als je een echt unieke jurk wilt, kan een designer die helemaal naar wens voor je ontwerpen en maken. De prijs van zo'n onderneming is afhankelijk van de designer, de materialen en de hoeveelheid werk.
- **Internet.** Veel bruidsboetieks en designers hebben een website waarop je de collectie kunt bewonderen. Je kunt geld besparen

door een jurk te bestellen die je mooi vindt en waarvan ze er nog één over hebben. Bereid je er echter wel op voor dat je hem nog zult moeten laten verstellen. Op sites zoals eBay vind je redelijke geprijsde, tweedehands trouwjurken. Probeer erachter te komen of er vlekken op de jurk zitten en waarom ze de jurk verkopen.

- **Je eigen jurk maken.** Niet voor beginners, uiteraard. De stoffen zijn kwetsbaar (en duur).
- **Kleermakers.** Een goede kleermaker of naaister kan heel goed in staat zijn om een jurk te maken op basis van een foto uit een tijdschrift. Wees heel specifiek over wat je wilt.
- **Vintage.** Als je de jurk van je moeder of grootmoeder past, kan dit een bijzondere mogelijkheid zijn. Soms vind je ook vintage jurken op internet of bij bepaalde antiekhandelaren. Denk er wel aan dat deze jurken eigenlijk meteen goed moeten passen, omdat het verstellen van zo'n oude, kwetsbare stof vaak onbegonnen werk is.

Zelfs voor bruiden die in verwachting zijn, zijn bruidsjurken te vinden. Zorg dat je zo kort mogelijk voor de bruiloft de jurk nog een keer past.

## Kwaliteitscontrole

Inspecteer de bruidsjurk die je mooi vindt zorgvuldig. Als de voorbeeldjurk in de winkel slecht gemaakt is, zal het niet veel anders zijn bij de jurk die voor jou wordt gemaakt. Let bijvoorbeeld op het volgende:

- **Details.** Zit er onder die lange rij knoopjes op het rugpand een rits? Is de stof om de knoopjes hetzelfde als die van de jurk? Controleer op losse draadjes bij kraaltjes; als je aan één draadje trekt, kan er een hele rij kraaltjes afvallen.
- **Vakmanschap.** Zijn verschillende vlakken van de stof in de juiste richting genaaid? (Anders is één vlak glanzend en het andere mat.) Is de jurk gevoerd? Kun je goed zien wat voor stof het is? Maakt men gebruik van de patronen in het kant?
- **Bevestigingen.** Zijn kraaltjes, lussen en dergelijke goed vastgezet? Zijn er extra haken en ogen aangebracht op cruciale plaatsen? Loopt de rits door tot op het breedste deel van je heupen om scheuren te voorkomen? Heeft het lijfje van een strapless jurk baleinen om steun te geven?
- **Naaiwerk.** Zijn de zomen recht en vlak? Zit de stof vol kleine gaatjes omdat de zoom er een paar keer is uitgehaald? Zijn kanten naden zichtbaar? Is de zoom breed genoeg? Zijn alle lagen van de jurk afzonderlijk genaaid, en niet in een keer aan elkaar?

## Passen en meten

Bestel geen kleinere maat jurk omdat je nog wel zult afvallen voor de bruiloft. Door de zenuwen kan je gewicht heel anders uitpakken dan je dacht. Als een voorbeeldjurk in een boetiek niet lekker zit, zal de uiteindelijke jurk die je bestelt waarschijnlijk ook niet lekker zitten. Houd rekening met twee tot vier keer passen. Neem het juiste ondergoed en schoenen mee. Ga zitten. Kniel. Doe de twist. Kun je met je armen draaien? Lange mensen omhelzen? Trekt de stof nergens?

# Wat draag je er onder?

Je ondergoed maakt alle verschil. Bij veel jurken moet het silhouet worden ondersteund. Kies de juiste beha (strapless, push-up of zelfs een kleefbeha helemaal zonder bandjes).

Heb je een laag uitgesneden jurk, laat dan wat haakjes aan de voor- en achterzijde van de beha maken zodat je die aan je jurk kunt bevestigen. Of laat de naaister een beha in de jurk zelf naaien zodat je niet de hele dag je behabandjes hoeft op te trekken. Erg handig is de tegenwoordig te verkrijgen Hollywood Fashion Tape. Dit is een dubbelzijdig plakband waarmee je decolletés, diepe halslijnen en behabandjes kunt vastplakken. Ook erg handig om bij je te hebben voor een zoom die op het laatste moment losraakt.

# Schoenen

Denk niet dat je schoenen niet te zien zijn onder een lange jurk. Houd bij het kopen van schoenen bij je jurk het volgende in gedachten:

- Bij een eenvoudige jurk draag je mooi versierde schoenen.
- Bij een druk versierde jurk staan versierde schoenen meestal minder mooi.
- De schoenen hoeven niet per se van dezelfde stof of kleur te zijn als de jurk. Een paar roze satijnen schoenen die onder de zoom van een witte jurk uit piepen, kunnen heel sexy staan.
- Comfort is alles. Je moet er tenslotte de hele dag op lopen. Je schoenen moeten niet te strak zitten, maar ook niet te los.

Met een stukje stof van je jurk kunnen veel bruidsboetieks de schoenen van je keuze in exact dezelfde kleur laten spuiten. Prachtig wanneer je een bijzondere kleur jurk hebt.

Maak de zolen van je schoenen ruw met wat schuurpapier of zelfs een keukenmes en loop ze voor de bruiloft in zodat je zeker weet dat je op de dag zelf geen blaren zult krijgen.

# Kop op

In het oude Rome droegen bruiden een saffraankleurige sluier die de vlam van Vesta, de godin van de huiselijke haard symboliseerde.

## Versluierd

Hoewel een sluier niet meer zo'n standaardonderdeel is van een bruidsjurk, maakt die wel de transformatie van je dagelijkse ik naar DE BRUID compleet. Sluiers zijn er in allerlei lengtes en worden op verschillende manieren bevestigd (op een kam, aan een hoedje, in het haar).

Sommige etiquettegoeroes vinden dat bruiden die al eens eerder getrouwd zijn geweest of zwangere bruiden geen sluier moeten dragen. Aan de andere kant zijn er ook bruiden die het hele concept van een sluier afkeuren: dat een vrouw wordt overhandigd aan haar man. Een sluier kan helpen als je zenuwachtig bent, maar beperkt wel je zicht. Het is helemaal aan jou of je ervoor kiest of niet.

Heb je een stuk prachtig kant van de trouwjurk van je moeder of grootmoeder dat je als sluier wilt gebruiken, probeer het dan niet te verven. Dit gaat meestal niet goed. Bovendien is de charme van zo'n sluier juist dat hij uniek is, dus hoeft hij niet precies bij je jurk te passen.

## Hoeden, hoofddeksels, kronen en kopstukken

Wil je iets in of op je haar, misschien om de sluier aan vast te maken, dan heb je de keus uit veel verschillende constructies. Je kunt ook kiezen voor een hoedje, een versierde kam, bloemen of een tiara.

Wanneer je een haarversiering of ander hoofddeksel draagt, kijk dan in de spiegel. Stel jezelf voor dat er een portretfoto van je wordt gemaakt. Een ingewikkeld versiersel bovenop een ingewikkeld kapsel kan verdacht veel lijken op de bruidstaart.

Laat je niet door de verkoopster verleiden de sluier of haarversiering al te kopen wanneer je je jurk bestelt. Zorg dat je in ieder geval weet hoe je je haar gaat dragen en kies op basis daarvan een haarversiering, niet andersom.

# Van haar tot Tokio

Je haardracht moet passen bij het beeld dat je voor jezelf in gedachten hebt. Als je een heel formele, romantische jurk draagt, wil je waarschijnlijk een vrij ingewikkeld kapsel. Is je jurk aansluitend en sexy, dan kies je liever voor iets eenvoudigers.

Bekijk een mogelijk bruidskapsel van alle kanten (ook hoe het staat bij de achterzijde van je jurk). Je wordt tenslotte vanaf diverse kanten gefotografeerd.

Maak een afspraak met een kapper die je vertrouwt en vraag hem om advies voor een haarstijl die bij jou, je jurk en eventuele haarversiering past. Probeer een aantal verschillende mogelijkheden uit en maak er foto's van. Misschien wil je twee iets verschillende kapsels; één voor de ceremonie en één voor de receptie. Je kunt bijvoorbeeld je haar overdag opsteken en 's avonds los dragen, of na het verwijderen van je sluier wat bloemen in je haar steken.

Als je fijn haar hebt dat je in een knot wilt dragen, was je haar dan niet op de trouwdag zelf maar iets eerder. Zo heeft het op je trouwdag meer volume en glijdt je knot of haarversiering niet zo snel uit je haar.

Een kapsel zal zelfs bij vrieskou een beetje 'instorten'. Daarom begin je de dag met een kapsel dat misschien iets hoger of stijver is dan je gewend bent. Tegen de tijd dat de receptie begint, is daar bijna niets meer van over.

Vraag de kapper om alles wat hij in je haar wil doen eerst aan jou te laten ruiken en voelen. Kappersproducten kunnen een nogal sterke geur hebben, die wel moet passen bij je parfum, en sommige producten zijn kleverig.

## Haarversteviging

Je korte kapsel is handig en prima geschikt voor je dagelijkse werkzaamheden, maar misschien wil je op je trouwdag toch wat langere, romantische lokken. Als je geen tijd (of geduld) hebt om een halfjaar tot een jaar van tevoren je haar te laten groeien, kun je langere lokken ook gewoon kopen. Bijna alle kappers kunnen je voorzien van extensions, die je ook kunt laten aanmeten om je kapsel voller te maken.

# Haarkloverij

Ben je van plan een mouwloze jurk te dragen en heb je donker haar op je armen, ga dan een paar dagen voor je bruiloft naar een schoonheidsspecialiste om het te laten waxen. Dit is niet bijzonder prettig, maar het is ook geen marteling. Inspecteer ook je onderarmen, benen, bikinilijn, bovenlip en wenkbrauwen.

# Maak je gezicht bruiloftsbestendig

Je wilt er natuurlijk speciaal uitzien op deze bijzondere dag, maar overdrijf je make-up niet. Wijk niet teveel af van hoe je er normaal uitziet. Je wilt jezelf later nog wel kunnen herkennen op je trouwfoto's en bovendien je aanstaande niet in verwarring brengen.

Wil je iets anders, oefen dan ruim van tevoren. Je trouwdag is niet het meest geschikte moment om iets nieuws te proberen zoals gekleurde contactlenzen, kunstnagels of een ander parfum. Laat eventuele gezichtsbehandelingen ruim een week voor de bruiloft uitvoeren, omdat je huid er sterk op kan reageren. Ga niet plotseling trendy make-up dragen zoals zwarte eyeliner of witte lipstick. Houd het bij tijdloze, natuurlijke kleuren. Pas wel op dat de kleuren niet te flets zijn, anders zijn ze zo verdwenen.

We hebben een aantal make-upartiesten in New York gevraagd om hun beste tips voor een huwelijksdag. Zij adviseren:

- **Onzuiverheden.** Als je net voor je huwelijk een pukkel krijgt, bedek die dan met een tipje concealer voordat je je foundation aanbrengt. Je moeder heeft het ook al gezegd, maar we herhalen het nog maar eens: niet peuteren of knijpen! Dat maakt het alleen maar erger.
- **Kwasten.** Een goed stel make-upkwasten is het belangrijkste gereedschap voor het bereiken van prachtige resultaten.
- **Wangen.** Gebruik rozige kleuren en meng die goed om het blozende-bruid-effect te krijgen. Is je bruiloft 's avonds, dan kun je wat donkerdere kleuren gebruiken om je jukbeenderen mooi uit te laten komen.
- **Ogen.** Het wit van je ogen wordt prachtig helder door een wit of blauw potlood langs de binnenrand van je onderste ooglid te halen. (Als je gevoelige ogen hebt, zal het oog echter proberen die rommel weg te spoelen en krijg je van die onooglijke klontjes in je ooghoeken). Grijs, taupe en rokerige kleuren doen het mooi op foto's. Laura Geller, een make-upartist in New York die gespecialiseerd is in trouwmake-up, adviseert om voor je mascara aanbrengt eerst een kleurloze wimperverdikker aan te brengen (in plaats van een mascara met vezels).
- **Gezicht.** Gebruik een primer (poriënvernauwer) om je gezicht zacht en glad te maken voor je de foundation aanbrengt. Laura Geller gebruikt hiervoor een product dat Spackle heet. Meng de producten goed om het effect niet al te zwaar te laten zijn. Veeg zachtjes langs de onderzijde van je gezicht om een randje langs je kaak te voorkomen.

- **Lippen.** Met een lipliner voorkom je dat je lippenstift uitloopt. Rode lippenstift staat het beste bij een donkere of getinte huid. Als je doorgaans geen rode lipstick draagt, neem dan een pastelkleur. Matte lippenstift blijft langer zitten dan glanzende. Breng de lippenstift aan, hap die goed af op een tissue, en kleur vervolgens je lippen met een lippenpotlood in. Waarschuwing: lipgloss is een magneet voor haar, sluiers, vliegjes en andere mensen. Bewaar de lipgloss tot na de ceremonie en voor de foto's.
- **Huid.** Wil je een mooie egale kleur over je gehele lichaam, bezoek dan ruim van tevoren regelmatig een zonnestudio. Denk niet dat je de avond voor je huwelijk wel even wat zelfbruinende crème kunt aanbrengen (een streeploos resultaat kun je wel vergeten).

# The finishing touch

Nadat je zoveel tijd en aandacht hebt besteed aan je jurk en je haarversiering, lijken accessoires minder belangrijk. Probeer toch eens verschillende combinaties van juwelen en handschoenen tot je de juiste balans vindt.

## Bescherming tegen het weer

Als je in de winter van en naar de ceremonie of receptie moet, zul je toch iets extra moeten aantrekken. Je wollen winterjas of die trui waar je normaal in schaatst, kun je echt niet over je trouwjurk aan. Denk eens aan de volgende mogelijkheden:

- **Bolero.** Een kort jasje tot op de taille of nog korter. Kan in een bijpassende kleur of met kraaltjes versierd een jurk met een lange wijde rok heel mooi accentueren.
- **Capes en mantels.** Voor een theatraal effect. In een bijpassende stof of bijvoorbeeld een spectaculaire rode kleur.
- **Moffen.** Prachtig bij een winterse bruiloft, vooral wanneer je een diepe kleur namaakbont kiest.
- **Stola.** Een eenvoudige sjaal of stola in een contrasterende of bijpassende kleur die je simpelweg over je schouders drapeert.
- **Mouwtjes.** Dit zijn eigenlijk twee mouwtjes die aan de achterzijde aan elkaar worden gemaakt zodat alleen de armen en schouders worden bedekt (zie A in figuur 15.1 aan het begin van dit hoofdstuk).

## Overige accessoires

### Handschoenen

Mis je iets wanneer je in de spiegel kijkt, dan kunnen handschoenen uitkomst bieden. Een paar lange handschoenen maken een mouwloze jurk af. Kies handschoenen in een matte stof. Trek de handschoenen voor de ceremonie uit. O, en ook tijdens het eten, anders heb je vijfvingerige servetten.

### Juwelen

Juwelen moeten passen bij je jurk en je look. Bij sommige jurken is elk juweel te veel. Kijk maar eens naar de foto's van designertrouwjurken. Je zult zien dat het model de jurk zonder juwelen draagt. Dat heeft een reden. De meeste bruiden zien er het mooist uit zonder juwelen, zodat alle aandacht gaat naar hun stralende gezicht.

### Tasjes

Zelfs als je normaal elke dag een hutkoffer met je meesleept, is een bruidstasje gemaakt voor het meenemen van slechts enkele overlevingsartikelen – lippenstift, poeder, pepermuntjes, zakdoekje. Geef haarborstels, spray en dergelijke in bewaring bij iemand anders of leg ze in de toiletruimte.

# Last but not least: de bruidegom

Het is eigenlijk oneerlijk dat tijdens een bruiloft meestal alle aandacht gaat naar de stralende bruid. Als het goed is, ben je zelf als bruidegom ook helemaal in vervoering, en zul je dat niet zo erg vinden. Maar trouwen doe je samen, dus zal ook de bruidegom zijn beste beentje voorzetten.

## Kostuums en smokings

De pasvorm van kostuums en smokings is erg belangrijk. Houd je armen langs je zijden met je vingers uitgestrekt. De mouwrand van het jasje mag niet langer zijn dan je middelvinger. Je overhemd mag een centimeter onder je jasje uitsteken tot aan de bovenzijde van je hand. Je broekspijpen moeten aan de achterzijde net boven de hak van je schoen komen en aan de voorkant iets omhoog wippen door je schoenen.

Dit zijn traditionele trouwkostuums voor heren:

- **Jacquet.** Een grijs gestreepte pantalon, een wit overhemd met blinde sluiting en een omgeslagen boord, een gilet, een pandjesjas met rond naar achteren aflopende voorpanden en zwarte, gladde schoenen.

- **Rok.** Een zwarte broek, een wit overhemd met een staande boord, met daaromheen een losse boord, wit piqué strikje, een wit gilet met losse parelmoerknoopjes, een pandjesjas die van voren kort is tot op het middel en twee losse verlengde achterpanden en zwarte sokken met zwarte lakschoenen. Een echt galatenue, dat tijdens het diner en het feest wordt gedragen .
- **Smoking.** Een bandplooibroek zonder omslag bij de zoom en met een satijnen band over de buitenbeennaad, een smokinghemd met een staande boord met omgebogen punten, een smokingjasje, een cumberband, pochet en zijden strikje (ook te vervangen door jabot, plastron of stropdas).

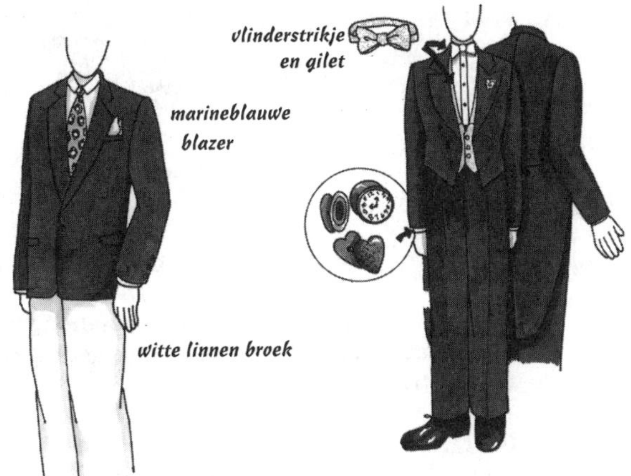


**Figuur 15.3:** Subtiele verschillen zorgen voor een heel andere stijl en sfeer

## Halszaken

Je kunt je persoonlijkheid tot uiting laten komen met hetgeen je om je nek draagt:

- **Ascot.** Een sjaaltje dat meestal wordt vastgezet met een speld. Ziet er bijna altijd een beetje snobistisch uit, behalve bij een formele bruiloft. Past goed bij een grijs gestreepte broek met jasje, maar mag een ander patroon hebben.
- **Vlinderstrik.** Kan eenvoudig zwart zijn, maar ook een contrasterende kleur hebben. Hoeft niet per se exact hetzelfde patroon te hebben als een cumberband of gilet.
- **Stropdas.** Strik de das met een vouwtje onder de knoop. Zilver past goed bij een marineblauw pak, en met een grappig patroon maak je het wat meer casual (al raden we Disney-stropdassen af).

**Figuur 15.4:** Als je eenmaal weet hoe je een vlinderstrik strikt, is het niet moeilijk

## Accessoires

Er zijn verschillende accessoires mogelijk bij een herenkostuum:

- **Cumberband.** Een satijnen band met omhoog wijzende vouwen. Wordt in plaats van een gilet of bretels gedragen. Moet passen bij de vlinderstrik.
- **Bretels.** Voor een wat minder formele uitstraling. Draag echter nooit een riem én bretels, want dan kom je nogal onzeker over.

- **Gilet.** Een vestje dat over de band van de broek valt, zodat je geen cumberband nodig hebt. In dezelfde kleur als het jasje of in een contrasterende kleur. Zit comfortabeler dan een cumberband.

Draag een cumberband óf een gilet, nooit beide tegelijk.

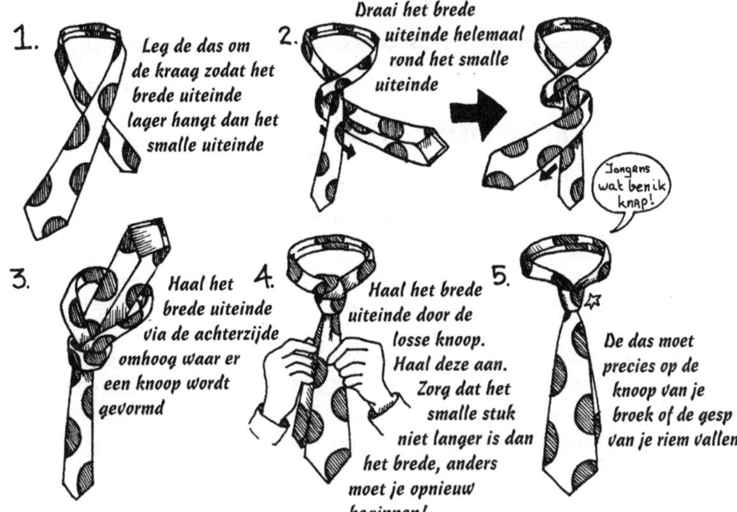


**Figuur 15.5:** Met een beetje oefenen is het strikken van een das geen punt

### Schoenen en sokken

Welke schoenen je ook draagt, zorg dat ze er goed uitzien. Dus geen versleten, scheefgelopen en afgetrapte schoenen. Als je nieuwe schoenen koopt, loop ze dan thuis van tevoren een paar keer in.

We kunnen het niet genoeg benadrukken: laat je witte sportsokken in de la liggen! Al draag je nooit iets anders, dit is de dag waarvoor je een paar mooie herensokken koopt die bij je pak passen.

# Een band voor het leven

Vanaf de grote dag zullen jullie waarschijnlijk allebei voor de rest van je leven een trouwring dragen. Kies daarom ringen uit die bij jullie passen, die prettig dragen en die niet gaan vervelen. De tijd van de standaardtrouwring is voorbij, want tegenwoordig kan alles.

## Welke vinger?

Door de geschiedenis heen heeft men de trouwring al om elke vinger geschoven, zelfs de duim. De Egyptenaren gebruikten de ringvinger van de linkerhand, omdat ze dachten dat de *vena amoris* rechtstreeks van die vinger naar het hart liep. Die ader bleek helemaal niet te bestaan, maar dat heeft mensen er niet van weerhouden de trouwring het vaakst om deze vinger te dragen. In het Britse Gebedsboek uit 1549 staat die zelfs voorgeschreven. Misschien is het daarom, dat de katholieken tot de achttiende eeuw aan de rechterhand de voorkeur gaven.

# Metaalmoeheid

Een traditionele trouwring is glad en van geelgoud. Een witgouden ring is duurder en een platinaring nóg duurder. Je kunt ook kiezen voor een roodgouden ring of zelfs een combinatie van alledrie. De ringen kunnen zowel mat als glanzend worden afgewerkt en naar wens worden voorzien van stenen, zodat je ze zo duur kunt maken als je wilt.

Een trouwring moet gemakkelijk over de knokkel glijden en stevig rond de vinger zitten. Er moet nog net een prikkertje tussen de ring en de vinger kunnen worden gestoken. De dikte van de vinger kan veranderen bij temperatuurschommelingen, dus zorg altijd dat je een beetje speling hebt.

Een antieke ring met een diamant kan wel antiek zijn, maar pas op: in Victoriaanse tijden was het erg gebruikelijk om glas in plaats van diamanten te gebruiken, zelfs in dure ringen.

Heb je een ring geërfd die je graag wilt gebruiken als trouwring maar is hij toch ietsje te ouderwets, dan kun je de stenen opnieuw laten zetten in een wat modernere setting. Laat de stenen dan wel eerst taxeren. Niet alleen om te kijken of de onderneming de moeite waard is, maar ook om ze op schade te laten controleren.

# Hoofdstuk 16

# Leuk voor later: foto's en video's

*In dit hoofdstuk:*

- Een goede fotograaf zoeken
- Fototechnieken
- Groepsfoto's
- Filmen
- Herinneringen koesteren

Als je eenmaal terug bent van je huwelijksreis, de laatste bedankbriefjes hebt geschreven en het leven weer terugkeert naar normaal, kun je je afvragen of je alles hebt gedroomd. Tot je foto's of videobeelden klaar zijn. Ineens zie je alles weer voor je als de dag van gisteren.

## Scherpstellen

Fotografie en videografie zijn twee heel verschillende dingen. Resultaten van hoge kwaliteit krijg je alleen wanneer je een goede fotograaf inhuurt. Afhankelijk van je persoonlijke smaak en budget kun je ook voor meer dan een soort kiezen.

De fotograaf moet tot in detail op de hoogte zijn van je schema voor de huwelijksdag. Zorg dat hij die bijtijds heeft (zie hoofdstuk 6 voor schema's). Wil je elke seconde van de dag vastgelegd hebben, laat de fotograaf of videofilmer dan meerijden in je trouwauto onderweg naar de ceremonie en receptie.

Heeft de fotograaf de trouwlocatie nog niet gezien, laat hem dan eerst eens gaan kijken. Er zijn niet veel fotografen die hiervoor de tijd willen nemen, maar vragen staat vrij.

Fotografen hebben vaak slimme ideeën over het kiezen van de perfecte plaatsen voor portretfoto's en het spelen met licht. Vergeet ze niet te informeren over eventuele regels voor fotografie in een gebedshuis.

Heb je een fotograaf én een videofilmer en hebben deze nog niet eerder samengewerkt, beleg dan een vergadering met hen beiden. Ze moeten elkaar niet aan de kant duwen bij mooie fotomomenten zoals het aansnijden van de taart. Vertel hen wat je voorkeur heeft voor een bepaald moment (bij twijfel of te weinig ruimte: eerst de fotograaf).

Als vrienden of familieleden ook camera's meebrengen, laat hen dan weten dat je liever hebt dat ze zich vermaken dan dat ze foto's maken. Eventuele flitsen van hun camera's kunnen namelijk een mooie foto van de fotograaf bederven.

Geef de fotograaf altijd voorrang, als je vrienden of familieleden ook foto's willen maken gedurende de speciale momenten.

# *Het moet klikken met de fotograaf*

Goede trouwfotografen, vooral degenen die gespecialiseerd zijn in bepaalde stijlen, zijn snel volgeboekt. Begin met het zoeken naar een fotograaf zodra de trouwdatum bekend is. Dit zijn enkele tips voor het vinden van een goede fotograaf:

- Vraag pasgetrouwde stellen wie hun foto's gemaakt heeft.
- Bel cateraars en weddingplanners (zelfs wanneer je geen gebruikmaakt van hun diensten). Ze zijn vaak bereid om iemand aan te bevelen.
- Ga etalages kijken. Veel fotostudio's hangen in hun etalages hun mooiste trouwfoto's op.
- Kijk op internet voor trouwstudio's in jouw omgeving of daarbuiten.

Praat met verschillende fotografen voor je een keus maakt. Bekijk hun voorbeelden. Bekijk ook de voorbeelden van trouwalbums; is de hele dag goed in beeld gebracht?

Stel vragen waardoor je een idee krijgt van wat de fotograaf vindt van huwelijken. Spreken ze op een vriendelijke manier over het bruidspaar of maken ze het belachelijk? Lijken ze enthousiast over hun werk of zijn ze bijna opgebrand? Je zou bijvoorbeeld kunnen vragen:

- Wat vind je de mooiste fotomomenten? Welke bruiloften waren je favorieten en waarom?
- Breng je een assistent mee? Meer dan een? Maakt de assistent ook foto's of draagt hij alleen de apparatuur?
- Hoeveel bruiloften heb je al gedaan?

- Wat zijn de kosten, en wat valt daaronder?
- Moet je iets aanbetalen en zo ja, wanneer en hoeveel?
- Worden reiskosten, parkeergeld en andere onkosten gefactureerd?
- Wie heeft de rechten op de negatieven of digitale afbeeldingen?
- Heb je reserveapparatuur bij je?
- Ben je gewend samen te werken met een videofilmer?
- Maak je ook het album als de foto's klaar zijn?

Het is uiterst belangrijk dat het tussen jullie en de fotograaf klikt en dat jullie je helemaal op je gemak voelen.

In een fotostudio hangen de allermooiste foto's, en misschien niet die van de fotograaf die jullie willen inhuren. Zelfs al hebben al hun fotografen dezelfde opleiding en ervaring, vraag toch om voorbeeldfoto's van die specifieke fotograaf. Aangezien de fotograaf de hele dag bij jullie is, is het ook belangrijk dat het op persoonlijk vlak tussen jullie klikt.

# Een stijl kiezen

Professionele fotografen begrijpen dat hun voornaamste taak is om de bruiloft te verslaan. De klassieke foto's maken ze met hun ogen dicht: de kus, de eerste dans, het aansnijden van de taart. Jullie bepalen echter de stijl van het geheel. Denk na over het aantal portretfoto's, buitenfoto's en foto's van de gasten die je wilt hebben.

Er zijn twee belangrijke stijlen voor het maken van foto's:

- **Klassiek.** De fotograaf positioneert zijn onderwerpen op een creatieve manier, waardoor zelfs een foto waarvoor geposeerd is er natuurlijk uitziet. De fotograaf maakt portretfoto's heel zorgvuldig en retoucheert die indien nodig naderhand.
- **Fotojournalistisch.** De fotograaf verslaat de dag zoals die loopt en stuurt zelf niets. Voor een dergelijke stijl heb je een echt vakkundige fotograaf nodig, anders mist hij precies de mooie momenten of fotografeert hij je net op het moment dat je behabandje afzakt.

## Filmformaten

- **Zwart-wit.** Het verwerken en nabestellen van zwartwitfoto's kost meer werk en dus meer geld dan kleurenfoto's. Geef aan hoeveel zwartwitfoto's je naast de kleurenfoto's wilt hebben.

## Plaatjespraat

Er zijn verschillende manieren waarop foto's kunnen worden genomen tijdens de bruiloft:

- **Spontaan.** De foto's zien er natuurlijk uit, omdat de mensen niet merken dat ze gefotografeerd worden. De fotograaf houdt zich op de achtergrond en kan daardoor onverwachte, mooie momenten vastleggen waarbij iedereen eruitziet zoals hij is. Nadeel is dat de fotograaf extra veel foto's moet maken, omdat er altijd wel een paar bij zitten waar iemand spinazie tussen zijn tanden heeft, of waar net te zien is dat er een peuk in een wijnglas drijft.
- **Formeel.** Groepsfoto's en formele portretten. Een goede fotograaf zet zijn onderwerpen neer als een kunstschilder die zijn stilleven neerzet.
- **Portretten.** Close-ups van de bruid, bruidegom of beide. Meestal in een mooie pose zoals op een trap of bij een bloemstuk.
- **Standaardfoto's.** De klassieke foto's die je op een bruiloft moet maken, zoals de kus, het uitwisselen van de ringen en dergelijke.

- **Kleur.** Traditionele fotografen schieten meestal in kleur. Zwartwitfoto's kunnen op verzoek en vaak tegen meerprijs ook gemaakt worden.
- **Digitaal.** De foto's worden op een chip opgeslagen en via een computer afgedrukt (zie voor meer informatie over digitale fotografie het onderdeel 'Digitaal' in dit hoofdstuk).
- **Mediumformaat.** Dit formaat is doorgaans beter voor formele foto's en portretten. Het werkt prachtig bij details zoals het glinsteren van diamanten oorbellen en de plooien van je jurk. Foto's die in dit formaat worden gemaakt, kunnen gemakkelijk tot posterformaat worden opgeblazen.
- **35mm.** Met een telelens kan de fotograaf meer afstand nemen van zijn onderwerp, waardoor de foto's spontaner zijn. Deze foto's kunnen niet al te zeer worden vergroot. Het mooiste resultaat krijg je in zwart-wit.

## Digitaal

Niets heeft meer verandering gebracht in de moderne bruidsfotografie dan de digitale revolutie. Veel fotografen (en videofilmers) zijn overgestapt op de digitale camera, simpelweg omdat het tijd bespaart. Je ziet de opname direct op een schermpje, en kunt dus meteen zien of hij is gelukt of niet. Digitale foto's zijn ook makkelijker te retoucheren.

Vraag je fotograaf of hij al lang met zijn digitale camera werkt. Je wilt liever geen deel uitmaken van zijn leerproces. Als hij één keer op de verkeerde knop drukt, zijn alle foto's verdwenen. Vraag of hij voor de veiligheid ook een paar rolletjes gewone film volschiet.

Denk niet dat je met digitale fotografie geld kunt besparen. Hoewel een digitale camera tijd en geld scheelt, heb je toch te maken met een vakman die ervoor geleerd heeft en dienovereenkomstig betaald moet worden. Als hij ermee akkoord gaat, kun je wel vragen of hij de foto's voor je op een cd zet, waarna je zelf de mooiste uitzoekt en die laat afdrukken.

Niet alle fotografen zullen dit echter doen, want je 'rommelt' dan met hun werk.

Wanneer je fotograaf de foto's in een webalbum op internet zet waar jij en je familie ze kunnen bekijken, betekent dat niet dat de foto's van jou zijn. Het eigendomsrecht is altijd een lastige kwestie. Sommige fotografen geven de bestanden niet uit handen en anderen geven ze alleen uit handen tegen betaling. Vraag hier dus naar.

Wil je alle risico's vermijden, laat de afdrukken en het album dan door je fotograaf maken. Het kan maanden duren voor je zelf tijd vindt om dit te doen, en intussen kan je computer crashen.

Heb je een cd met trouwfoto's, dan kan het slim zijn te investeren in een goed fotosoftwarepakket zoals Microsoft Digital Image of Adobe Photoshop. Met deze programma's kun je zelf foto's ordenen, teksten toevoegen, ongewenste voorwerpen van foto's verwijderen, kleuren corrigeren en zelfs tanden witter maken en rode ogen verwijderen. Belangrijk om te onthouden: opslaan, opslaan, opslaan.

## Speciale effecten

Met speciale lenzen kan een fotograaf ongebruikelijke foto's maken. Vraag de fotograaf hiernaar als je geïnteresseerd bent in een van de volgende technieken:

- **Fish-eye lens.** Met deze techniek wordt een foto vervormd, alsof hij door een sleutelgat met een vergrootglas is gemaakt. Een paar van deze foto's kunnen leuk zijn.
- **Macrolens.** Voor extreme close-ups.
- **Panorama.** Deze foto's worden gemaakt met een groothoeklens. Ze zijn langgerekt en bedekken een groot gebied.
- **Soft-focus of portretlens.** Traditionele fotografen gebruiken deze techniek om mensen er jonger uit te laten zien, omdat rimpels verdwijnen. De foto's lijken een klein beetje wazig.

Er zijn ook technieken waarmee foto's na de opname kunnen worden bewerkt, zoals:

- **Inkleuren.** Het handmatig inkleuren van zwartwitfoto's. Werkt goed bij infraroodopnames van boeketten.
- **Crossprocessing.** Met speciale software of door foto's te ontwikkelen in andere chemische middelen worden prachtige overdreven kleuren en een hoger contrast bereikt.
- **Infrarood.** Buitenfoto's worden genomen op zwartwitfilm die warmte in plaats van licht opneemt. Dit zorgt voor een dramatisch, buitenaards effect. De foto's hebben een hoog contrast.

## Roept u maar

Heb je al een fotograaf uitgezocht, dan was dat waarschijnlijk omdat de stijl van die persoon je aanstond. Toch is het belangrijk aan te geven wat voor soort foto's je wilt. De een vindt foto's tijdens de voorbereidingen in de kleedkamer een verschrikking, de ander vindt het enig. Bijvoorbeeld:

- **Geef groeperingen aan.** Geef de fotograaf een lijstje van bepaalde groepsfoto's die je zou willen hebben.
- **Leg de onderlinge verhoudingen uit.** De vuile was uithangen tegenover de fotograaf is eigenlijk een verstandige voorzorgsmaatregel. Wanneer hij weet dat je ouders al jaren gescheiden zijn en niet meer met elkaar spreken, zal hij ze ook niet dwingen samen te poseren voor een 'gezellige foto'.
- **Wijs de vip's aan.** Wijs de fotograaf de gasten aan die belangrijk voor je zijn, zodat hij daar wat extra foto's van maakt. Andersom geldt natuurlijk hetzelfde: vertel de fotograaf dat hij niet al te veel foto's hoeft te maken van de zoveelste verovering van je neef.

## Wat gaat dat kosten?

Fotografen hanteren zoveel verschillende prijsstructuren dat het vergelijken op basis van prijzen schier onmogelijk is. Je kunt vragen hoeveel filmrolletjes erdoor gaan op een gemiddelde bruiloft, maar dat helpt je niet veel. Het gaat uiteindelijk tenslotte om het aantal bruikbare foto's.

Meestal heeft een fotograaf een vaste basisprijs voor een trouwreportage (eventueel geeft hij daarbij aan hoeveel foto's maximaal zijn inbegrepen) inclusief album en eventueel de foto's op cd. Voor het technisch bewerken van de foto's rekent men dan een extra tarief.

Vraag de fotograaf een extra rolletje foto's te maken waar iedereen op staat. Aangezien het samenstellen van een album door een fotograaf best een tijd kan duren, kun je de foto's gebruiken voor bedankbriefjes en dergelijke.

## Dat willen we gróót zien

Lang niet alle foto's van een huwelijk zijn ook werkelijk het ontwikkelen op een groot formaat waard. Bekijk alle foto's eerst op cd, op de contactafdruk (een overzicht dat bestaat uit kleine afbeeldingen van alle foto's), of in een internetalbum.

## Trouwalbum samenstellen

Er zijn honderden manieren waarop een trouwalbum kan worden samengesteld. Van een standaardfotoalbum met witte of zwarte pagina's met daarop de mooiste foto's, tot een luxe album waarin een deel van de afgedrukte foto's zijn bijgesneden of op een andere artistieke manier bewerkt (laat dergelijke fratsen niet op alle foto's in een album toepassen; dat oogt vaak te druk).

Wanneer je digitale foto's hebt, kun je als je die laat afdrukken tegelijkertijd een webalbum laten samenstellen. Hierdoor kan je familie toch alle foto's alvast zien.

## Tijd voor foto's

Een van de dingen die je je moet afvragen, is of je de foto's van jullie samen voor of na de ceremonie moet laten maken.

### Vóór de ceremonie

Het grootste voordeel hiervan is dat je make-up nog niet is uitgelopen door de tranen, dat je haar nog helemaal zo zit als de bedoeling was, en dat niemand op je staat te wachten voor de receptie. Het nadeel is echter (misschien) dat je elkaar al hebt gezien voor de ceremonie.

### Herinneringen koesteren

Tijdens het plannen van je bruiloft zul je veel dingen meemaken en zien die leuk zijn voor later. Gooi kiekjes, gespreksnotities, menu's en dergelijke in een grote doos speciaal voor dit doel. Als de bruiloft eenmaal achter de rug is, kun je hiervan een leuk plakboek samenstellen. Je kunt er ook een soort tijdcapsule van maken door de doos te verzegelen en die samen over tien jaar open te maken.

### Klaar voor je close-up?

Veel mensen onderschatten hoe zenuwachtig ze zullen zijn op hun huwelijksdag. En als je je niet op je gemak voelt in de schijnwerpers, zal dat te zien zijn op de foto's. Let op je houding. Probeer te ontspannen; let op je adem en schud je armen uit om je schouders te ontspannen.

Zorg dat jullie fotoreportage ergens wordt gemaakt waar jullie niet worden afgeleid door jullie gasten.

Laat in de weken voor de bruiloft, wanneer je je kleding past of kapsels uitprobeert, iemand polaroids van je maken. Op een foto kun je jezelf zien zoals een ander je ziet, en kan die tiara ineens toch niet zo'n goed idee blijken te zijn.

Je kunt zelfs overwegen om je glimlach te oefenen. Eventuele vlekjes in je gezicht kan de fotograaf nog wel wegwerken, maar een scheve grijns niet.

### Na de ceremonie

Nadeel hiervan is dat je minder tijd hebt, omdat de gasten er allemaal al zijn en jullie dus geen uren kunnen wegblijven. Het voordeel is echter dat jullie nu getrouwd zijn en misschien daardoor net een beetje extra stralen.

## Je huwelijksdag op video

Tegenwoordig zijn videocamera's veel gevoeliger dan vroeger, en dus kun je prima een videorapportage van je huwelijk laten maken zonder de tl-verlichting te hoeven ontsteken.

In veel horecagelegenheden wordt het licht zodanig gedimd, dat de ruimte doet denken aan een grot waar vleermuizen zich zouden thuis voelen. Een fotograaf kan individuele foto's prima verlichten, maar een overzichtsfoto van een schemerige ruimte komt niet goed uit de verf.

## Filmer gezocht

Een moderne videofilmer is gespecialiseerd in subtiliteit en maakt mooie beelden zonder dat hij iedereen voor de voeten loopt. De resultaten zijn prachtig.

Een videofilmer zoek je op dezelfde manier als een fotograaf: hij moet goede apparatuur hebben, hij moet je zowel qua stijl als qua persoonlijkheid aanspreken. Kort gezegd moet je op zoek naar een vakman die met professionele apparatuur werkt en die niet alleen in de weekenden weleens een bruidsreportage maakt als zijn tuinmeubelenhandeltje toch stilligt.

Vraag met welke apparatuur hij werkt en waarmee hij beelden bewerkt. Vraag ook in welk formaat je de beelden krijgt: video of dvd. Als hij de beelden op videoband maakt, vraag dan of hij ze ook op dvd kan aanleveren.

Goede referenties voor een videofilmer krijg je van je fotograaf. In het algemeen werken fotografen liever niet samen met een videofilmer, dus als hij iemand aanbeveelt, kun je ervan op aan dat hij goed is.

## In de schoenen van de regisseur

Vraag om complete video's (geen overzichtsbanden) van recent werk. Kijk of de beelden scherp zijn, of de belichting goed is en of het geluid duidelijk is. Zijn de beelden gevarieerd? Er horen beelden van veraf bij te zijn, die een overzicht geven, beelden van iets dichterbij zoals bij de binnenkomst van gasten op de receptie, en close-ups. Is de video een chronologisch geheel en geen samenraapsel van toevallige opnames?

Het eindproduct moet leuk zijn om naar te kijken. Dat resultaat krijg je wanneer de video begint met een inleiding waardoor je weet wat er gaat komen. Die inleiding kan bestaan uit beelden van de stad, het gemeentehuis of een interview met het aanstaande bruidspaar. Is de muziek goed gemonteerd? Zijn eventuele speciale effecten goed toegepast? Aan het eind van de video is een overzichtje van de mooiste momenten van de ceremonie en de receptie erg aardig. Zijn er tijdsstappen gebruikt zoals in Hollywoodfilms (zodat je als kijker kunt zien dat er een sprongetje in de tijd is gemaakt)?

Je kunt zelf bijdragen aan een unieke video door muziek te kiezen die over het achtergrondgeluid wordt gezet, door foto's van jullie huwelijksreis toe te voegen, of door een vragenlijst op te stellen waarmee de videofilmer leuke reacties aan de gasten kan ontlokken.

Net als fotografen, geven ook videofilmers de rechten op hun materiaal niet gauw uit handen. Je kunt geld besparen door één band van hem te kopen en die zelf te laten kopiëren.

Hoewel je familie en vrienden het natuurlijk leuk vinden om alles opnieuw te beleven door de video te bekijken, is het wreed om ze een tape te laten zien die net zo lang duurt als de dag zelf. Beperk de video tot anderhalf uur. Vraag de videofilmer om de onbewerkte versie van de band (daar heeft hij toch niets meer aan) voor jezelf.

## Microfoons

Bij een ceremonie in een kerk of tempel is de ideale plek voor een microfoon ergens halverwege tussen de bruid en bruidegom en de geestelijke. Wanneer opnames bij het altaar niet toegestaan zijn, kan de microfoon op grotere afstand worden geplaatst, maar zijn de resultaten niet optimaal. Bij een buitenceremonie kan het beste een draadloze microfoon in een bloemstuk of boom worden gehangen.

De meeste bruidsjurken hebben geen voorziening voor het bevestigen van een draadloze microfoon. Als de videofilmer jullie toch van een microfoon wil voorzien, kan het bovendien gebeuren dat die andere geluiden zoals radiosignalen of telefoongesprekken oppikt.

# Herinneringen moet je koesteren

Warmte, licht en dampen kunnen foto's en video's ruïneren. Neem enkele voorzorgsmaatregelen zodat de beelden ook voor je kinderen en kleinkinderen behouden blijven:

- Berg foto's en video's op bij matige temperatuur en uit de buurt van direct licht.
- Zet video's rechtop in een plastic hoes, uit de buurt van elektromagnetische velden van apparatuur zoals de stereo-installatie. Bescherm dvd's tegen stof en temperatuurschommelingen.
- Haal het nokje uit de onderkant van de videoband zodat je er niet per ongeluk iets anders overheen opneemt.
- Bewaar een extra kopie van je video, dvd of negatieven op een veilige plaats, liefst in een brandkast of safe.

# Hoofdstuk 17

# Op huwelijksreis

*In dit hoofdstuk:*

- Keus bepalen
- Online zoeken
- Het reisbureau
- Je reisbudget benutten
- Overige reisdetails

Na alle spanning en stress van de afgelopen maanden, is de huwelijksreis een welverdiend moment van rust voor jullie beiden. Het geeft jullie de kans je in te stellen op jullie leven als getrouwd stel, zonder de dagelijkse beslommeringen.

Net als een huwelijk, is ook voor een huwelijksreis planning en budgettering nodig. Maar het goede nieuws hierbij is dat jullie niemand hoeven te plezieren behalve jullie zelf. In dit hoofdstuk bespreken we hoe je de huwelijksreis aanpakt. Veel van de tips in dit hoofdstuk zijn overigens ook goed toe te passen voor een bruiloft ver van huis (zie hoofdstuk 4).

## De stijl van je huwelijksreis

Een huwelijksreis plan je eigenlijk net zo als het huwelijk zelf. Bespreek jullie fantasieën voor een droom van een reis. Stel jezelf enkele vragen:

- Wat is de vakantie van je dromen?
- Houden jullie van actieve vakanties of doen jullie het liefst zo weinig mogelijk?
- Zien jullie de huwelijksreis als een tijd om te ontspannen, een rondreis te maken op een exotische plek, of eenvoudig als een tijd die je samen doorbrengt?
- Welke prioriteiten hebben jullie ten aanzien van de omgeving, privacy, activiteiten, accommodatie en reis?
- Hebben jullie speciale behoeften ten aanzien van eten, fysieke toegang of levensstijl?

- Hoe lang kunnen jullie weg van je werk of andere verplichtingen?
- Wat is jullie budget?

Als jullie verschillende ideeën hebben over de ideale vakantie, probeer dan een compromis te vinden. Kies dan bijvoorbeeld voor een ontspannen cruise waarbij regelmatig wordt aangelegd voor avontuurlijke activiteiten.

Wat jullie stijl ook is, wij adviseren het volgende:

- **Houd het eenvoudig.** Neem van ons aan dat je de dag na je huwelijk hondsmoe bent. Jullie hoeven geen saaie reis te maken, maar plan ook geen extreme dingen. Als je geen voltallig personeel hebt rondlopen op je trouwdag waardoor jullie zelf alleen maar mooi hoeven te zijn en ja zeggen, zul je de volgende dag het gevoel hebben dat je de marathon hebt gelopen. Plan je huwelijksreis niet vol met excursies en activiteiten, want dan ben je direct na thuiskomst alweer toe aan vakantie.
- **Ken je beperkingen.** Als je nog nooit een berg hebt beklommen of hebt gedoken, is dit niet de beste tijd om daarmee te beginnen. Je voelt je misschien een heel nieuw mens nu je getrouwd bent, maar je bent niet bionisch. Als jullie samen iets nieuws en opwindends willen doen, bereid je daar dan al voor het huwelijk goed op voor.
- **Neem de tijd.** Willen jullie de zijderoute volgen van Xi'an naar de Khunjerab-pas, dan gaat dat niet in een week lukken. Laat de kwaliteit niet lijden onder de kwantiteit. Als jullie binnen negen dagen negen landen aandoen, hebben jullie geen tijd meer voor elkaar – en dat is toch het hele doel van een huwelijksreis. Hebben jullie op dit moment niet langer dan een week de tijd, plan dan nu iets eenvoudigs zoals een paar dagen in een mooi hotel en pak het op een later tijdstip grootser aan.

Ben je helemaal verliefd op een bepaald werelddeel, de keuken van een bepaald land of een activiteit, abonneer je dan op nieuwsbrieven van organisaties, bedrijven en reisagenten. Zij kunnen je slimme tips aan de hand doen waardoor je op onbekende plaatsen terechtkomt of geld kunt besparen.

Ben je al eens eerder op huwelijksreis geweest, ga dan niet nog eens naar diezelfde plek. Drie is teveel, en dat geldt vooral voor de 'geest' van je vorige echtgeno(o)t(e).

Boek excursies liefst al voor je vertrekt, zodat je niet om drie uur 's morgens moet tennissen omdat de baan verder de hele dag is volgeboekt. Een reisbureau kan je daarbij helpen.

### Ik ga op reis en ik neem mee ... het hele gezin

Steeds populairder bij stellen die al eens eerder getrouwd zijn geweest en die kinderen hebben: de gezinshuwelijksreis. Zo'n grootse aanpak kan inderdaad prima werken om gezinsbanden te smeden of om over te brengen dat jullie nu allemaal bij elkaar horen.

Denk bij een dergelijke onderneming aan het volgende:

- **Kies neutraal terrein.** Ga naar een plek waar geen van jullie al eens eerder is geweest, zodat iedereen samen nieuwe ervaringen opdoet.
- **Reserveer voldoende ruimte.** Resorts en cruiseschepen werken vaak het beste, omdat ze grote accommodaties hebben (naast elkaar liggende hutten, suites met woonkamer) waar iedereen kan samenkomen en – net zo belangrijk – zijn eigen ruimte heeft. Kamperen lijkt misschien een prima middel om mensen samen te brengen, maar vooral tieners zullen moeite hebben met het gebrek aan privacy.
- **Wees democratisch.** Dit ligt misschien voor de hand, maar kies een plek waar voor iedereen iets leuks te doen is.
- **Spring verstandig om met je tijd.** Laat de kinderen niet de hele dag aan hun lot over bij de activiteitenbegeleiders, maar zorg ook dat jullie als pasgetrouwden tijd voor elkaar hebben. Besteed ook aandacht aan de kinderen afzonderlijk.
- **Forceer niets.** Geef de kinderen de tijd om elkaar op hun eigen tempo te leren kennen.
- **Maak twee huwelijksreizen.** Ga als het mogelijk is na de gezinsvakantie nog eens een tijdje met zijn tweeën weg.

## Online bestemmingen verkennen

Internet is de beste plek om op zoek te gaan naar bestemmingen voor je huwelijksreis. Typ de bestemming, activiteit of gewoon `huwelijksreis` in de zoekmachine en kijk wat er bovenkomt. Er is een schat aan informatie op internet te vinden; bijna elk land heeft wel een site voor toeristen waar mooie plekken, activiteiten en tips op staan. Soms is een vakantie eenvoudig zelf te boeken. Wil je je reis wat ingewikkelder maken, schakel dan een reisbureau in.

## Het reisbureau

Wanneer je een belangrijke, grote reis wilt maken, kun je beter niet proberen geld te besparen door zelf alles te regelen. Ja, het reisbureau rekent boekingskosten, maar een goed reisbureau zorgt ook dat je precies komt waar je wezen wilt en kan voordelige aanbiedingen voor je opsporen.

Neem een wensenlijst mee naar het reisbureau. Zorg dat je goed weet hoeveel jullie kunnen spenderen. Vraag bij een reisbureau bijvoorbeeld:

- Welke opties kunnen jullie op basis van onze informatie aanbevelen?
- Is iemand van jullie zelf al eens hier geweest?
- Hebben jullie meer informatie, boeken of video's over de bestemming?
- Zijn er kortingen mogelijk? Speciale huwelijksaanbiedingen?
- Werken jullie samen met touroperators ter plaatse?
- Kunnen jullie helpen bij het verkrijgen van een visum en andere documenten die we nodig hebben?
- Kunnen jullie zorgen dat we alle tickets, vouchers en dergelijke een paar weken voor ons huwelijk in huis hebben?
- Als er iets misgaat tijdens de reis, hebben jullie dan een speciaal telefoonnummer dat we kunnen bellen?

Weet je al precies waar jullie naartoe willen, dan kun je ook een reisbureau inschakelen dat zich specialiseert in reizen naar dat gebied. De eenvoudigste manier om zo'n reisbureau te vinden is door in een zoekmachine `reisbureauspecialist` en dan de bestemming of het soort reis in te voeren dat je wilt maken.

## Benut je budget ten volle

Een huwelijksreis hoeft niet extreem duur te zijn om romantisch en memorabel te zijn. Hier volgen wat tips om geld te besparen en reisfiasco's te voorkomen:

- **Vermijd het hoogseizoen.** Ga buiten het hoogseizoen, ook al kun je dan misschien niet direct na je huwelijk op reis. De prijsverschillen zijn enorm.
- **Boek vooruit.** Boek ruim van tevoren. Soms kan dit de helft schelen, en bovendien heb je meer kans dat je de kamer krijgt die je wilt.
- **Wees voorzichtig met geld wisselen.** Het eerste geldwisselkantoor dat je ziet op het vliegveld, of de kiosk in het hotel zijn niet de beste plaatsen om geld te wisselen. Het eenvoudigst en goedkoopst zijn meestal de pinautomaten. Neem een creditcard of reischeques mee voor het geval de geldautomaat een keer stuk is.
- **Lees de krant.** Een resort dat herstellende is van een orkaan biedt mogelijk korting aan om de stroom bezoekers weer op gang

te brengen. Ga natuurlijk niet naar gebieden waar het gevaar nog altijd aanwezig is.

- **Sluit een annulerings- en reisverzekering af.** Je investeert nogal wat in een huwelijksreis.
- **Bel niet teveel.** Veel hotels rekenen aanzienlijke kosten voor telefoongesprekken. Neem je mobieltje mee of koop ter plaatse een telefoonkaart.
- **Neem voldoende van thuis mee.** Neem zelf voldoende zonnebrandmiddel en toiletartikelen mee voor de hele vakantie. De cadeauwinkels in hotels en op cruiseschepen rekenen hiervoor exorbitante prijzen.
- **Huur een huis.** Het zal je misschien verrassen, maar het huren van een particuliere woning (vooral buiten het hoogseizoen) of een deel van een villa, een appartement in Venetië, een camper in Frankrijk of een huisje in Engeland kan heel betaalbaar zijn. Vooral als je zelf boodschappen doet bij de plaatselijke supermarkt.
- **Laat de gids links liggen.** Plan je eigen excursies met behulp van een goed reisboek.
- **Weeg de voordelen van een all-inclusive af.** Vergelijk de pakketprijs met de kosten die je anders zou hebben.

Laat mensen weten dat jullie op huwelijksreis zijn. Wanneer je een hotel belt en wanneer je incheckt, kan het nuttig zijn te melden dat dit jullie huwelijksreis is. Veel hotels bieden je een extraatje in de vorm van een welkomstmandje of een fles wijn op de kamer. Op die manier hoopt men dat je later nog eens terugdenkt aan het hotel en dat jullie terugkomen om jullie jubileum te vieren. Zelfs stugge douanebeambten en taxichauffeurs zijn gevoelig voor de kreet ‘honeymoon’.

# Op weg: tips voordat je vertrekt

Als jullie met een gehuurde auto op vakantie gaan, neem dan je trouwboekje mee naar het autoverhuurbedrijf. Het verschil in achternaam of adres op jullie rijbewijs kan anders leiden tot kosten voor een extra bestuurder. Maar als je vertelt dat jullie pas getrouwd zijn, zal doorgaans zelfs de strengste verhuurder een oogje toeknijpen.

Gaan jullie naar de Verenigde Staten en willen jullie daar een auto huren, denk er dan aan dat de drie grote verhuurbedrijven – Hertz, Avis en Budget – allemaal een minimumleeftijd van 25 jaar stellen voor bestuurders. Alamo verhuurt ook aan jongere bestuurders, maar daarvoor worden extra kosten in rekening gebracht. Als jullie jonger zijn, zul je je moeten wenden tot kleinere, minder bekende verhuurbedrijven.

### Bij twijfel: inpakken

Moet je briefpapier meenemen om bedankbriefjes te schrijven? Zeker niet. Niemand verwacht de komende tijd van jullie te horen. Jullie zijn op huwelijksreis.

Neem voldoende tijd om je koffers te pakken. Enkele suggesties:

- Aspirine
- Camera, film, batterijen
- Dagboek en pennen
- Diarreemedicijnen
- Elektrische adapter
- Flesopener
- Geurkaarsen
- Haardroger
- Insectenwerend middel
- Kopieën van geboorteaktes, rijbewijzen en inentingsboekjes
- Lingerie en nieuw sexy ondergoed
- Manicureset
- Massageolie, veren, speciale speeltjes
- Muziek
- Nekkussen
- Oordopjes
- Paspoorten
- Petjes
- Pleisters
- Tickets
- Vitaminen
- Voorbehoedsmiddelen
- Wasmiddel (klein flesje)
- Waterschoenen
- Zaklantaarn
- Zonnebrandmiddel

Een paar extra, afsluitbare plastic zakken zijn handig voor het opbergen van nat badgoed, flessen zonnebrand of shampoo.

# Naar het buitenland

Een vakantie in het buitenland neemt meer planningstijd in beslag. Zorg dat je bij je reservering duidelijk zegt dat jullie op huwelijksreis zijn en dat jullie dus één groot, tweepersoonsbed willen. De opvattingen over groot en tweepersoons lopen nogal uiteen.

Een auto huren kan een voordelige optie zijn. Vraag de reisagent wat de beste optie is voor het aantal excursies en soort vakantie dat jullie gepland hebben.

Sommige zaken dulden geen uitstel, zoals:

- **Paspoorten.** Zorg dat jullie paspoorten nog geldig zijn en niet tijdens de reis verlopen. In veel landen eist men dat je paspoort nog een halfjaar geldig is na afloop van de reis.

- **Inentingen.** Niet alleen voor je eigen gezondheid is het verstandig te informeren naar de inentingen die nodig zijn voor een bepaald land. Sommige landen eisen een bewijs dat je ook daadwerkelijk bent ingeënt. Bel de GG&GD (in Nederland) of het Landelijk Coördinatiecentrum Reizigers (in België) om onafhankelijk, actueel advies te vragen over inentingen voor het land van bestemming.

- **Visum.** Meestal wordt het visum voor je geregeld door het reisbureau of vraag je een visum onderweg in het vliegtuig aan via een speciaal formuliertje. Het is echter bij bepaalde landen nodig om je tot de ambassade of het consulaat te wenden voor een visum, dus doe dit ruim van tevoren en vraag welke documenten men nodig heeft. Controleer een visum altijd goed op typefouten en dergelijke.

- **Aids/hiv.** Sommige landen eisen dat gasten een aids-test laten uitvoeren voordat een visum wordt afgegeven, al is dit meestal alleen van toepassing wanneer je van plan bent lang te blijven.

In veel landen betaal je bovendien toeristenbelasting of vertrekbelasting, die veelal in de plaatselijke valuta op het vliegveld moet worden voldaan.

Een lijst van landen waarvoor een negatief reisadvies is afgegeven, vind je op de site van het Ministerie van Buitenlandse Zaken (www.buza.nl en www.diplomatie.be).

## De wittebroodsweken

In de zestiende eeuw stond wittebrood voor alles wat lekker en heerlijk was. In de eerste weken van het huwelijk at men wittebrood (van tarwebloem gebakken, in tegenstelling tot het gangbare zwarte brood of roggebrood).

Als je denkt dat trouwen zwaar werk is: in de middeleeuwen hadden pasgetrouwde stellen het pas moeilijk. Ze werden door hun familie naar de echtelijke slaapkamer gebracht en ingestopt, en vervolgens bleef iedereen gewoon in de slaapkamer rondhangen terwijl het nieuwe stel de liefde bedreef, om te controleren of de bruid wel maagd was. Het bed en de slaapkamer werden versierd met linten die de huwelijksband moesten symboliseren, en de ontmaagding werd openlijk gevierd door nóg meer mensen die de slaapkamer binnen kwamen stormen.

## Deel VI

# Het deel van de tientallen

## In dit deel...

Houden we ons bezig met twee aspecten van het plannen van een huwelijk, waarvan mensen niet genoeg lijken te kunnen krijgen: geld besparen en gezichtsverlies voorkomen. Lees deze pagina's wanneer je op het punt staat je gezonde verstand overboord te gooien, iets wat maar al te vaak dreigt te gebeuren tijdens het plannen van een huwelijk. We willen je niet in het faillissement storten voor je huwelijk, en we willen ook niet dat je een boete krijgt van de etiquettepolitie.

# Hoofdstuk 18

# Tien verleidingen die je moet proberen te weerstaan

***In dit hoofdstuk:***

- Vreselijke vrijgezellenfeestjes vermijden
- Inhalig worden
- Te veel aan jezelf denken

In dit deel gaan we een beetje zeuren. Begrijp ons niet verkeerd – we houden net zoveel van een lolletje als ieder ander. Maar dat betekent niet dat je alles kunt maken, enkel omdat het júllie huwelijk is. Houd bij het vinden van je persoonlijke stijl en het uiten van je creativiteit altijd rekening met je gasten. Hier volgt een zeer subjectieve lijst van dingen en gedragingen die je moet zien te voorkomen.

## Je te buiten gaan

Genante, dronken, macho/macha, stringtrekkende en tot echtscheiding leidende vrijgezellenfeestjes zijn achterhaald en stom. Laat je omgeving weten dat je echt niet van plan bent iets te doen wat je niet zou durven vertellen aan je aanstaande. Als je zelf niet zo'n last hebt van remmingen, vraag je dan af hoe je het zou vinden als je aanstaande dergelijke dingen deed. Als dat idee je niet aanstaat, doe het dan zelf ook niet. Je kunt op heel veel manieren een leuke vrijgezellenavond vieren. Kijk maar eens in hoofdstuk 1.

## Inhalig schrapen

We zijn helemaal voor efficiëntie en we vinden ook een huwelijkslijst een goed idee, maar we vinden het niet erg chique om informatie over die lijst bij een uitnodiging te versturen. Hierdoor lijkt het voor je gasten alsof het je voornamelijk om de cadeaus te doen is. Er is vast wel iemand in je familie- of vriendenkring die op een wat minder schreeuwerige manier kan vertellen waar jullie je hebben geregistreerd. Zie hoofdstuk 14 voor meer over huwelijkslijsten.

Vermeld de naam en contactgegevens van je weddingplanner of ceremoniemeester op de uitnodigingen en laat je gasten rechtstreeks met hem/haar contact opnemen.

## De buit verzilveren

Sommige stellen zijn zich bewust van hun dure smaak en de beperkte budgetten van hun familie en vrienden, en laten cadeaus omzetten in een vette waardebon. Zoals we uitleggen in hoofdstuk 14, werkt de winkel hieraan mee door niet de cadeaus te versturen, maar de waarde daarvan op een grote hoop te gooien.

Hierbij rijzen enkele vragen. Waarom zou je al die moeite doen om cadeaus uit te zoeken die je toch niet wilt hebben? Wat zeg je in je bedankbriefje? ('Dankjewel voor de glazen. We hebben nog nooit zoiets gezien.') Zoals Mark Twain al zei: 'Als je niet liegt, hoef je ook niets te onthouden.'

## Stoelendans

We willen je niet dwingen elke gast een plaats aan een tafel toe te wijzen, maar als je de gasten aan hun lot overlaat lopen er altijd wel een paar te zoeken naar een zitplaats. Een tafel toewijzen aan een aantal gasten is altijd een goed idee. Vooral wanneer je de gasten op een creatieve manier bij elkaar zet, kan dat een extra feestelijk tintje aan je receptie geven.

## Toekomstige schoonouders afkraken

Als je aanstaande een miskende komiek is die zijn toehoorders graag vergast op 'hilarische' anekdotes over je ouders, dan is dit het moment om daar een stokje voor te steken. Aan zulke grappen ligt vaak een verborgen vijandigheid ten grondslag, en dat pikken je gasten op. Bovendien voorspelt het weinig goeds over het repertoire dat je aanstaande in de komende jaren over jou zal opbouwen.

## Gasten tewerkstellen als fotografen

Het neerleggen van wegwerpcamera's op elke tafel zodat de gasten onderling foto's kunnen maken, lijkt een leuk idee. In de praktijk werkt het echter zelden. Als men al foto's maakt, zijn die meestal van slechte kwaliteit of onbruikbaar voor je album. Laat eventuele gasten die goed zijn met camera's (als ze willen) foto's maken en laat de filmpjes zelf op jullie kosten ontwikkelen.

## De langste dag

Een trouwdag met een ceremonie 's morgens en een receptie enkele uren later, is ontzettend vermoeiend voor de gasten, vooral als ze van buiten de stad komen. Wat moeten ze doen in de tussentijd? Moeten ze zich omkleden? Waar dan? Laat zo mogelijk de receptie direct na de ceremonie plaatsvinden.

## Andere bruiloften afkraken

Wees aardig voor degenen die jullie zijn voorgegaan. Lever geen kritiek op de bruiloften van anderen. Vervelende opmerkingen ('Wij zouden er niet over peinzen om nepchampagne te serveren!') kunnen je later duur komen te staan. Bewaar die opmerkingen voor je eigen partner, of probeer ze helemaal uit je hoofd te zetten. Bovendien kan het best eens zo uitpakken dat je zelf ook besluit dat mousserende wijn zo gek nog niet is; zie hoofdstuk 2 en 11).

## Kousenbandceremonie voor boven de 18

Het afdoen van de kousenband van de bruid is een staartje van de middeleeuwse praktijk van het uitkleden van de bruid. De gasten rukten de bruid uit haar kleren zodat het ontmaagden kon beginnen. Veel mensen vinden het afdoen van de kousenband een énig onderdeel van een huwelijksfeest, maar hou het kort en een beetje fatsoenlijk.

## Vergeten dat de gasten gasten zijn

Ja, het is júllie dag, maar daarom hoef je je vrienden en familie nog niet te martelen. Zelfs al heb je er altijd al van gedroomd om buiten te trouwen, stuur dan toch iedereen naar binnen als het begint te stortregenen. Hetzelfde geldt voor een fotosessie van drie uur terwijl je gasten met knorrende maag op jullie zitten te wachten. Denk eerst aan je gasten, ook al betekent het dat jullie je plannen enigszins moeten aanpassen.

# Hoofdstuk 19

# Tien trucs om geld te besparen

***In dit hoofdstuk:***

- Koppen tellen tikt aan
- Huren wat je kan
- Muziek voor een appel en een ei

Er zijn slimme en minder slimme manieren om geld te besparen. Voor je begint je grandioze huwelijksplannen overboord te gooien, hebben we misschien wat tips waarmee je je budget kunt redden.

## Nodig minder gasten uit

De kosten van je huwelijk stijgen exponentieel met elke extra gast die je uitnodigt. Dat is één extra maaltijd, één extra uitnodiging, één extra bruidssuiker om in elkaar te zetten. Na tien of twintig extra mensen heb je een extra tafel nodig, een extra bloemstuk, een grotere taart. Het tikt snel aan. In plaats van te bezuinigen op wat je je gasten voorzet, is het beter te bezuinigen op het aantal gasten.

Wees hard bij het opstellen van de gastenlijst. Wie is een kennis, wie is een vriend? Je moet je niet verplicht voelen je vrijgezelle vrienden 'een gast' te laten meebrengen, zelfs al vinden ze dat ze daar al bijna mee samenwonen omdat ze elkaar al een week kennen. En pas op met 'en familie' op uitnodigingen!

## Wil je je budget bijsturen: huren, huren, huren!

Alles wat je kunt kopen, kun je ook huren. Planten, tafelkleden, kandelaars, zijden draperieën, bankstellen. De prijs voor een dag huren is veel lager dan wanneer je alles moet kopen. Kijk in het telefoonboek onder 'verhuurbedrijven' of vraag het je cateraar of contactpersoon op de trouwlocatie.

## Maaltijd niet inbegrepen

Een cocktailreceptie met hapjes bespaart een hoop geld. Zet dit overigens wel duidelijk op de uitnodiging, zodat je gasten geen volledige maaltijd verwachten. Een brunch, high tea of Champagne met hapjes zijn ook minder kostbare opties.

## Voorkom overuren

Wees realistisch bij het plannen van het schema voor je trouwdag (zie hoofdstuk 6) zodat je niet wordt verrast met de kosten van overuren. Zorg voor een marge voor het geval de ceremonie niet op tijd begint (want dat gebeurt bijna nooit) en de rest van het schema verschuift. De band staat op het afgesproken tijdstip klaar om te spelen en hun meter gaat lopen, ook al zijn jullie gasten er nog niet.

## Drankbegrenzing

Wanneer je zelf je drank inkoopt, kun je geld besparen door tijdig op zoek te gaan naar aanbiedingen. Spreek ook af dat ongeopende flessen kunnen worden teruggebracht naar de slijterij. Als je de drankrekening samen met die van de zaalhuur en dergelijke betaalt, zorg dan dat de obers de gasten vrágen of ze nog een glas wijn willen in plaats van gewoon steeds het glas bij te vullen. Wil je werkelijk geld besparen, schenk dan niet alle soorten drank maar beperk het tot wijn, bier en een speciaal drankje voor de gelegenheid.

## Bespaar op je outfit

Een mooie trouwjurk hoeft geen duizenden euro's te kosten. Veel bruidsboetieks en designers verkopen elk jaar hun voorbeeldjurken tegen aanzienlijke kortingen. Als je niet zo sentimenteel bent, kun je nog wat van je geld terugzien door je jurk na het huwelijk te verkopen op eBay.

Kijk ook eens naar de japonnen bij een winkel voor avondkleding. Het zijn misschien geen traditionele trouwjurken, maar misschien vind je hier precies wat je zoekt. En omdat er geen sticker 'trouwjurk' op zit, is de prijs vaak ook lager.

# Bespaar op kostbare details

Welke locatie je ook kiest, geef je decoratiebudget uit op plaatsen waar je gasten de resultaten ook zien. Dat betekent: op ooghoogte en daarboven, dus ingangen, tafels, tentpalen en dergelijke. Hoewel mooie randjes om tafelkleden, kwasten aan stoelkussens, bloemenslingers om leuningen en dergelijke heel fraai zijn, hebben ze veel minder impact dan één enorme pot met bloemen in het midden van de ruimte. Als je budget krap is, schrap dan als eerste de kleine details. Bij een receptie in de avonduren zijn kaarsen een verstandige uitgave. Ze kosten weinig en geven direct sfeer aan een ruimte.

# Orkest in een doos

In plaats van een stel klassieke musici in te huren voor je ceremonie, kun je een heel symfonieorkest in huis halen met een goed geluidssysteem, een stel cd's en iemand die op het juiste moment op de juiste knop drukt.

# Doe de eenvoudige dingen zelf

Eenvoudige maar arbeidsintensieve klussen zoals lintjes om servetten binden, enveloppen dichtplakken en koekjes bakken kun je uitbesteden, maar daar betaal je dan ook voor. Stroop je mouwen op en ga aan de slag. Aarzel niet om vrienden en familieleden te rekruteren.

# Trouw buiten het hoogseizoen

Afhankelijk van waar je trouwt, kan het stukken goedkoper zijn om je feest op een woensdag of donderdag te geven of in een maand waarin niet veel stellen trouwen (zie hoofdstuk 1 en 4).

# Index

# Maak kennis met Pearson Education Benelux

Wist u dat Pearson Education Benelux zowel Nederlands- als Engelstalige boeken uitgeeft op de volgende gebieden:

**Informatica**
Van boeken voor thuisgebruikers en hobbyisten tot en met standaardwerken voor professionals in de ICT-sector.

**Management**
Voor de beginnende manager tot en met de veeleisende professional die zijn/haar kennis en praktische vaardigheden op het gewenste niveau wil brengen of houden.

**Algemene non-fictie**
Titels over de meest uiteenlopende onderwerpen voor een breed publiek: geschiedenis, politiek, literatuurstudies, kunstboeken en populair-wetenschappelijke boeken.

**Hoger Onderwijs**
Boeken voor het hoger onderwijs onder de imprints Prentice Hall en Addison-Wesley, op allerlei gebied, waaronder: management, economie, marketing, informatica, techniek, psychologie, biologie en kunst.

**English Language Teaching**
Een uitgebreid aanbod aan Engelstalige boeken voor docenten Engels en voor iedereen die Engels wil leren. De *Longman Dictionaries* en de *Penguin Readers* zijn bekende boeken binnen dit fonds.

## Partners

Onze publicaties onderscheiden zich door constante hoogwaardige kwaliteit en innovatie. Dat komt mede door onze nauwe samenwerking met gerenommeerde alliantiepartners, zoals onder andere Microsoft, Adobe, Sun Microsystems, Cisco Systems, Intel, Hewlett Packard, Macromedia, Financial Times, Wharton School en Reuters.

## Website

Voor een compleet overzicht van ons assortiment verwijzen wij u graag naar www.pearsoneducation.nl. U kunt zich daar ook inschrijven voor de nieuwsbrief. Daarmee blijft u op de hoogte van nieuws en ontwikkelingen binnen ons fonds. Iedere 25e inschrijving bedanken we met een boek van Pearson Education naar keuze.

## Uw mening

Wij streven altijd naar de hoogst mogelijke kwaliteit van onze boeken. We hopen dan ook dat u dit boek met plezier gelezen heeft.
Mocht u nog vragen en/of opmerkingen hebben over dit boek of over andere boeken van Pearson Education Benelux, dan kunt u altijd contact met ons opnemen via marketing.benelux@pearson.com of +31 (0)20 5755800.

Cisco Press